新世纪教师教育丛书·修订版

袁振国 主编

教育评价与测量

金 娣 王 钢 编著

教育科学出版社

·北京·

《新世纪教师教育丛书》修订版前言

　　振兴民族的希望在教育，振兴教育的希望在教师。

　　教师是一种专门化的职业，它有自己的理想追求、有自己的理论指导、有自觉的职业规范和成熟的技能技巧，具有不可替代的独立特性。教师不仅是知识的传递者，而且是道德的引导者，是思想的启迪者，是心灵世界的开拓者，是情感、意志、信念的塑造师；教师不仅需要知道传授什么知识，而且需要知道怎样传授知识，知道针对不同的学生采取不同的教学策略。教师职业的专门化既是一种认识，更是一个奋斗过程，既是一种职业资格的认定，更是一个终身学习、不断更新的自觉追求。中国教师队伍的培养和培训正在发生着历史性的变革，正在从发展数量向提高质量转变，提高质量将成为新世纪教师队伍建设的主旋律。在这种转变的过程中，无论是职前培养还是职后培训，无论是教育机构还是教师个人，都需要以一种新的姿态迎接这一转变。

　　从我们对广大中小学的调查中了解到，面对全面推进素质教育的新形势，当今教师迫切需要不断更新教育理念，提高将知识转化为智慧、将理论转化为方法的能力，提高将学科知识、教育理论和现代信息技术有机整合的能力，增强理解学生和促进学生道德、学识和个性全面发展的自觉性。为了响应这种挑战，广大的师范院校和教师培训机构都在积极探索教师教育的新内容和新方法。以华东师范大学为例，1996 年起，就有组织地开发了现代教育理论与教育实践紧密结合的新课程系统和教学模式，这些课程包括：教育新理念、课程理论与课程创新、现代教育技术、教育评价与测量、当代教学理论、教学策略、心理健康的指导和研究、网络教学、课件制作、教会学生思维、师生沟通的艺术、优秀班主任研究、中小学教学与管理案例分析、教育研究方法、基础教育改革的理论与实践等。参加课程开发的教师60%具有教授、副教授职称，80%具有硕士、博士学位。这一项目列入了教育部师范司"面向21世纪高师教学与课程改革计划"重点项目。我主持了这一项目的研究和实践。根据边实践、边研究、边总结、边改进的方针，经过几轮教学，逐渐形成了一批相对成熟的教材，在反复教学的基础上，经过精选整合、修改补充，于2001年由教育科学出版社出版。由于这套丛书理念新、注重理论联系实际、强调可操作性，出版以后受到了读者极大欢迎，数次甚至数十次重印，为满足教师教育的新形势、新要求尽了绵薄之力。

正是由于这套丛书影响大、受欢迎程度高，所以更增强了我们的责任感。丛书出版的六年多来，教师教育的知识、观念不断更新，教师教育的实践不断发展，我们对教师教育课程的认识也不断深化，为此，根据教师教育的新形势和新要求，我们对《新世纪教师教育丛书》进行了修订。这次修订包括两方面，一是对第一版图书进行了较大修订，更新了内容，改善了结构，修饰了语言，修订了错误；二是丛书新增了若干选题，以反映教师教育的新要求。

祝愿丛书与我国一千多万中小学教师共同成长。

袁振国
2007 年 7 月

目　　录

1

教育评价概述

    在当今世界教育领域中，教育评价、教育基础理论和教育发展被誉为三大研究课题。教育评价对于教育发展和改革，对于教育管理和决策，都有至关重要的作用，因而备受各国政府部门的重视。对于什么是评价、什么是教育评价、教育评价的类型有哪些、教育评价的功能是什么、教育评价模式有哪些等基本理论问题的探讨和研究，有助于对教育评价问题的深入研究。

第一节　教育评价的基本概念

一、教育评价的定义

在汉语中，评价是评定价值的意思。① 那么什么是教育评价呢？所谓教育评价，是指在系统地、科学地和全面地搜集、整理、处理和分析教育信息的基础上，对教育的价值做出判断的过程，目的在于促进教育改革，提高教育质量。

所谓教育评价，是指在系统地、科学地和全面地搜集、整理、处理和分析教育信息的基础上，对教育的价值做出判断的过程，目的在于促进教育改革，提高教育质量。

上述定义包含以下四个要点。

第一，教育评价的对象（即价值判断的对象）可以是教育领域中的任意元素，既可以是教育的参与者（人物），如教师、学生、教育管理人员等，也可以是教育现象和活动（事物），如教育方针、教育政策、教育活动、教育过程、教育效果等。

第二，教育评价的本质（即评价的主要性质）是对教育的价值做出判断，是评价者的主体需要与被评价对象的客体属性的一种特殊的效用关系运动。

第三，教育评价的手段（即评价的方法和技术）是运用科学的评价技术和方法。综合运用测量、统计、系统分析等手段进行综合分析判断，既有定量的，又有定性的。

---

① 中国社会科学院语言研究所词典编辑室．现代汉语词典［M］．北京：商务印书馆，1978：882.

第四，教育评价的目的（即评价活动所要达到的境地）是为了促进教育改革，提高教育质量。为了达到这一目的，要为被评价者（或被评价单位）诊断各种教育问题，探索改进措施，选择行为决策。

为了深入理解教育评价的定义，从价值论、认识论和实践论的角度，剖析评价和价值、评价与认识及评价和实践的关系。

（一）评价和价值

由教育评价的定义可知，教育评价的本质是对教育的价值做出判断，而进行价值判断离不开一定的教育价值观。因此，没有正确的价值观，就谈不上客观、公正、有效的评价。

1. 价值

什么是价值？目前学术界仍是众说纷纭，还未形成一致的看法。在日常生活中，"价值"泛指事物或人的功能和作用。在哲学上，有关价值的定义主要有：意义说、满足需要说、兴趣说、情感说、欲望说、先验性质说、情境说、功能说、有用说和结果内在说等。[①] 马克思曾指出："'价值'这个普遍的观念是从人们对待满足他们需要的外界物的关系中产生的。"[②] 他还说，价值"是人们利用的并表现了对人的需要的关系的物的属性"，[③] "表示物的对人有用或使人愉快等等的属性"，"实际上是表示物为人而存在"。[④] 根据马克思的科学论断，我国哲学界一般认为，价值从本质上属于一种关系范畴，即是通过主体和客体的相互关系而体现的，这种关系的联结涉及主体对客体的需要和客体客观属性。只有当主体具有某种需要，而同时客体本身也具有满足主体需要的客观属性，才能体现出价值。缺少主体的需要，或者主体有需要，但客

---

① 王玉梁. 论价值本质与价值标准［J］. 学术研究，2002（10）.
② 马克思，恩格斯. 马克思恩格斯全集：第19卷［M］. 北京：人民出版社，1965：406.
③ 马克思，恩格斯. 马克思恩格斯全集：第26卷［M］. 北京：人民出版社，1965：139.
④ 马克思，恩格斯. 马克思恩格斯全集：第26卷［M］. 北京：人民出版社，1965：326.

体本身没有满足这种需要的客观属性，那么主、客体就没有形成关系的可能性，也就无法谈论价值。

2. 教育价值

所谓教育价值，就是指教育能够满足人和社会需要的程度。具体说来，教育价值主要体现在两个方面：教育对人发展的价值和社会的价值。教育对人发展的价值主要是指教育对人的精神需要、物质需要的满足，也就是对人的知识增长、能力的提高、个性的发展、心理上的满足以及身体的发育等需要的满足，以提高人的价值实现能力和身体素质，增强人的创造自觉性，以及求得人的全面的、自由的发展，从而为每个受教育者最大可能地实现其个人价值和个体价值社会化准备条件。教育的社会价值主要是指主体对教育在社会内容方面的价值，它大致包括教育的政治价值、经济价值和文化价值。教育的政治价值主要体现在教育对维护和巩固政治制度的作用方面；教育的经济价值主要表现为提高人的劳动技能，促进生产力的发展方面；教育的文化价值主要表现在传递和继承文化、发展和创造文化方面。

所谓教育价值，就是指教育能够满足人和社会需要的程度。

由于教育价值的主要体现是对人的发展价值和社会价值，因此，受人的身心发展需要和社会的政治、经济、文化、人才需要的影响极大。这就形成了教育价值观的多样性，如对于一心要让子女上大学的家长来说，他们评价一所中学教育价值的标准，就是子女能否考上大学；对于一个立志要成为艺术家的人，评价教育价值的标准是，教育为其成为艺术家所提供条件的程度；社会各界、各行各业评价教育的价值，同样是以教育培养的人满足他们需要的程度为标准。因此，对于同一教育现象，具有不同教育价值观的人、对教育有不同要求的人，会得出完全不同的评价结论。而社会发展和人的自我完善对教育的要求，又是通过社会各阶层具有不同教育价值观的人们对教育的不同要求反映出来的。这就要求我们在实施教育评价时，必须采取实事求是的态度，在正确价值观的作用下，如实地反映被评价对象的真实价值。

（二）评价和认识

评价从本质上说是一种认识活动。马克思主义认识论认为，认识的本质是能动的反映，而评价尽管过程是复杂的，但它首先是客观社会存在的反映。可见，二者都是主观形态的意识活动，反映的对象都是客观存在的。但是，我们也不能不看到作为特殊认识的评价与人的认识活动之间的区别。

1. 对象的区别

我们通常所说的认识，是指对客体本身某方面的本质或规律的认识，因此其对象是客体本身。而评价的对象不是客体本身，即不是客体的实体性属性，而是客体的社会属性。

2. 主体性的区别

诚然，进行认识和评价的主体都是人，但认识的目的在于揭示事物的本质联系，而评价则不同，主体在评价事物时，总是把客观事物的属性同自身的需要紧密联系起来，主体的需要不能排除在评价内容之外，为此，评价较认识具有更强的主体性。

3. 反映形式的区别

评价、认识的本质是反映，然而，两者的反映形式是有区别的。认识常以理性的、抽象的思维形式来反映客体的本质和规律，而评价是只有在主体的需要和兴趣的关系中才能得到实现的特殊反映。每一种评价不仅是行为主体生活状况的反映，而且是评价主体世界观的体现。因此，评价作为价值判断，常常以理性和抽象思维之外的形式来反映客体与主体需要的关系。

明确两者之间的区别，便于我们更深入地了解两者之间的关系。认识是评价的基础和前提，只有在对事物有了一定认识之后，才能评价事物，同时，评价又为进一步的认识提供指导。

（三）评价和实践

教育评价活动本身就是一种实践活动，评价正确与否是要通过实践检验的，这里包含两层意思。

第一，把评价理论和方法运用于实践，接受实践的检验。

在教育评价的实践中，人们对事实判断的客观性深信不疑，对价值判断的客观性却一直持怀疑态度。究其原因，是因为事实判断和价值判断是不同的。事实判断是关于客体本身是什么的判断，而价值判断是关于客体对主体的意义是什么，对主体意味着什么的判断。两者的本质区别在于，在价值判断中多了一种对于价值而言是决定性的因素——人的需要。而人的需要是复杂的，"人"和"需要"这两个概念的内涵是复杂的。但这种复杂性并不能使我们放弃对教育评价客观性的追求，反而坚定了对教育评价客观性的追求——那就是把评价的现有成果，即评价理论和方法运用于实践，接受实践的检验。对于实践证明是科学的理论和方法，应该保留，并继续运用，对于实践证明是不科学的理论和方法，我们要加以修正或摒弃。

第二，评价的结果要接受实践的检验。

教育评价既基于对教育客观规律本身的认识，又基于对满足人和社会需要的价值关系的认识。教育本身的规律以及教育对人和社会的价值，就构成了教育评价活动的两个尺度，其一称之为合规律，其二称之为合目的。所谓"合规律"指评价要合事实、合逻辑、合规范，"合目的"是指教育评价目的和教育评价依据的合理性。而要衡量评价结果是否"合规律"和"合目的"，则是需要接受实践检验的。这种检验主要从三方面来观察：其一是价值客体的发展水平是否与评价结果相一致；其二是价值主体需要的满足程度；其三是评价主体的主观愿望是否实现。

国外学者曾用一个简单的公式对评价做了形象的说明：

评价＝定量描述（或定性描述）＋价值判断

从这个意义上说，评价就是在定量描述或定性描述的基础上进行价值判断的活动。

二、教育评价与相关概念的区别

（一）教育评价与教育测量

所谓教育测量，就是依据一定的法则（标准）用数值来描述教育领域内事物的属性，是事实判断的过程。要对教育的价值做出判断，必须取得有关教育活动大量的、系统的信息。要获取这些信息，教育测量是有效手段，它是教育评价的基础。

所谓教育测量，就是依据一定的法则（标准）用数值来描述教育领域内事物的属性，是事实判断的过程。

但是，教育测量与教育评价有着根本区别。教育测量本质上是一个事实判断过程，而教育评价实质上是一种价值判断过程。它们的区别主要表现在以下两个方面。

第一，由于教育测量是对事实作判断，在判断的法则（标准）确定后，如果排除测量误差的影响，则不同的人进行测量应能得到相同的结果，即教育测量具有较强的客观性；而教育评价是对教育活动的价值做出判断，由于评价主体的价值观念和标准有所不同，因此判断的结果可能是不相同的。

第二，教育测量是在事实判断基础上，进行赋值的过程，因此它注重量化，但教育评价既有定量的评价，也有定性的评价，就是说测量的结果是评价的主要依据之一，评价的价值判断标准是多方面的。如某学生英语期末考试获得 84 分，全年级 60% 的人低于他。这对于教育测量来说，任务已完成。因为分数已描述了该生当前的英语水平。但是对于教育评价者来说，还应考查该生以往的成绩，即与以往成绩相比是进步了还是倒退了。若是退步了就要找出他退步的原因，分析他哪部分知识、技能有缺陷，应如何补救。可见，教育评价不仅要对当前结果做出描述，还要考查其发展过程，诊断其症结所在，提出补救措施。

教育评价和教育测量的关系可表述如下：

$$教育评价 = \begin{cases} 测\quad量（量的记述）+ 价值判断 \\ 非测量（质的记述）+ 价值判断 \end{cases}$$

（二）教育评价和教育评估

教育评价和教育评估是非常接近的两个概念，在许多场合下是可以通用的。事实上，从认识论的角度分析，评价和评估的本质是精神对物质、意识对存在的一种反映。在教育领域中，二者均从一定社会的角度出发，按照一定的教育价值观来考查和评定被评价对象的社会价值，判断其好与坏、功与过、正确与不正确及其表现的程度。

在实际中具体使用时，不同的范围和场合又有不同的习惯用法，如高等教育领域多称教育评估，在督导部门也称督导评估，而在普通教育领域则多称为教育评价。在我国大陆教育理论界把"evaluation"多译作"评价"，有时也译作"评估"，似已成习惯，而在我国的台湾省，常译作"评鉴"，也有译作"评量"或"评价"的。在我国正式公布的文件中有时用"评价"一词，有时用"评估"一词。可见，教育评价和教育评估在使用中并无严格的界限。

第二节 教育评价的主要类型

教育评价涉及的范围广、内容多，门类繁杂，为便于研究和应用，可依据不同的标准做出分类。

一、按评价范围分类

（一） 宏观的教育评价

宏观的教育评价是以教育的全领域或涉及宏观决策方面的教育现象、措施为对象的教育评价。如对教育目标、教育结构、教育制度、教育内容、教育方法、教育行政管理、教育社会效益等方面的评价。它是总体的、全局性的、战略的、宏观的、高层次的。

（二） 中观的教育评价

中观的教育评价是以学校内部各方面工作为对象的教育评价。评价的内容包括学校的办学条件、办学水平、领导班子、教师队伍、思想政治教育工作、教学工作、体育卫生工作、总务工作、团队工作、家长工作、学校社会效益等方面。

（三） 微观的教育评价

微观的教育评价是以学生的发展变化为对象的教育评价。评价的内容包括对学生的思想品德、知识技能、健康状况、审美情操、劳动技能等方面。

二、按评价的内容分类

（一） 条件评价

条件评价是对教育方案可行性的评价，也就是对达到目标所需条件的评价。为了识别各备选方案的优劣，需要对实现目标所需成本费用、可利用的人力和物力资源，解决问题的策略和相应的程序设计等进行调查研究。为了设计实现目标的最佳方案，可以把两个或多个竞争性策略中的最好方面结合起来，增强其可操作性。

条件评价是对教育方案可行性的评价，也就是对达到目标所需要条件的评价。

（二）过程评价

过程评价是对教育方案实施情况进行的评价。目的是获取方案实施情况的反馈信息，作为修改方案的依据。为了要将方案的执行过程和预定过程相比较，对是否按预定计划实施方案、是否在用一种有效的方式利用现有资源等问题进行考察。

过程评价是对教育方案实施情况进行的评价。

（三）成果评价

成果评价就是对教育活动结果和质量的评价。如办学水平评价和选优评价等。它着重对教育结果进行成果鉴定和等级区分。过程评价和结果评价既互相区别，又互相联系、互为因果，在一定的条件下相互转化，具体地说，教育成果既是教育过程发展的自然结果，又是新的教育过程的必要前提。

成果评价就是对教育活动结果和质量的评价。

三、按评价的基准分类

（一）相对评价

相对评价是在被评价对象的集合总体中选取一个或若干个对象作为标准，然后将其余评价对象与该标准进行比较，或者是用某种方法把所有评价对象排成先后顺序的评价。通过比较，可以确定被评价对象在集合中的相对位置，以分优劣。相对评价主要用于选拔性和竞赛性活动。

相对评价是在被评价对象的集合总体中选取一个或若干个对象作为标准，然后将其余评价对象与该标准进行比较，或者是用某种方法把所有评价对象排成先后顺序的评价。

由于相对评价是在评价对象集合的内部，将集合中的评价对象互相进行比较，以确定评价对象在集合中的相对位置。所以相对评价的结果只适用于所选定的评价对象的集合，对于另外的集合未必适用。

相对评价的优点是适应性强、应用性广。无论这个集合的个体状况如何，都可以确定标准进行比较，使每个评价对象认清自己与集合的其他对象的差距，具有一种强烈的竞争机制。相对评价的缺点是，评价标准来自被评价群体，没有一个客观的标准或者容易降低客观标准。评价结果并不表示被评价对象的实际水平，可能是"矮子里边选高个"，因而选出来的"高个"也未必就是真高。

（二）绝对评价

绝对评价是在被评价对象集合之外，预先确定一个客观标准，将评价对象与该客观标准进行比较，判断其达到标准程度的评价。它主要用于合格性和达标性活动。比如，我国的高中毕业会考就属于绝对评价，凡达到合格标准的高中毕业生都可获得毕业证书。

绝对评价是在被评价对象集合之外，预先确定一个客观标准，将评价对象与该客观标准进行比较，判断其达到标准程度的评价。

绝对评价的标准一般是依据特定目标所确定的标准。评价时，每个个体只与评价标准相比较，个体和个体之间不进行相互比较。绝对评价的优点是可以使被评价对象明确自己和标准之间的差距，激励其积极上进。它的缺点是客观标准的制定比较困难，很难做到完全客观和合理。

（三）个体内差异评价

个体内差异评价是把被评价对象集合总体中的每个个体的过去和现在相比较，或者将一个个体的若干侧面相互比较。它在运用时常会遇到两种情况。一种是把被评价对象的过去和现在进行比较。例如，把学生的期中考试与期末考试成绩进行比较。另一种情况是把被评价对象的某几个侧面进行比较。例如，一个学生的外语水平可以从语言、语法、词汇、阅读、写作等几个方面来考查，考查之后可以发现这个学生在哪方面较好一些，哪方面较差一些。个体的今昔比较，可使被评价者了解自己学习的发展情况；个体的各侧面比较可使被评价者了解自己哪方面优，哪方面差，进行自我调节。

个体内差异评价是把被评价对象集合总体中的每个个体的过去和现在相比较，或者将一个个体的若干侧面相互比较。

四、按参与评价的主体分类

（一）自我评价

自我评价就是评价者根据一定的标准对自己进行评价。比如，学校对自身的教育教学管理和教育教学质量的评价；教师对自己教学思想、内容、方法、态度、效果等的评价；学生对自己的德、智、体、美、劳各方面的评价等。其优点如下。

第一，自我评价有利于全面收集信息，形成准确的判断。我们知道，能否对教育的价值形成准确的判断，在很大程度上依赖于我们能否全面地收集关于被评价对象的信息。被评价者对自己的情况最熟悉，他们所提供的自我评价材料可为正式评价提供充分而必要的信息。当然，这要求被评价者在自我评价过程中本着实事求是的态度，如实反映自己的情况，避免出于防卫心理而报喜不报忧。

第二，进行自我评价，有利于大大减轻评价组织者的工作量。特别是在选优评价中，自我评价的过程也是自我把关的过程。自我评价可以使一些自己感到不具备选优的单位或个人不参加评选活动，这就使组织者的工作量大大地减轻。

第三，开展自我评价，有利于评价活动真正发挥促进改革、推动工作的作用。自我评价促使被评价单位或被评价者自己主动去寻找问题，这对今后由他们自己去解决问题是十分有利的。评价不是目的，我们开展评价的目的是为了促进被评价者更好地工作。

自我评价就是评价者根据一定的标准对自己进行评价。

（二）他人评价

他人评价是指由被评价者之外的他人进行的评价，也叫"外部评价"。例如，上级教育部门对下属学校的评价、社会舆论对学校的评价、校领导对教师的评价、同行对同事的评价、教师对学生的评价、同学之间的评价等。

他人评价的优点是要求严格，评价结果客观性较强。缺点是组织工作较为繁杂，耗费的人力和时间也较多，因而不宜频繁进行。对于规模较大的评价活动，通常的做法是先进行自我评价，在此基础上再组织适当规模的他人评价，综合发挥两类评价各自的优势，最大限度地弥补二者之不足，以求达到尽可能理想的效果。

他人评价是指由被评价者之外的他人进行的评价，也叫"外部评价"。

五、按评价功能分类

（一）诊断性评价

诊断性评价是指在某项教育活动进行之前，为使其计划更有效地实施而进行的预测性、测定性评价，或对评价对象的现状和存在的问题做出鉴定。其主要目的是为了了解评价对象的基础和情况，判断其是否具备进行某项活动的条件。如在教学前，诊断性评价的作用在于对学生的能力、基础等进行辨别和分置，如对于不具备学习新课程条件的学生，一方面予以补缺，另一方面将之分置于能力较低的班组，使之对学习不至于产生悲观和受挫之感；对于已掌握新课程教学目标的学生，应为其确定合适的教学起点，使之对所学内容不至于感到厌烦或没兴趣；对天才学生，应予以特殊关心和培养。适当地分置有助于在教学中因材施教，在工作中因地制宜，实事求是，等等。

诊断性评价是指在某项教育活动进行之前，为使其计划更有效地实施而进行的预测性、测定性评价，或对评价对象的现状和存在的问题做出鉴定。

（二）形成性评价

形成性评价是指在教育活动进行过程中评价活动本身的效果，用以调节活动过程，保证教育目标实现而进行的价值判断。它的目的不是预测，也不是为了评定成绩，而是为了了解工作过程中的情况，以便及时调整工作的状态。比如在具体的教学过程中，形成性评价就是为了测定评价对象某一具体教学内容的掌握程度，并指出还没有掌握的那部分任务或者在学习过程中存在的问题和不足，其目的不是给学生评定成绩或作学业的证明，而是既帮助学生也帮助教师把注意力集中到要达到的掌握知识的程度上。当然，在教学过程中，教师要对学生进行形成性评价，教师也可以对自己的整个教学工作进行形成性评价，以促进教师教学水平的提高。

形成性评价这一概念是 1967 年由美国哈佛大学的斯克里芬（M. Scriven）在课程研究中提出的，主要用于改善教材。20 世纪 60 年代，美国芝加哥大学的布卢姆（B. S. Bloom）将其引进教学领域，提出了掌握学习的教学策略，取得了显著成效。20 世纪 80 年代后，我国将形成性评价运用扩展到整个学校教育领域，控制学校工作过程，及时或定期检查学校各项计划的执行情况，分析工作上的问题，及时加以改进，以便建立和完善学校指挥系统和反馈渠道。

形成性评价是指在教育活动进行过程中评价活动本身的效果，用以调节活动过程，保证教育目标实现而进行的价值判断。

（三）终结性评价

终结性评价也称总结性评价。它是指在某项教育活动告一段落时，对最终成果做出价值判断。也就是以预先设定的教育目标为基准，对评价对象达成目标的程度，即最终取得的成就或成绩进行评价，为各级决策人员提供参考依据。

终结性评价是指在某项教育活动告一段落时，对最终成果做出价值判断。也就是以预先设定的教育目标为基准，对评价对象达成目标的程度，即最终取得的成就或成绩进行评价，为各级决策人员提供参考依据。

就教学目标而言，终结性评价是指在一门学科的重要部分或整个教学结束时，对学生的学习效果和成绩所进行的全面评价。它与形成性评价的区别在于以下几点。

第一，形成性评价在教学过程中进行，是经常性的。终结性评价是在整个教学或其中重要部分结束时才进行，如在期中、期末进行。

第二，形成性评价的主要目的不是为学生提供证明，而是致力于引导学生掌握他所必须具备的知识，并试图发现学生错误的起因，从而采取因人施教的补救措施。而终结性评价的主要目的是评定学生成绩，为学生具有某种能力或资格作证明。

第三，形成性评价的内容一般限制在一个教学单元的范围内；而终结性评价内容涵盖一门学科，对学生能力的概括水平高于形成性评价。

以上三种评价在实际评价工作中是相互联系和相互渗透的，比如，诊断性评价，一般说来是一种工作初始时的准备性评价，但是，实际上由于任何一项工作都是连续性的，阶段的划分也是相对的，无论是形成性评价或终结性评价都带有诊断的性质。而由于评价的根本目的是为了促进工作，促进发展，所以任何评价都带有形成性的性质。没有诊断性评价不是真正的科学的评价，它只能是一种主观臆测，而没有形成性评价也就必然失去其评价的意义。

六、按评价的方法分类

（一）定量评价

定量评价是指采用数学的方法，收集和处理数据资料，对评价对象做出定量结论的价值判断。如运用教育测量与统计的方法，模糊数学的方法等，对评价对象的特征用数值进行描述和判断。随着测量与评价理论的发展，量化评价的形式越来越多地在教育领域广泛应用。

（二）定性评价

定性评价是指不采用数学的方法，而是根据评价者对评价对象平时的表现、现实的状态或文献资料的观察和分析，直接对评价对象做出定性结论的价值判断。比如，评出等级、写出评语都是定性评价。教育活动是十分复杂的，具有模糊性，存在着许多难以量化的因素。因此，定性评价是不可缺少的。

定性评价和定量评价各有其优缺点，各有其适用范围。现代评价理论和实践发展的趋势就是将定性评价和定量评价结合起来，求得更全面的评价结果。

七、按评价对象的复杂程度分类

（一）单项评价

单项评价是指对教育评价对象的某个侧面进行的价值判断。如对某一学科学生学业成绩的评价，对学校管理水平的评价，对教师教学评价，甚至对教师一种教学技能，诸如板书技能、讲解技能、语言技能的评价。单项评价可以为评价对象某一方面工作的改进提供依据，可以提供评价对象具体细节的有关状况，为综合评价提供基础资料。

单项评价是指对教育评价对象的某个侧面进行的价值判断。

（二）综合评价

综合评价是指对教育评价对象整体的系统的价值判断。教育活动是一个多层次、多方面相互联系、相互作用的有机整体，只有相互协调、密切配合，才能实现教育目标。综合评价的方法有两种基本的思路：一是通过分析的方法，先对评价对象的评价内容进行分解，在单项评价的基础上汇总做出全面的评价结论；另一种思路是直接通过综合的方法，不对评价内容进行分解，而是凭直观和经验对评价对象的整体进行评价，这种评价简便，一般适用于非正式的评价。比如领导在视察某校后，做出一个比较简单的综合评价，等等。

综合评价是指对教育评价对象整体的系统的价值判断。

单项评价和综合评价的区别不是绝对的，不是一成不变的。在不同的条件下，可以相互转化。在实际评价工作中，两者相辅相成、互为补充。单项评价是综合评价的基础，综合评价是单项评价的综合。

第三节　教育评价的功能

一、导向功能

导向功能是指教育评价本身所具有的引导评价对象朝着理想目标前进的功效和能力。在教育评价中，对任何被评价对象所作的价值判断，都是根据一定的评价目标、评价标准进行的。因此，有什么样的评价内容，被评价对象就会注重那个方面的工作；有什么样的评价标准，被评价对象就会向什么方向努力。也就是说，评什么、怎样评，将有力地引导被评价者在教育教学工作中做什么、怎么做。这些评价内容、评价标准，对评价对象来说，起着"指挥棒"的作用，发挥着导向功能。他们必须按目标努力，才能达到合格的标准，否则就达不到合格标准，得不到好的评价。例如，在评价教师课堂教学时，学生参与教学的活动量是其标准之一，这一标准将引导教师在教学中调动学生动脑、动口、动笔、动手积极参与教学活动，以充分体现学生是教学活动中的主体。

为了更好地发挥教育评价的导向功能，就必须依据教育目标制定恰当的评价内容和标准，对教育效果实行全面的评价。另外，教育评价要顺应时代的发展，注意科学文化进展的新动向，了解教育改革的理论和信息，及时调整评价内容和重点，使之既适合教育教学实际，又体现出发展性和先进性。

教育评价的导向功能是指教育评价本身所具有的引导评价对象朝着理想目标前进的功效和能力。

二、鉴定功能

鉴定功能是指教育评价认定、判断评价对象合格与否、优劣程度、水平高低等实际价值的功效和能力。从教育评价的历史发展来看，教育评价在其早期阶段是以发挥鉴定功能为主要特征的，泰勒模式所注重的就是这一功能。它主要表现在以下几个方面：一是用于配置和决策。如通过对学生德、智、体等方面的评价，来鉴定学生的发展水平，以便合理制定教育方案，进行因材施教。二是进行认可鉴定。具体地说就是对学生某一阶段的学习或者对教师的教学进行认可性的评定。例如，结合学年末的考试所进行的评价，就是对学生发展水平的认可，如果认为学生已达到应有的水平，即可进入高一年级深造，否则需留级重新学习。三是资格鉴定。就是判断被评价者是否具备某种资格。如学生的毕业鉴定就是一种学历的资格鉴定评价。

教育评价的鉴定功能是指教育评价认定、判断评价对象合格与否、优劣程度、水平高低等实际价值的功效和能力。

三、改进功能

改进功能是指教育评价本身所具有的促进评价对象为实现理想目标不断改进和完善行动的功效和能力。改进功能主要是运用"反馈原理"，通过评价及时获得教育过程、教育结果的信息，及时强化正确的、有利于教育目标实现的教育行为，及时调节和矫正不良的、不利于教育目标实现的教育行为，从而控制教育活动和教育工作的过程，促使其不断地完善和优化。

教育评价的改进功能能否充分发挥取决于教育评价是否既重视结果也重视过程与条件，评价的结果是否具有客观性、公正性和激励性。只有重视对教育过程的评价分析，才能科学地解释结果，总结经验，找出问题，从而使教育评价的改进功能得到最大限度的体现。

教育评价的改进功能是指教育评价本身所具有的促进评价对象为实现理想目标不断改进和完善行动的功效和能力。

四、调控功能

调控功能是指教育评价对评价对象的教育教学或学习等活动进行调节和控制的功效和能力。通过教育评价，可以获得有关教育活动满足社会需要程度的信息，并将这个信息反馈，用以去改善和调节教育目标、课程与教材、教师的教与学生的学等过程，这就是教育评价的调控功能。它主要包括两个方面：一是评价者为被评价者调节过程。例如，通过评价，评价者认为被评价者已达到目标，并能达到更高目标时，就会将目标调高，将进程相对调快，如认为被评价者几乎没有可能达到目标时，就会将目标调低，将进程相对调慢，使之符合被评价者的实际。二是被评价者通过评价了解自己的长短、功过，明确努力方向和改进措施，以实现自我调节。

教育评价的调控功能是指教育评价对评价对象的教育教学或学习等活动进行调节和控制的功效和能力。

五、服务功能

服务功能是指教育评价为教育决策服务的功效和能力。随着教育评价的进一步发展，教育评价的调控功能在各种教育活动中日益显现出来，并发挥着重要的作用。为了更好地、更科学地管理教育事业，准确把握教育的未来，减少失误，教育评价为教育决策服务的功能已越来越被广大教育工作者，特别是教育决策部门所重视。

教育评价的服务功能是指教育评价为教育决策服务的功效和能力。

第四节　教育评价模式

教育评价模式就是教育评价基本理论与方法的总体概括，是某种教育评价类型的总构思。它包括评价的大体范围、基本程序、主要内容和一般方法。国外学者对评价模式进行了较为系统的研究，提出了众多的评价模式。我国学者在吸取外国评价模式精华的基础上，提出了一些适合我国国情的评价模式，对如何进行评价颇有启发。

教育评价模式就是教育评价基本理论与方法的总体概括，是某种教育评价类型的总构思。它包括评价的大体范围、基本程序、主要内容和一般方法。

一、国外主要教育评价模式

在国外，特别是西方国家十分注重对教育评价模式的研究工作。目前教育评价模式已有几十种之多，较有影响的模式主要有四种。

（一）泰勒模式

这是 20 世纪 30 年代由美国著名学者泰勒（R. W. Tyler）提出的，它是教育评价理论历史发展中第一个较为完整，而且也是最有影响的模式。

泰勒模式是一个单向封闭系统。先制定目标，再根据目标选择和组织学习经验，然后评价目标的实现程度。由于工作流程相对简单，且结构紧凑、逻辑严密、层次分明，易为大多数人接受、掌握和运用。但也有其自身难以克服的局限：如回避了教育的价值问题，只重视对"结果"的评价而忽视了对过程的评价，对非预期结果的处理未涉及，未重视人的个性发展的特殊性。20 世纪 60 年代开始，教育评价领域有人对一直雄踞指导地位的泰勒模式进行反思，泰勒模式遇到了挑战。

泰勒模式是一个单向封闭系统。先制定目标，再根据目标选择和组织学习经验，然后评价目标的实现程度。

（二）CIPP 模式

1966 年美国的斯塔弗尔比姆（L. D. Stufflebeam）创立了 CIPP 教育评价模式。CIPP 模式是根据背景评价（Context）、投入评价（Input）、过程评价（Process）、成果评价（Product）四种评价的第一个英文字母而命名。这四种评价都是为决策服务的。背景评价为计划决策服务、投入评价为组织决策服务、过程评价为实施决策服务、成果评价为再一次决策服务。

斯塔弗尔比姆提出的 CIPP 评价模式，将教育目标纳入到评价活动之内，使目标本身的合理性首先得到评价，从而使评价更全面、更科学、体系更完整。同时，该模式重视形成性评价，时刻考虑到为决策提供所需的信息，使评价活动更具方向性和实用价值。再者，该模式把评价看成是教育活动的一部分，使评价成为改进工作，提高教育质量的工具。CIPP 评价模式同样也存在着一些缺陷，如无论是背景评价、投入评价、过程评价和结果评价都在为决策者服务，因而评价缺乏完全意义上的价值判断，同时也制约了评价人员作用的发挥，并且该模式要求各类信息源的配合、充裕的经费以及可靠的分析技术，因而使它的使用受到了很大的制约。

CIPP 模式是根据背景评价（Context）、投入评价（Input）、过程评价

（Process）、成果评价（Product）四种评价的第一个英文字母而命名。这四种评价都是为决策服务的。背景评价为计划决策服务、投入评价为组织决策服务、过程评价为实施决策服务、成果评价为再一次决策服务。

（三）目标游离模式

目标游离模式是美国的斯克里芬（M. Scriven）提出的。斯克里芬在考察教育活动的实际效果后认为，依据事先确定的目标进行评价往往使评价的范围受到限制。因为实际的教育活动除了预期的效果外，还会产生许多非预期的效果（或称负效应），这些非预期的效果的影响有时是至关重要的。而泰勒将评价仅限于衡量达到目标的程度是不全面的。根据预期教育目标所进行的评价，往往只注意目标规定的预期效果，忽视了非预期效果，而教育活动的预期目标主要反映了方案、计划制定者的意图。因而，评价者考虑的重点应由"教育方案想干什么"改为"教育方案实际干了什么"，即目标游离。为了获得包括可能产生的相反效果在内的全面的、真实的效果，减少方案、计划制定者主观意图对评价的影响，他主张不把方案、计划制定者的预定活动目的告诉评价者，以有利于评价者收集有关方案的全部成果信息。

该模式突破了目标的限制，认为评价的依据不是方案制定者的预定目标，而是活动参与者的实际成效。其存在的主要问题是，如果评价组织中的各个评价者具有不同的价值标准，就会给评价的操作带来很大的困难。

目标游离模式突破了目标的限制，认为评价的依据不是方案制定者的预定目标，而是活动参与者的实际成效。

（四）应答模式

应答模式是美国的斯塔克（R. E. Stake）于1973年提出来的。这一模式的主要特点是以问题，特别是直接从事教育活动的决策者和实施者所提出的问题，作为评价的先导，而不主张以预定的目标或假设为出发点。通过评价者与评价有关的各方面人员之间的持续不断的"对话"，了解他们的愿望，对教育方案做出修改，对大多数人的愿望做出应答，以满足各种人的需要。斯塔克认为解决教育问题只有依托于那些直接接触问题的人，教育评价才有助于改进工作。这种评价以帮助被评价者更好地了解自己的优缺点、明确今后如何改进工作为目的。

该模式强调在评价活动中使用非正式的观察、访谈和定性描述分析的自然主义的方法，在有效做出价值判断方面优于泰勒模式。但是，在评价活动中耗费人力、物力和时间较大，很难推广实施。

应答模式的主要特点是以问题作为评价的先导，重视评价人员与当事人之间的相互交流、沟通，以反映各类人员的需要和愿望，具有民主性。评价方法以定性分析为主。

二、我国教育评价模式

从教育评价的发展历史中，可以了解到，我国真正开展评价工作是20世纪80年代的事。在这段时间里，我国教育评价在引进、吸收、消化国外先进成果的基础上，无论是在评价实践上，还是在评价理论研究上都取得了巨大的成就。就教育评价模式研究而言，也取得了显著的成绩，教育评价模式单一化的局面开始被打破，适应不同地区、不同评价对象、不同评价目的的教育评价模式在产生、发展和完善之中。这里介绍几个由我国理论工作者提出的在普教界具有一定影响的评价模式。

（一）教育型目标调控模式①

教育型目标调控模式就是以形成性评价和自我评价为中心，充分发

---

① 宋伏秋，梅克. 我国普通教育评价模式研究［M］. 北京：中国和平出版社，1995：181.

挥多种评价功能的一种评价模式。由北京市一些教育评价研究人员在教育评价实践基础上概括而成。

1. 出发点

教育型目标调控模式认为，现代教育评价的目的不仅是为了选拔、鉴定，更重要的是要发挥评价的导向、改进和激励等教育功能，促进发展。现代教育评价已从静态的终结性评价向重视动态的形成性评价发展，现代教育评价应重视评价对象的主体地位，形成性评价只有与自我评价相结合，才能充分发挥评价的调控和改进功能，克服被评价者的消极情绪，使评价过程成为教育过程。

2. 含义

"教育型"表示这种评价模式的指导思想是着眼于教育，通过评价使评价对象受到教育，从而自觉地改进和完善自己的教与学活动，以达到预期的目标。

"目标调控"反映了这种评价模式的结构、功能、过程和手段。目标是评价的基础，过程是评价的重点，自我评价和调控是进行评价的基本方法，反馈则是运行机制。

所谓目标是评价的基础，就是指评价全过程都要以目标为参照标准。评价目标具有导向、激励、控制、改进等功能，也就是评价目标是指引工作的方向，是激励、调节工作的参照依据，是判断工作结果的标准，是推动工作前进的动力。

过程评价是教育型目标调控的重点，自我评价是主要方式，它表明通过过程评价，突出形成性自我评价的作用，充分发挥调控功能，使评价过程具有可控性和有效性。

反馈是这种评价模式的运行机制，所谓反馈就是指为控制教育系统的活动达到目标，及时提供信息、选择矫正的策略和措施。运行是通过反馈的调节作用进行的，即以目标为基础，通过诊断明确实际状况，在实践中及时对照目标进行反馈，即进行自我调节、自我完善。若偏离目标则及时矫正,在反馈矫正过程中形成动态序列,一步一步逼近目标。这样的反馈、矫正自我调节完善的过程,若达到有计划、有目的、反馈通道回路畅通,教育系统就形成了质量控制保证系统,工作与学习得到了高度自觉、有效的控制,评价也就从衡量质量的尺度和标准发展为提高质量的动力和保证。

3. 模式的特点

在重视目标评价的同时,十分重视过程评价和结果评价,既重视评价目标的导向,又重视评价过程的反馈、调节,以及评价结果的判断和改进。特别强调形成性评价与自我评价的结合。

教育型目标调控模式以形成性评价和自我评价为中心,十分重视发挥评价的导向、改进和调控功能。

(二) 协同自评模式①

协同自评模式是由上海市的研究人员在确立被评价者的主体地位和肯定其个性特征的基础上,建立的一种以被评价者自我评价为主,在评价人员的协同下,共同完成从制定评价目标开始的一系列活动的评价模式。

1. 出发点

协同自评模式认为在任何教育活动中,只有当事人才能全过程的参与,才能全面、真实地收集资料。通常评价人员只能部分参与其过程,所以评价人员所做出的价值判断有时难免有失实之处,而当事人作自评时,其评价的能力又未必符合评价的要求。若能有评价人员的协同,则可弥补其不足。这便形成以自我评价为基础,评价人员协同自评者进行

---

① 杨佐荣. 协同自评模式在教师评价中的应用 [J]. 教育评价, 1997 (11).

评价活动，成为协同者，共同参与评价过程的评价模式。在评价过程中，自评者与协同者同心协力，经常协商，不断从对评价观点的不同看法中取得共识，一起来完成包括从确立评价目标开始，到制定评价方案，进行评价资料的收集，做出价值判断，撰写评价报告等一系列的评价活动。

2. 基本步骤

（1）准备阶段。由经过培训的协同者（评价人员）拟写一份评价方案，然后由自评者（被评价者）选择协同者。协同者征求自评者对评价方案的意见，共同协商，最终拟订既能体现自评者共性，又能体现自评者个性的评价方案。

（2）实施阶段。首先自评者用拟订的评价方案来评价自己的教育活动（预评价）。了解哪些指标已达到预定目标，哪些指标尚未达标。协同者参与其中，与自评者共同探讨，获得共识。这个共识便是下一阶段重点要进行评价的内容，也是自评者必须加以努力提高的内容。这一时期有如一般的诊断性评价，只是更强调评价后要双方取得共识。在经过一段时间之后，自评者按拟订的评价方案做出自评，在使用定量方法的同时，对重点要提高和发展的指标应采用描述性语言来说明其情况，这有助于与协同者交流和讨论，取得对这次活动的共识，以便进一步有所发展。这个时期有如一般的形成性评价，但更多的是强调自评者和协同者的交流、商讨活动。最后，在总结时期，主要是进行资料的整理，为协同自评报告做准备。

（3）撰写协同自评报告阶段。自评者和协同者坦诚交换意见，对评价方案中各项指标逐一商讨，期望取得共识，对暂时不能取得共识的项目，则注明各自的观点，供阅读评价报告者作参考。

这样形成的协同自评报告应由两部分组成，第一部分是自评者和协同者取得共识的内容。作为对被评价者进行奖惩的主要依据。第二部分是自评者与协同者暂时未取得共识的部分，作为下一轮评价时的规定指标，期望下一轮协同自评中取得共识。

3. 模式的特点

第一，被评价者在进行真正的自我评价活动中，表现出较强的自主性、自律性、自控性、自励性和自信性。

第二，被评价者和评价人员在评价活动的全过程中，建立起民主、协商关系，为达到共同制定的目标而形成协同精神，在双方交往中形成和谐的合作氛围。协同自评可使个体内差异评价与目标参照评价的标准统一起来，使自我评价的评价过程、评价内容、评价成果的形式更加清晰起来。

第三，要使协同评价真正发挥它的功能，必须遵循两个原则：一是平等性原则。无论是自评者，还是评价人员都是主体，其地位是平等的。二是共建性原则。从评价目标的制定，到评价结果的撰写，都是自评者与评价人员共同协商，取得共识，共同构建的产物。

协同自评模式是一种以被评价者自我评价为主，在评价人员的协同下，共同完成从制定评价目标开始的一系列活动的评价模式。

（三）发展性目标评价模式[①]

这是由上海师范大学的研究人员在比较了国内外众多的评价模式，根据当前教育评价发展的趋势和我国的国情之后，而提出的一种新的评价模式。这种评价模式在强调评价的发展和改进功能的同时，重视对教育目标的评价，当然目标本身也是发展变化的。

1. 基本思想

（1）社会在发展，教育目标是不断变化的，以教育目标作为依据

---

① 吴钢，张辉. 高校课堂教学评价的探索［J］. 江苏高教，2001（6）.

之一编制成的评价标准需要不断修正、充实和调整。

（2）以评价标准为核心的评价方案，其实施过程和评价结论也是发展、可变的。这种方案可以在评价活动中针对具体情况进行调整。只要能保证评价活动的质量，促进教育评价活动的评价理论和方法都能采用。

（3）整个评价活动要在评价制度的规范下进行。

2. 基本内容

（1）根据社会发展的需要和开展教育活动的现实条件，确定和检验教育目标。

（2）依照教育目标、评价对象和条件、与教育评价活动有关人员的愿望和需要以及现有的各种规章制度和科学理论等因素，设计出以评价标准为核心的评价方案。

（3）遵照评价方案，实施评价活动。在评价活动中，注重定量方法和定性方法的有机结合以及多种评价类型的结合，重视反对意见和非预期效果，有效运用计算机技术。

（4）完成和反馈教育评价报告。

（5）用教育评价制度控制和制约整个评价过程，以确保评价质量。

3. 特点

（1）有效吸取了中外主要教育评价模式的长处，如对教育目标进行评价、重视与评价活动有关人员的需要和意图以及注重多种评价类型的结合等。

（2）结构紧密、程序规范、可操作性强。

（3）适应面较宽。

该模式可用下页图表示。

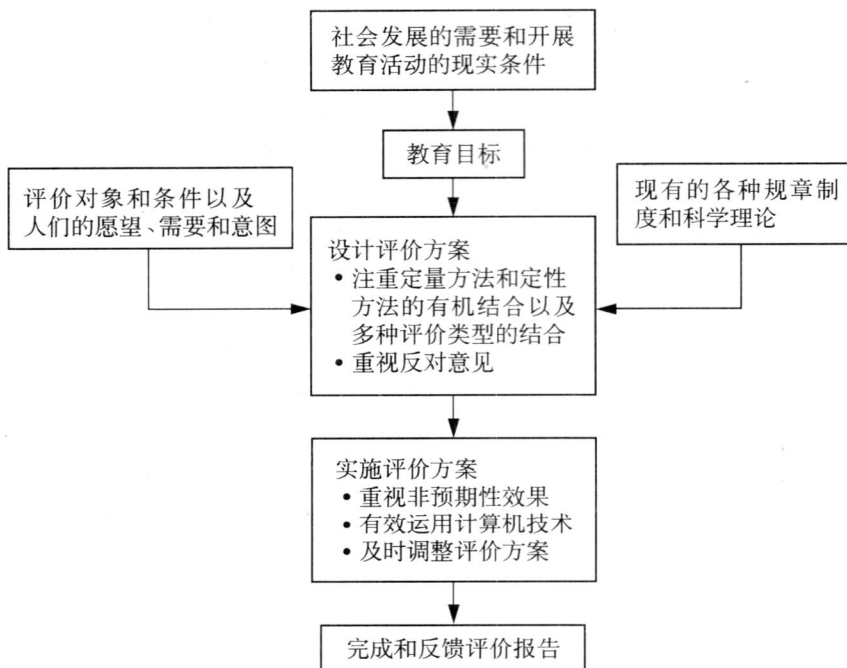

图 1-1 发展性目标评价模式流程图

发展性目标评价模式的基本内容是：根据社会发展的需要和开展教育活动的现实条件，确定和检验教育目标；依照教育目标、评价对象和条件、与教育评价活动有关人员的愿望和需要以及现有的各种规章制度和科学理论等因素，设计出以评价标准为核心的评价方案；遵照评价方案，实施评价活动。在评价活动中，注重定量方法和定性方法的有机结合以及多种评价类型的结合，重视反对意见和非预期效果，有效运用计算机技术；完成和反馈教育评价报告；用教育评价制度控制和制约整个评价过程，以确保评价质量。

三、教育评价模式的选择

上述七种中外教育评价模式都不是十全十美的，都有各自的优越性和局限性，也各有自己不同的适用范围。充分了解和认识这些问题，有助于我们选择最适合的教育评价模式，并且，能创造出更加科学和富有中国特色的教育评价模式。但是，就目前我国教育评价的发展情况来看，作为本书贯穿始终的评价模式，我们选择以发展性目标评价模式为主，并且针对教育评价的实际情况，灵活地与其他评价模式一起运用。

小　结

本章从四个方面阐述了教育评价的性质。

教育评价是指在系统地、科学地和全面地搜集、整理、处理和分析教育信息的基础上，对教育的价值做出判断的过程，目的在于促进教育改革，提高教育质量。它与人们的价值观、认识水平和实践状况有着密切的关系，其本质是进行价值判断。

依据不同的分类标准，教育评价可分成多种类型，如诊断性、形成性和终结性评价；相对评价、绝对评价、个体内差异评价等。这些分类从不同的侧面反映了各种评价活动的主要特征。评价者应当根据评价的目的，选择最适当的评价类型。

教育评价具有多种功能，对教育的主、客体产生重要的影响。评价的功能主要有：导向功能、鉴定功能、改进功能、调控功能、服务功能。评价者应当重视发挥评价功能，使评价收到实效。

教育评价模式牵动着教育评价全局，它制约着教育评价的规范性，也制约着评价结果的效用。国外学者对评价模式进行了较为系统的研究，提出了众多的评价模式，如泰勒模式、CIPP 模式、目标游离模式、应答模式，等等。我国学者也在教育评价实践中总结、提炼出教育型目标调控模式、协同自评模式、发展性目标评价模式，等等。各种评价模式都有其优越性和局限性，评价者应充分考虑评价的目的、对象特点等因素，从各种模式中吸取合理的成分，提高评价的教育性和实效性。

思考题

1. 什么是教育评价？

2. 什么是价值？什么是教育价值？

3. 教育测量和教育评价有何区别和联系？

4. 形成性评价和终结性评价区别何在？

5. 教育评价的主要功能有哪些？

6. 选择两种常见的评价模式，比较其优缺点。

7. 为什么泰勒模式得到较广泛的运用？可采取哪些措施弥补其不足？

8. 从方法论来看，哪些评价模式较注重定量分析？哪些模式则注重定性分析？

9. 从价值取向来看，哪些评价模式强调主导的价值？哪些模式主张多元的价值？

进一步阅读的相关文献

1. 李德顺. 价值论［M］. 北京：中国人民大学出版社，1987.

2. 瞿葆奎. 教育学文集·教育评价［M］. 北京：人民教育出版社，1989.

3. 陈玉琨. 教育评价学［M］. 北京：人民教育出版社，1999.

2

教育评价的历史和发展

　　评价存在于人的一切有目的的活动之中，教育是一种有目的的活动，教育评价随着教育活动而产生。目前，对教育评价历史发展阶段的划分，人们的看法并不一致。但从整体来看，教育评价是经历过一个从主观评价到测定、从测定到科学评价的发展过程。

第一节 教育评价的源流

中国是考试的故乡，早在西周时代就采用以射选士。影响较大的是公元 606 年，隋炀帝时代开始的封建科举制度。科举就是分科取士，即设科考试，根据学科考试的成绩去录用官吏。科举常设科目有进士、明经、明法、明书、明算等十几个。考试的方法主要有：贴经、问义、策问和诗赋等。科举制度一直延续到 1905 年袁世凯奏请废除为止，共 1300 年的历史。它对世界各国公职人员的选拔、录用产生了极大的影响，如日本 7 世纪就引进了这种考评制度，一直沿用到第二次世界大战之前；法国于 1791 年，参照我国科举制度建立了他们的文官考试制度；英国于 1855 年建立了"文职人员委员会"，采取竞争性的公开考试来招募文职人员；美国于 1883 年建立了"文职人员事物委员会"，规定担任公职必须经过考试；意大利在宪法里规定，为了升入各种和各级学校或从学校毕业，以及获得就业资格，均须经过国家考试，国家行政机关的官吏也经考试进行选拔。孙中山先生在《五权宪法·民权初步》中指出："现在各国的考试制度，差不多都是学英国的，究流溯源，英国的考试制度，原来是从我们中国学过去的。"因此，国内外许多学者都认为教育评价源于中国。卡特总统当政时的美国人事总署署长艾伦·坎贝尔教授说："当我接受联合国的邀请来中国向诸位讲关于文官制度的时候，我感到非常的惊讶。因为在我们西方所有的政治学教科书中，当谈到文官制度的时候，都把文官制度的创始者归于中国。"

科举就是分科取士，即设科考试，根据学科考试的成绩去录用官吏。

第二节　西方教育评价发展的原因分析①

一、西方教育评价发展的主线

西方教育评价产生和发展大致经历了教育测验运动以及评价理论产生和发展两大时期，其中教育测验运动时期可划分为萌芽、开拓、兴盛三个阶段。而评价理论产生和发展时期可划分为泰勒阶段、稳定发展时期、兴盛阶段和专业化阶段。

（一）教育测验运动

19世纪工业革命给西方社会带来了经济和科学技术的迅速发展。广泛和迅速地提高劳动者的素质和技能成为当时社会发展的迫切需要。因大批的劳动者进入学校学习和培训，与当时大部分学校以口试为主的考试制度产生了矛盾，于是，提出要以笔试取代以往口试的改革。1702年，英国剑桥大学首先以笔试代替口试。1845年，美国麻省波士顿教育委员会在普通学校中采用笔试，开美国学校采用笔试之先河。这是教育评价史上的一件大事，它为用学生测验分数作为依据来评价学校的教学质量打下了良好的基础。

虽然以笔试取代了口试，但是，又出现了如何提高测验客观性的新问题，针对这个问题，一些学者做了许多研究工作，并取得了可喜的成绩，其中具有代表性的人物有英国格林威治医学校校长费舍尔（G. Fisher）、德国的冯特（W. Wundt）和美国人莱斯（J. M. Rice）等。在他们研究潮流的推动下，引发了一场教育测验运动。

在长达二十多年的教育测验运动中，测验研究取得了很大的成绩，

---

① 吴钢. 西方教育评价发展的原因分析［J］. 外国中小学教育，2000（3）.

出现了三种不同性质的测验，即学力测验、智力测验和人格测验。在学力测验方面，据统计，从桑代克发表书法量表到 1928 年为止，已有标准心理测量和标准学力测验三千余种。在智力测验方面，自比奈（A. Binet）－西蒙（T. Simon）智力测验传入美国后，经辜鲁满（F. Kunlman）和斯坦福大学的推孟（C. M. Terman）的相继修改、加以量化，并引用德国石登（W. Stern）的智能商数（IQ）。在人格测验方面，1921 年，华纳德（G. G. Fernald）着手试做人格测验；1924 至 1929 年哈芝红（H. Hartshorne）等人组织了人格教育委员会，着手研究测验工具，并不断加以改进，使之更加精密。随着教育测验运动的不断发展，人们逐渐认识到教育测验的弱点和不足。美国教育界对教育测验提出了如下批评意见：无论是知识测验还是人格测验，都只能做片段的测定，不能全部了解人格和知识的发展过程；测验只是注重于客观的信度，不足以说明效度；教师为测量成绩所采用的学业测验，根本就是教科书中心主义；测验或考试易培养个人主义和被动式的学习态度。

（二）评价理论的产生和发展

为了克服测验的弱点和不足，美国教育学家泰勒（W. R. Tyler）进行了一系列的实验研究。1929 年，美国发生了一次大规模的经济危机。1933 年罗斯福实行了"经济的社会化政策"，这一政策强调政府和产业的协调机制。随着这种经济上的限制和干预的出现，大批青年没有就业的机会，只能涌向中学。这些青年人根本没有上大学的要求和兴趣。而当时美国的高中课程都是为升大学服务的，于是，中学课程和失业青年的需要之间产生了尖锐的矛盾。为了促进和保证课程改革的进行，美国进步主义教育协会进行了一项课程内容改革的实验研究，从 1932 年到 1940 年历经八年完成，史称"八年研究"。为了评价这项实验的成果，组成了以泰勒为领导的评价委员会。通过这场研究，泰勒和他的同事们正式提出了教育评价的概念，即教育评价就是衡量实际活动达到教育目标的程度，测验是它的手段。同时，还提出评价的原则和方法，即

"泰勒模式"。

为了促进和保证课程改革的进行，美国进步主义教育协会进行了一项课程内容改革的实验研究，从1932年到1940年历经八年完成，史称"八年研究"。

泰勒模式对当时的教育评价工作起了重要的指导作用。为了便于这个模式的运用，1956年，布卢姆（B. S. Bloom）和他的同事提出了认知领域教育目标分类学。由于评价工作进一步展开，特别是对1958年美国联邦政府颁布国防教育法案所投巨资使用效果的评价以及对1965年美国联邦政府投入数十亿美元用于让更多人接受广泛和健康教育服务效益的评价，并且，在初等和中等教育法案中明文规定要对教育进行评价，使一些学者对当时占据统治地位的泰勒模式提出了异议，认为它有一个根本的缺陷，那就是，教育评价如果单纯地以目标为中心和依据，那么，目标本身的合理性和可行性又怎样得到保证呢？而且，任何教育活动，除了要达到预期目标之外，还会产生各种非预期效应和效果，对它们又怎样评价呢？还有一些学者认为，教育过程是受教育者个人自我实现的过程，每一个人都是自身的创造者，是自己生活的创造者，因此，如果用统一的目标和模式要求他们，限制他们的自由发展，用固定的准绳衡量教育及教学效果，这是根本不能接受的，这种争论的结果导致许多新的评价模式的产生，其中主要有斯塔弗比姆的"CIPP"模式、斯克里芬的"目标游离模式"和斯塔克的"应答模式"，等等。

20世纪60年代后期和70年代早期，美国一些学者又掀起了一场对于相对评价的批判。这场批判提出的中心问题是：教育评价的本质是什么，它应当起到什么作用，教育评价在现实生活中究竟应当完成什么任务，等等。这场辩论把教育评价推入了一个新的阶段，即专业化阶段。这个阶段教育评价在以下三个方面得到了发展。

第一，创办了许多教育评价专业杂志，为广泛传播和交流评价工作信息提供了方便。

第二，许多大学开设了教育评价课程，积极传播教育评价知识，培养教育评价人才。

第三，建立了教育评价的研究中心，专门从事教育评价理论和方法的研究。

同时，教育评价发展也产生了以下三个方面的综合结果。

其一，在评价领域中，存在着较多的、较好的和公认的评价信息交流，同时，也存在着大量的争论。

其二，一方面提高了对评价者的培训和审查要求，以确保评价工作的质量；另一方面对评价者的培训和审查只是在范围较小、孤立的社团中进行，使人感到焦虑。

其三，在评价专业组织之间增加联系和交流以及评价工作连续进行的同时，各种评价网络和评价研究中存在着矛盾运动。这种综合结果的矛盾运动必将把评价推上一个新的台阶。

二、西方教育评价发展的原因分析

纵观西方评价的发展历史，我们不难发现，推动评价产生和发展的原因主要有以下三个方面。

（一）社会经济和科学技术的发展是评价发展的根本原因

19 世纪工业革命给西方带来了经济和科学技术的迅速发展，社会结构随之也发生了变化。心理保健、社会生活和道德观念以及社会机构均发生很大变化。西方社会由传统的农业社会向现代工业社会转型，表现为城市化、工业化和民主化进程的加快，大量农业人口涌向城市，大机器生产成为主要生产方式。这就引起个人和社会对教育的极大需求，教育开始蓬勃发展。但是，当时西方各国的教育主要是由社会团体和个人经办的，教育处于自然发展状态，不能适应工业社会发展的需要。这就要求国家介入教育事业的发展，要求国家加强对教育事业的投入和管理。

在大不列颠，就产生了如何评价教育、医疗、慈善事业和公共保健等社会工作的问题。在美国，总统委员会（如学校经费总统委员会）、白宫咨询小组（如非公立教育白宫咨询小组）和国会听证会通过整理、分析搜集到的信息或各党派提供的证词对各种人类服务方案进行评价。与此同时，西方社会还有一个急需解决科学技术发展的需要。如前所述，这与当时以口试为主的学校教育考试制度产生了矛盾。为了解决这个矛盾，1845 年波士顿学校委员会进行了以笔试代替口试的改革。它为教育评价理论的产生和发展、教育评价工作的开展和深化奠定了基础。

（二）教育评价理论和实践发展过程中的矛盾运动是西方教育评价发展的内在因素

为了适应社会发展的需要，西方社会对学校教育中的考试制度进行了改革，即笔试代替口试。随之而来又产生了如何提高笔试客观性的问题。于是许多学者投入了对这个问题的研究，在研究潮流的推动下，美国兴起了一场教育测验运动。随着测验运动的不断发展，人们逐渐认识到教育测验的弱点和不足。为了解决这些新出现的问题，泰勒进行一系列的实验研究，提出了教育评价的理论，史称"泰勒模式"。由于评价进一步的研究和实践，一些学者对当时占据统治地位的泰勒模式提出异议，产生了许多争论，结果导致许多新的评价模式的问世。20 世纪 60 年代后期和 70 年代早期，美国一些学者又掀起了一场对于相对评价的批判。由于评价模式如雨后春笋般地涌现出来，呈现出一派"百花齐放、百家争鸣"的景象，使得对评价模式的争论增多了，人们把争论的焦点集中到教育评价的本质是什么的问题上，这场争论把教育评价推向一个新的阶段，同时又出现了新的综合结果，这必将把教育评价的发展推上一个新的台阶。

（三）政府对评价工作的重视并用法律手段保证它的顺利实施是评价发展的外部动力

1929 年的资本主义经济危机，使许多青年无法就业，只能进学校学习。但是当时学校的课程不适合失业青年的需要。为了确保课程改革的顺利进行，组成了以泰勒为首的评价委员会，使评价理论得以在这一教育实践中产生。在这之后，美国两次投入巨资进行教育改革，有力地推动了教育评价的发展。一是 1958 年联邦政府颁布国防教育方案，提出投入资金，用于发展教育计划，以掌握投资的使用效果；二是 1965 年为增加教育机会，提倡教育机会均等，让更多的人接受广泛和健康的教育服务，联邦政府又投入数十亿美元用于教育改革。对于投资，如果不进行及时评价，那么投入的钱就可能浪费。评价进入专业化阶段以后，在美国建立了许多研究中心，专门从事评价的研究，如斯坦福评价协会、伊利诺斯大学的教育研究和课程评价中心、西密执根大学评价中心、波士顿大学评价和教育政策中心，等等。特别是参议员罗伯特·肯尼迪和他的同事们修正了 1964 年的初等和中等教育法案，包括特别的评价要求。法案第一条的宗旨就是为贫穷儿童提供辅助教育，特别规定分配教育经费要以对每一学区每年进行评价的结果为依据。评价时要使用合适的标准测验，以法案第一条规定的目标为范围。该法案颁布之后，教育评价工作从多方面展开。

西方教育评价发展的原因主要是：1. 社会经济和科学技术的发展是根本原因；2. 教育评价理论和实践发展过程中的矛盾运动是内在因素；3. 政府对评价工作的重视并用法律手段保证它的顺利实施是外部动力。

第三节　我国教育评价的发展

一、我国古代考选制度的演变

（一）西周选士制度①

西周的选士制度是世界上最早的评价选拔人才的制度，它由三个方面组成：乡里选士、诸侯贡士和学校选士。乡里选士主要在周王直辖的郊内进行，选士考查评价的内容是德行和道艺。诸侯贡士由王畿之外的诸侯国进行。国王对各诸侯贡献士子的时间和人数均有规定，并亲自进行考核，而且按贡献是否及时以及质量高低对诸侯进行奖惩。学校选士就在大学进行，而且与大学考试紧密配合。《礼记·学记》中记载，西周的大学"比年入学，中年考校"。考试每隔一年进行一次，内容为："一年视离经辨志，三年视敬业乐群，五年视博习亲师，七年视论学取友，谓之小成；九年知类通达，强立而不反，谓之大成。"学生在第七年的考试中达到了标准，就是"小成"；若在第九年达到要求，在学业上能触类旁通，在行动上做得出色而不违反所学之道，称为"大成"；在达到大成的学生中进一步选取优秀者谓之"进士"。据《礼记·王制》所载："……论进士之贤者，已告于王，而定其论。论定，然后官之，任官，然后爵之；位定，然后禄之。"进士经过考核选拔，将其中贤者呈报于王，授予官位和爵禄。可见西周的选士有着严密的测评制度和规程，它为中国古代的育士和选士制度的发展奠定了基础。

西周的选士制度是世界上最早的评价选拔人才的制度，它由三个方面组成：乡里选士、诸侯贡士和学校选士。

---

① 侯光文．教育评价概论［M］．石家庄：河北教育出版社，1996：3－4．

（二） 两汉察举制①

两汉察举制的建立标志着中国古代选士制度进入一个新的时代，考试在察举制中正式诞生了。所谓"察举"即经考察之后予以举荐之意。其程序为：（1）由皇帝下诏，指定举荐科目。（2）中央和地方郡国各级官员按科目规定举荐人才。察举分定期举行的岁举和不定期举行的特举。（3）特举又称诏举，由皇帝亲自策试，据对策水平授官。据《汉书·文帝纪》所载：汉文帝前元二年（前178年）诏令"举贤良方正能直言极谏者"，贤良方正科创立。前元十五年（前165）再次举贤良，文帝出题，题目为"朕之不德、吏之不平、政之不宣、民之不宁"四个策题。这是我国最早的试题，也是世界上最早有记载的笔试。察举制开考试制度先河，开辟了教育测评史的新纪元。

（三） 魏晋南北朝的九品中正制

魏晋南北朝时期的九品中正制，就是各地方政府设立中正官，负责向中央政府举荐人才。州中正官叫做大中正官，负责举荐小中正，而小中正举荐的人才需经大中正核实。中正官举荐人才依据家世、才能和德行三项内容，并评为九个品级：上上、上中、上下、中上、中中、中下、下上、下中、下下。九品中正制等级严明，具有一定的进步意义，但后来逐步变成"上品无寒门，下品无势族"的门阀制度。

（四） 唐朝的科举制度

教育评价源于中国古代的科举制度，这种制度是用一套较完整的考试制度和考试方法来挑选人才。唐朝是科举制度的兴盛时期，制度完备，标准严格，考试方法多样，科目繁多。唐朝规定，通过进士考试后还要经过吏部考核。考核的标准有四条：其一是"身"，即仪表，标准

---

① 侯光文. 教育评价概论［M］. 石家庄：河北教育出版社，1996：7.

是体貌丰伟；其二是"言"，即言论，标准是言词辨正；其三是"书"，即书法，标准是揩法遒美；其四是"判"，即文字逻辑，标准是文理优长。这个时期的考试方法主要有四种：帖经、问义（墨义、口义）、策问、诗赋。帖经是将所考经书的某页遮掩两端仅露一行，再用纸贴盖此行的三五字，让考生填写这几个字，类似现在的填空题；问义是一种对经义的简单问答，相当于现今的简答题，主要检查考生背诵经书的情况。问义分口答和笔答两种，前者称为口义，后者称为墨义；策问是以历史典章、重大理论问题或现实社会问题为题，让考生分析并提出自己的主张和解决问题的方法，类似于现在的论述题；诗赋是选儒家经典中的主题思想，以前人诗句或景物为题，规定韵脚，让考生按照声韵、格律作诗，类似现在的命题作文。

科举制度就是用一套较完整的考试制度和考试方法来挑选人才。

纵观我国选考制度的演变可发现，隋唐之前的评价选士活动，多依主观判断进行，举荐为主，考试为辅；隋唐以后的科举制，则是以考试的成绩作为录取的指标。

二、我国教育测量的实践

1905 年我国废止承袭已 1300 年的封建科举制度之时，正值西方教育测验运动方兴未艾，在内与外、主动与被动两种力量的共同作用下，西方教育测量理论很快就传入了我国，并进而在二三十年代形成了我国的教育测量运动。

1918 年，俞子夷编制了小学国文毛笔书法量表，这是我国最早的标准测验。1920 年，北京高等师范学校和南京高等师范学校建立了我国最早的心理实验室。同时，廖世承和陈鹤琴在南京高等师范学校开设了测验课程，并用心理测验对报考该校的学生进行考查，后来出版了两

人的合著《智力测验法》。该书被认为是我国最早介绍心理测量的
著作。

1922年，美国教育测量学专家麦考尔（W. A. McCall）应"中华教育改进社"之邀来华讲学。在他的指导下，北京师范大学、北京大学、燕京大学、北京女子高等师范学校、东南大学等校开始编制测验，共编了40多种。麦考尔对这些测验的评价是："至少都与美国的标准相等，有许多种甚至比美国的还好"。中华教育改进社还于1923年组织了全国性的小学教育调查，涉及22个城市和11个乡镇，共测验儿童9.2万。①
不久，中国学者王书林、陈选善分别撰写了《教育与心理测量》和《教育测验》。王书林等的论著颇有独到见解，书中还就一些问题与麦考尔进行了讨论。遗憾的是，20世纪30年代以后，由于日本帝国主义的侵略，中华民族处于危难之中，教育测验研究也就中断了，泰勒的八年研究成果也未能及时介绍到我国来。甚至连"教育评价"的概念都未能引进，我国教育评价理论的研究水平自此与世界拉开了距离。

三、我国教育评价的发展②

（一）教育评价发展的历程

开展教育评价活动尽管在我国具有悠久的历史，但真正意义上的教育评价始于20世纪70年代末、80年代初。沿着它的发展轨迹可以分为恢复和兴起阶段、真正起步阶段、全面研究与试点工作阶段和工作正规化开展阶段。

1. 恢复和兴起阶段（1977年—1983年）
党的十一届三中全会以后，我国实行了改革开放的政策，教育改革

---

① 陈玉琨，李如海. 我国教育评价发展的世纪回顾与未来展望［J］. 华东师范大学学报，2000（1）.
② 吴钢. 我国教育评价发展的回顾与展望［J］. 教育研究，2000（8）.

势在必行，为教育评价的恢复和兴起建立了良好的社会基础。全国高等学校统一招生考试制度的恢复，得到了社会各界的普遍欢迎，但是，急需解决如何使得这种招生考试客观、公正、可靠和有效以及如何对当时具有一定数量的升格学校的认定等问题，形成了评价恢复和兴起的客观需求基础。为了提高教育质量，在教育第一线工作的学校领导和教师，从实践中深切认识到教育评价的重要性，渴望掌握评价的理论和方法，以致成为评价恢复和兴起的群众基础。贯彻执行对外开放政策之后，我国教育界加强了同世界各国教育界的联系和交流。国外教育评价研究和实践的动态、成功的经验使我们开阔了眼界。于是，我国引进并介绍了国外教育评价的理论、技术和实践经验，并且恢复了教育统计、教育测量、教育管理等学科，这就为评价的恢复和兴起奠定了理论和技术基础。在这个阶段，一是教育评价研究和实践在全国还处于分散状态，没有形成统一的力量。评价实践研究在个别部门、地区和学校自发地进行。二是由于客观上有开展评价工作的需求，积极邀请国外教育评价专家来华讲学，渴望迅速掌握评价理论和技术。三是出现了翻译和广泛介绍国外和我国台湾地区教育评价的文章、专著和研究成果，为我国教育评价的研究和实践提供了尽可能多的资料。

高等学校统一招生考试恢复以后，为了迅速提高教育质量，部分地区、部分学校开展了教育质量评价研究和实践活动，比如有国务院学位委员会对全国高等学校进行的同行评议；原浙江大学开展的对光仪系的评议试点工作；卫生部在全国 30 所医学院进行的以统考为形式的教学质量评价活动，等等。由于评价研究和实践的需要，国外的研究成果被逐步介绍进来。瑞典的胡森教授和加拿大专家的讲学，对促进我国教育评价开展起了直接的推动作用。

2. 真正起步阶段（1984 年—1985 年）

随着教育改革和发展的深入，广大教育工作者越来越意识到教育评价在教育活动中的重要性，在系统引进和学习国外教育评价理论和方法的基础上，评价实践活动在全国有组织地展开，评价实践的种类也逐渐增多，从较为单一的教学质量评价，发展到对学术、学科发展方向、学校后勤工作、实验室管理和学校校办工厂等的评价。同时全国最高教育行政领导机构有组织地召开全国教育评价学术研讨会，交流学习外国评价理论和方法的经验，研讨评价实践中所出现的问题。

在武汉召开的高等教育会议上提出要对重点高等学校进行评议。随后，许多高等学校在校内组织开展了对教学质量、学术水平、学科发展方向等单项指标的自评。一些高等学校还进行了综合评价的有益探索。例如，同济大学进行了重点专业评审；兰州大学通过对毕业生的跟踪调查，评价教学质量；西安交通大学运用模糊综合评判技术对教学工作进行过程评价，等等。1984 年，我国正式参加了国际教育成就评价协会（IEA），并且，教育部确定河北、山西、北京和天津等省市参加 IEA 组织实施的第二次自然科学（包括物理、化学、生物、地球科学等）的教育成就评价研究活动。1985 年 5 月，中共中央颁布了《中共中央关于教育体制改革的决定》，明确提出要对教育进行评价的问题；同年 6 月，教育部在黑龙江省召开了《高等工程教育评价专题讨论会》。这是第一次全国性的教育评价研讨会，它标志着我国教育评价研究和实践真正开始了。

3. 全面研究与试点工作阶段（1986 年—1989 年）

教育评价在我国真正起步以后，由于评价涉及的因素较多，全面铺开还需要一定的条件，于是，在全国开展了教育评价研究和试点工作，探索评价规律，建立评价理论和方法体系，为评价工作的全面展开铺路。在这一阶段，一是在原国家教委的统一领导和指导下，全国范围内全方位、多层次地开展了各种类型的评价实验和实践活动；二是教育评价研究的对内、对外交流活动得到进一步加强，并且，在学术交流方面也产生了质的飞跃，原先主要请国外教育评价专家来我国作学术报告，该阶段已发展到与国外专家共同研究和探讨评价问题；三是出现了许多教育评价的研究成果，并且，创办了第一本教育评价的专业杂志——《中国高等教育评估》。

在原国家教委领导下，广东省开展数学、英语两门学科标准化考试单独命题，探索在高中毕业全面会考的基础上，减少高等学校招生考试科目实验。1985年11月，原国家教委发出《关于开展高等教育评价研究和试点工作的通知》，全面部署了对高等工程教育的评价研究和试点工作，此后，评价研究和试点工作全面展开。为了确保研究和试点工作的顺利进行，进一步发展了国内外教育评价研究和实践的交流、研讨活动，其中，举行了两次中美教育评估研讨会。在评价研究和试点工作以及国内外各种学术交流活动的基础上，出现了一批著作和论文，初步形成了具有中国特色的教育评价理论和方法体系。这些研究成果为教育评价工作的正规化开展奠定了理论和方法基础。

4. 工作正规化开展阶段（1990年至今）

教育评价研究和试点工作所取得的成绩，为评价工作正规化开展做了准备。原国家教委于1990年11月和1991年4月分别发布了《普通高等学校教育评估暂行规定》和《教育督导暂行规定》（以下简称"两个《规定》"），使我国教育评价理论研究和实践活动进入了一个新的阶段，即逐步正规地开展教育评价工作，提高教育管理水平。1993年，中共中央、国务院发布了《中国教育改革和发展纲要》。《纲要》指出："建立各级各类教育的质量标准和评估指标体系，各地教育部门要把检查评估学校教育质量作为一项经常性的任务。"同时，在这一阶段，全国性的教育评估组织也相继成立，如1990年10月，全国普通教育评价专业委员会成立，这些机构的成立为全国开展教育评价活动提供了组织保证。并且，这个阶段，国内外学术交流、研讨活动也日益增多，还创办了第二家教育评价专业性杂志——《教育评价》。

随着中小学实施素质教育的全面推行，尤其是湖南汨罗经验和上海黄浦区经验的推广，普教界掀起了研究和开展学生评价的热潮。特别是

2002 年，国务院转发教育部《基础教育课程改革纲要（试行）》以后，全国开展了教育评价大规模的试点与改革，高校招生推行了"3＋X"方案，扩大了高校自主招生的权力。2002 年 12 月，教育部又发布了《关于积极推进中小学评价与考试制度改革的通知》，规定了中小学评价与考试制度改革的原则，要求建立以促进学生、教师和学校发展为目标的评价体系，提出了中小学升学与招生等方面的具体改革措施。这一规定，是对全面推进素质教育以来教育评价改革的总结与升华，在我国教育评价发展史上具有里程碑意义。

从 20 世纪 70 年代末、80 年代初以来，我国教育评价经历了四个发展阶段：恢复和兴起阶段、真正起步阶段、全面研究与试点工作阶段和工作正规化开展阶段。

（二）二十余年来我国教育评价发展的特点

1. 起点高，发展快

我国教育评价在 20 世纪 70 年代末、80 年代初恢复和兴起以来，有了很大的发展，取得了巨大成绩。从根据社会发展需要，个别部门、地区和学校由自发地开展评价活动的初级阶段，发展到建立评价制度，开展正规评价活动，提高教育管理水平的较为高级的阶段，仅用了 20 年的时间，这与从 1940 年泰勒提出教育评价系统理论开始的西方教育评价 60 年的发展历史相比，发展速度是不言而喻的。而且，我国教育评价研究和实践是建立在 20 世纪 80 年代国际教育评价研究成果之上的，起点较高。

2. 搞试点，重实践

教育评价要全面铺开，需要评价理论的突破和完善以及评价实践经验的积累。于是，我们采取了科学和较为稳妥的方法，即开展评价试点工作。遵循由评价实践活动出发，科学总结所获得的实践经验，进而上升为科学理论，用以指导评价工作的实验研究的思路。据不完全统计，由原国家教委的统一部署，全国有数百个部门和单位进行了试点工作，获得了许多宝贵的实践经验，取得了前所未有的理论研究成果，这些成果有效地指导了评价的实际工作。

3. 建制度，讲规范

教育评价试点工作揭示，要正规化地开展评价工作，提高教育管理水平，必须建立教育评价制度。原国家教委发布的"两个《规定》"，是评价工作制度化和规范化的标志，使得评价工作正规化地持久开展下去。此后，对高等学校实行了合格评估、选优评估和随机水平评估等；对中小学加强了教育督导评价。这些评价工作有力地促进了各级各类学校教育管理水平的提高，使我国教育事业能够健康和顺利地发展。

二十年来我国教育评价发展的特点：起点高，发展快；搞试点，重实践；建制度，讲规范。

（三）二十余年来我国教育评价研究所取得的主要成绩

1. 对国外教育评价理论和实践工作有了较为全面的了解

为了迅速掌握教育评价知识，提高教育评价研究水平，除了实地考察国外教育评价情况以外，不少同志还翻译了一大批国外教育评价方面的文献，涉及的国家有美国、英国、日本、加拿大和苏联等。较为全面地了解了国外教育评价理论和实践，并作了一定深度的研究，使我们在评价研究和实践中少走了不少弯路，为建立具有中国特色的教育评价理论和方法体系提供了有益的借鉴。

2. 基本建立了我国教育评价理论和方法体系

到目前为止，我们对教育评价概念、作用、功能、主要类型、标准、模式、系统、基本程序、基本原则和制度、搜集和处理教育评价信息的方法以及评价再评价的方法等都作了较为深入的研究，建立了以民意调查为基础，编制评价标准；有效采用计算机技术，全面搜集和科学处理、分析评价信息；评价活动和评价过程制度化，以提高评价信度和效度的体系。虽然对某些问题，人们的观点并不完全一致，但这是完全正常的，也是学术研究必然会碰到的，从某种意义上说，不同观点的争论是我国教育评价能够得到发展的一条重要途径，也是我国教育评价理论发展到了一定程度的反映。

3. 形成了我国教育评价的实践模式

无论是教育评价的试点工作，还是为提高教育管理水平进行的评价工作，都遵循着从评价实践活动出发，边实践、边研究，重视吸收国外评价理论和实践，善于总结实践经验，进而上升为科学理论，用以指导评价实践的模式。在这个模式的指导下，全国范围内开展了各种类型的教育评价实践活动，如学生评价、教师评价、干部评价、员工评价、课程评价、教学评价、德育评价、教育管理评价、办学水平评价、合格评价、选优评价和随机水平评价等，使我们积累了不少成功的经验和吸取了不少失败的教训，有利于进一步开展评价的实践活动。

4. 初步形成了我国教育评价制度的基本框架

原国家教委发布的"两个《规定》"，对我国教育评价的性质、主要目的、基本任务、指导思想、基本形式和教育督导的任务、范围、机构等都做了明确规定，这是教育评价研究的重要成果，也是指导我国教育评价工作的指南。随着评价实践活动的不断深入，教育评价制度将逐步完善。

二十余年来我国教育评价研究所取得的主要成绩：对国外教育评价理论和实践工作有了较为全面的了解；基本建立了我国教育评价理论和方法体系；形成了我国教育评价的实践模式；初步形成了我国教育评价制度的基本框架。

（四）我国教育评价发展的趋势

1. 评价范围逐步扩大

我国教育评价恢复和兴起初期，评价主要是针对学生学习的。自20世纪80年代中期以来，评价范围扩大到了对教师工作、学校领导干部的管理工作、学科专业和学校办学水平等的评价。随着教育事业的发展以及教育评价理论和方法的日趋成熟，学科专业和学校办学水平这一层次的评价问题将会更加受到重视。为了适应社会的发展，办学模式会呈现更加多元化的态势，但是，教育要适应社会的发展，加强与社区的联系是它们的共同走向，因此，教育评价将会扩展到社区教育评价和社区教育管理评价等领域，也会较多地涉及一个地区教育水平的评价问题。

2. 评价结果与物质奖惩挂钩逐步转向与物质奖惩不挂钩

目前，我国还是发展中国家，经济基础不够雄厚，教育经费与发达国家相比差距甚远，显得不足。因此，在分配教育经费时，往往以学校办学水平评价结果为依据，评价结果好的多给，反之少给。在学校内部，奖金和能绩工资的发放，也主要依据对学校教师、干部和员工工作的评价结果，好的多给，反之少给。学生综合评价的结果，是奖学金发放和向高一级学校、用人单位推荐的依据。随着经济和科学技术的进一步发展，我国教育经费会逐年增多，在发展到较为充足的条件下，评价目的主要是为了估价成绩、改进工作，评价工作会出现评价结果不与物质挂钩的现象。对于获得好的评价结果的学校，教育行政部门不因此而给予物质奖励；对于评价结果不好的学校，教育行政不但不给予经济处罚，而且还要针对评价中发现的问题，给予人力、物力和财力方面的支持，帮助学校改善工作条件。对评价结果不好的教师，也不是采取处罚措施，而是让他们去进修提高。学生评价的结果主要不作为升级、留级的依据，也不作为处罚的理由，完全在于诊断学生学习方面的问题，以有针对性地采取措施给予帮助。随之，形成性评价和自我评价会越来越被重视。在教育评价活动中，较多地强调被评价者通过自我分析和自我认识达到自我提高，以及评价者和被评价者的不断对话，互相修正自己的观点，使评价结论尽可能取得一致。

3. 越来越重视发挥为教育决策服务的功能

我国教育评价工作开展初期，教育评价主要发挥着鉴定功能，主要表现为按评价结果排名次、分档次等。随着教育评价的进一步发展和我国教育事业发展的需要，教育评价的改进功能和调控功能在各种教育活动中日益显现出来，并发挥着重要作用。在 21 世纪里，我国的教育事业将有更大的发展，教育形式也将多样化，比如有学校教育、社区教育和网络教育等。为了更好地、更科学地管理教育事业，准确把握教育的未来，教育评价的服务功能将被广大教育工作者所关注，特别是教育决策部门会越来越重视发挥这个功能。

4. 教育评价工作制度化将会得到进一步发展

我们知道，教育评价实质上是判断教育价值的高低，评价主体是人。由于评价者是社会中的一员，他们即时的价值概念、历史上的印象、情感上的好恶、受舆论的迁移和干扰、心理错觉、思维方法的偏激、发表看法时的心境等必然会在评价过程中反映出来，使评价带上主观性。另外，评价者的身体状况也会通过心理对评价发生影响作用，如身体不佳是通过精神不振，或者引起注意分散，或者引起情绪偏激，或者引起急躁草率等来影响评价的可靠性和准确性。为了保证评价结果可靠和有效，必须建立评价制度。自从 20 世纪 90 年代初我国初步建立教育评价制度以来已有十余年的时间，期间评价工作有了较快的发展，基本形成了正规开展评价工作的局面。今后，评价制度将会得到进一步完善，独立于教育行政部门的社会评价机构将会逐步产生，政府有关部门将依法对其进行严格审查、科学管理、认真复查，确保它的权威性，使得评价工作公正、准确和客观。这种评价机构也将会逐步参与各种教育评价工作，使得评价工作不仅更加正规化、更加可靠和准确，使人更加信服。

5. 注重定性和定量的结合

教育评价需要运用数学方法来处理和分析评价信息，这种追求精确量化的倾向使评价向客观化、科学化的方向迈进了一大步。但是，鉴于今天的科学发展水平，要对评价信息做到全部量化是不可能的，当然也无此必要。因而一些定性方法对评价仍是必要的。就是对于能量化的评价信息，在操作过程中，也要遵循"定性—定量—定性"的规程，真正做到评价结果可靠和有效。另外，就方法本身而言，定量评价方法和定性评价方法都各有自己的长处和不足。在教育评价过程中，取长补短，把它们有机地结合起来，有利于提高评价工作的质量。

6. 在教育评价工作中将越来越广泛使用电子计算机

随着电子计算机的进一步普及、教育评价理论和方法的深入发展、评价者计算机知识和运用能力的提高以及计算机教育评价软件开发日趋成熟，计算机技术在评价工作中的运用将越来越普遍。从现代教育的发展趋势来看，教育种类在不断增多，学校规模不断扩大，学校内部结构变得更加复杂。针对这种情况，教育评价工作要顺利进行必须借助于计算机技术，否则，将很难广泛和持久地开展下去。

我国教育评价发展的趋势：评价范围逐步扩大；评价结果与物质奖惩挂钩逐步转向与物质奖惩不挂钩；越来越重视发挥为教育决策服务的功能；教育评价工作制度化将会得到进一步发展；注重定性和定量的结合；在教育评价工作中将越来越广泛使用电子计算机。

（五）当前有待于进一步研究的主要问题

1. 教育评价的基本原理

任何一门学科理论的形成，都是其科学知识和事实的积累与综合的过程。由于教育评价的复杂性、广泛性和理论基础的薄弱，虽然我们已奠定了良好的基础，但是许多评价基本原理的研究还停留在说明的层面上，不够深入。比如，对教育的价值研究，我们不仅要知道什么是教育的价值，而且更要清楚教育的价值如何体现，它与社会发展的不同时代有什么关系等。因此，我们有必要对已有的研究成果进行理论上的修改、调整、深化和补充，以促使它们成熟和发展。教育评价基本原理的研究离不开教育评价的实践，我们要在评价的实践中善于发现问题和解决问题，揭示规律性的东西，丰富评价原理；善于总结经验，对其进行提炼，充实评价原理。

2. 教育评价可操作性的方法

教育评价工作除了需要理论指导以外，还必须要有可操作性的方法，不然评价工作就无法进行。对可操作性方法的研究当然离不开要对方法论进行研究。方法是指为了实现某种目的，必须遵循的某一程序。科学的和具有可操作性的评价方法能促使评价工作科学化、规范化和程序化。根据教育评价的发展趋势，我们在研究可操作性的方法时要注意与现有计算机技术相结合。方法研究出来以后，最好及时开发出计算机应用软件，这样就便于推广和应用，有利于评价工作的开展。当前，特别要注意对评价标准的编制、评价信息的搜集和处理等方法的研究。

3. 学生综合素质评价

当前，我国教育界围绕如何提高学生素质进行实践。由于教育的根本目的是多出人才，出好人才，提高民族素质，所以，学生素质评价是整个教育和教育评价的出发点和归宿，也是教育质量规格研究的核心。

学生素质所包含的内容无疑与社会发展状况紧密相连，即社会发展的不同阶段对人才的素质要求是不一样的。那么，我国当前社会发展需要具有什么样素质的人才和评价所需要的各种问卷、量表、标准的编制以及各种常模、效标等的建立和计算机程序的开发等等也应该很好研究。如果我们没有这样的测验理论和技术，就不能有效、准确和客观地评价学生的素质，不利于素质教育的发展。只有解决了学生综合素质评价问题，才能搞好素质教育中的教师工作、学校管理工作和学校办学水平等的评价。

4. 学校教育评价系统

所谓学校教育评价系统，就是学校办学水平的自我评价体系以及学校干部、教师、员工、学生评价和奖惩制度的有机结合体。我们知道，学校是教育和培养人的主要场所，它办得成功与否直接影响着人的素质提高和人才的质量。当前，我国学校的环境是一种以市场需求为导向的动态环境。学校要在竞争中站稳市场，立于不败之地，就必须增强自身的实力和竞争力，提高教育质量。首先，学校除了加大财力、物力投入外，还必须积极引进优秀干部和优秀教师等；其次，加强对学校的科学管理，充分运用教育评价手段，对学生的学习和干部、教师、员工的工作等全面开展评价，分出各种等级，找出真实原因，真正做到是非明、好坏分，营造成一种公平竞争的良好的环境；最后，根据评价结果，对各种系列人员进行各种奖励和惩罚，使学校全体成员的学习或工作有一种压力或动力，努力把自己的学习和各项工作做好，因此，建立和完善学校教育评价系统是一项适应当前教育发展的、紧迫和重要的任务。就目前而言，由于学校领导往往是评价系统的组织者，是强有力的"裁判"，对于他们的评价主要通过学校办学水平的自我评价来实现。随着教育评价制度的进一步完善，以及较为公正、科学、规范和专业化的社会评价机构的建立，学校教育评价系统的运作可以由这种机构的专职人员来主持或参与，评价工作将更为公正和客观，这会更有效地促进学校教育质量的提高。

所谓学校教育评价系统，就是学校办学水平的自我评价体系以及学校干部、教师、员工、学生评价和奖惩制度的有机结合体。

5. 教育评价制度

系统的教育评价制度主要由三个子系统构成，即评价机构子系统、评价程序子系统和评价质量管理子系统。现在，我国已出现社会教育评价机构，这种评价机构与传统的评价机构是怎样的关系；评价主体多元化如何用评价制度来保证评价活动有序；如何用评价制度来保证做好督学和督政工作；如何用评价制度来保证评价工作的公正、客观、可靠和有效等等，以及怎样理顺现行的评价机构、加强评价程序的监控和评价质量管理等问题是值得深入研究和实践的。在建立和完善系统的教育评价制度的同时，应该加强对建立不同评价对象评价制度的研究，如教育行政管理评价制度、学校办学水平评价制度、教师评价制度和学生评价制度等等，它们对于教育评价工作的正常开展是必要的。

小　结

本章论述了国内外教育评价发展的历史轨迹，并归纳了现代教育评价发展的基本趋势。教育评价具有极为悠久的历史，它伴随着教育活动的出现而产生。世界各国的学者普遍认为，中国是考试的故乡，中国古代的评价思想、校内外考试和人才选拔制度可以被视为教育评价的萌芽，对世界各国产生过重要的影响。

现代意义的教育评价是在心理和教育测量、统计方法和个别差异研究等方面发展的基础上建立起来的。20 世纪 30 年代的美国学者泰勒，在著名的"八年研究"中较系统地提出了评价的理论和技术，是现代教育评价创立的标志。第二次世界大战后，由于教育的重要性日益凸显，教育评价因其对教育发展所具有的重要促进作用也备受各界关注，并取得了长足的进步。新的评价理论和模式不断涌现、评价技术和方法也日益完善。

在我国，随着改革开放、国际交流的增强以及教育改革的深入，教育评价自 20 世纪 80 年代以来，也进入了迅速发展时期，取得了明显的成效，并缩小了与国外的差距。目前，教育评价的发展趋势主要表现为：评价范围逐步扩大；评价结果与物质奖惩挂钩逐步转向与物质奖惩不挂钩；重视发挥评价为教育决策服务的功能；评价工作越来越制度化、规范化；注重定性和定量的结合；电子计算机在评价工作中将得到广泛使用。

思考题

1. 为什么说教育评价思想源于我国？

2. 教育评价理论是如何诞生的？

3. 自 20 世纪 70 年代末、80 年代初以来，我国教育评价发展经历了哪几个阶段？每个阶段的特点是什么？

4. 近年来我国教育评价研究的成绩和不足主要表现在哪些方面？

5. 现代教育评价发展的趋势是什么？

进一步阅读的相关文献

1. 盛奇秀. 中国古代考试制度［M］. 济南：山东教育出版社，1988.

2. 侯光文. 教育评价概论［M］. 石家庄：河北教育出版社，1996.

3. 吴钢. 现代教育评价基础［M］. 上海：学林出版社，2004.

3

教育评价的一般过程

　　教育评价过程是按照特定目标和标准，对教育行为和教育主、客体所进行的价值判断的过程。教育评价是一项技术性很强的工作，能否科学地组织评价，对评价质量和结果的可靠性和有效性有着重要的影响。并且，成功的教育评价离不开评价者和被评价者的密切合作。因此，在评价组织工作中，除了做好评价过程中各阶段的常规工作外，还必须做好评价者和被评价者在各阶段的心理调控。

第一节　教育评价的准备阶段

人们常说，不打无准备之仗，因此，做好各项准备工作，是保证评价工作取得成效的前提和基础。准备阶段主要就为什么要评价、谁来评价和评价什么等问题作充分准备。这一阶段主要包括组织准备、人员准备、方案准备，以及评价者和被评价者的心理准备。

一、组织准备

组织准备包括成立专门的评价领导小组，组建一定形式的评价工作小组。组织工作可由被评价对象所在部门上一级机构承担。例如，对学校教学工作的评价，可由上级教育行政部门负责建立评价领导小组和工作小组。有时为了进行自我评价，也可在被评价单位内部建立评价小组。

二、人员准备

人员准备包括组织有关人员学习评价理论和有关文件，使其明确评价的目的、意义，树立起全面贯彻党的教育方针、全面提高教育质量的价值观，从而使评价人员以高度的责任感和实事求是的科学态度认真负责地做好评价工作。同时要做好有关专家的遴选工作，包括评价理论专家、评价技术专家、学科专家、项目专家等。

三、方案准备

在整个准备阶段中，实质性和关键性的工作就是设计评价方案。评价方案是整个评价过程的计划和蓝图，是实施评价工作的基本工具。它是教育评价组织者根据教育评价的目的，遵循教育活动的客观规律，在教育评价实施前拟定的有关教育评价目的、内容、范围、方法、手段、程序和预期结果的纲领性文件。

（一）方案应具有的特性

1. 以教育评价标准为中心

所谓教育评价标准，就是指对一切教育活动质量或数量要求的规定。它一般包含评价的指标体系和评价基准。制定教育评价标准是评价工作的一项基础工作。评价标准编制得科学、客观和有效，那么评价结果的信度和效度就高，反之，则不然。因此，它在评价方案中处于核心位置。在编制评价标准时，要以民意调查为基础，严格论证、专家评判、实验修正，以最大限度地提高评价标准的质量。

所谓教育评价标准，就是指对一切教育活动质量或数量要求的规定。它一般包含评价的指标体系和评价基准。

2. 以评价活动的组织者、评价者和被评价者等的接受程度为中心

教育评价的功能发挥得如何，在很大程度上是看评价结果是否客观、准确，使人信服。由于教育评价的本质是对教育价值进行判断的过程，因此，把评价活动的组织者、评价者和被评价者等的教育价值取向体现在评价方案中，能提高评价结果的客观性和准确性以及使人信服的程度。可见，必须十分重视评价活动的组织者、评价者和被评价者等对评价方案的接受程度。

3. 以评价程序的科学性、规范性和可操作性为根本

评价工作的科学性、规范性和操作性是指评价活动的指导理论以及评价过程中所采用的方法一定要科学，评价运行程序要规范，要按照预

先设计好的程序进行，不得随意改变，而且整个评价程序要具有可操作性，要能得出明确的结论。评价方案是评价工作的准备，它必须注重评价程序的科学性、规范性和可操作性，使得依照评价方案实施完成的评价工作不仅具有较高的信度和效度，而且也能增强评价结果的可比性。

教育评价方案应具有的特征：以教育评价标准为核心；以评价活动的组织者、评价者和被评价者等的接受程度为中心；以评价程序的科学性、规范性和可操作性为根本。

（二）方案的主要内容

1. 评价目的

不同目的的评价需要不同的评价标准和评价方法，因此，方案对教育评价的目的，即为什么要评价，必须有具体明了、准确无误的表述。比如，以分清学校教育工作优良程度为目的的评价，与以衡量学校是否达到了合格标准为目的的评价，显然，在评价标准和方法上是极不相同的。前者采用的是相对评价法，即通过被评价对象相互比较得出评价结论，而后者一般采用的是绝对评价法，它是按规定的标准去衡量和判断被评价对象是否达到了应有的水平。

2. 评价对象

评价对象是指评价的客体，是评价的实践对象、认识对象。对评价对象作全面评价，还是作某一方面的评价；是评价这些因素，还是评价那些因素，这一问题不解决，评价就无法进行。

3. 评价标准

评价标准具体包括指标体系和评价基准。在这里还应有评价标准的背景描述等，使评价活动的组织者、评价者和被评价者都能准确理解和全面掌握评价标准，有利于评价方案的实施。

4. 组织实施

组织实施包括评价活动的组织形式和组织方法、评价者的基本素质要求和评价过程中评价活动的组织者、评价者、被评价者等必须共同遵守的纪律规定等。这是评价工作顺利进行的保证。

5. 评价方法

评价方法主要包括评价信息的搜集和处理方法。在评价过程中,对于相同的评价信息源,由于搜集信息方法不同,所得到的评价信息可能不一样;由于处理评价信息方法的不同,对于相同的信息,可能得出不同的结论。因此,应该事先明确评价信息的搜集和处理方法,以确保评价结果的高信度和高效度。

6. 实施期限

教育评价是价值判断,它的标准就是教育价值的具体体现,因此具有较强的时效性,即评价标准只是在一定时间内有效。这就要求我们对现行评价方案应该规定有效期限,以保证评价活动的质量。另外,评价标准具有很强的导向性,为了做出正确而有效的导向,对于导向性较强的指标,要根据具体情况进行调查、修改或补充,这也有个实效性问题。

7. 评价报告完成的时间

所谓评价报告,就是在教育评价工作完成以后,为了便于反馈、保存、检验评价信息和结论,而对评价过程、结论进行全面叙述和提出相关建议的报告。由于评价结果具有很强的时效性,评价报告不仅应该按时完成,而且,完成时间应该有明确规定。

所谓评价报告,就是在教育评价工作完成以后,为了便于反馈、保存、检验评价信息和结论,而对评价过程、结论进行全面叙述和提出相关建议的报告。

8. 评价报告接受的单位、部门或个人

事先明确评价报告的接受者，便于及时反馈，使评价报告接受的单位、部门或个人能及早做出决策和改进工作的计划，以保证和提高评价工作的效益。

9. 预算

在实施评价方案的过程中，需要一定的资金，这是保证方案实施的物质条件，要通过预算来保证。

教育评价方案的主要内容：评价目的；评价对象；评价标准；组织实施；评价方法；实施期限；评价报告完成的时间；评价报告接受的单位、部门或个人；预算。

（三）评价方案案例

这里以"某高校二级学院课堂教学评价方案"为例。

1. 期限

本评价方案实施时间从 1999 年 3 月 1 日起，至 2000 年 1 月 8 日止。

2. 评价目的

通过实施课堂教学评价方案，引导教师在课堂教学过程中向规范性、科学性和创造性方向努力，并且，及时对教师课堂教学进行诊断，反馈评价结论，督促教师自觉改进课堂教学，培养文化基础知识扎实、专业基本技能熟练并具有创造精神的合格人才。

3. 评价对象

在本院任课的所有教师的课堂教学。

4. 评价标准

（1）制定评价标准的依据。

① 教学目标：略。

② 教学大纲：略。

③ 遵循科学知识揭示的规律：略。

④ 课堂教学实践积累的经验：略。

⑤ 考虑评价对象及与之相关的实际情况。

譬如，学生的身心发展，因年龄不同而表现出不同的特点。在制定评价标准和选择评价方法时，必须考虑到这个实际。也就是说，评价必须从各个年级学生的实际出发，充分体现各年级学生的特点。如果忽视这一点，就会影响评价效果。

（2）评价标准的背景描述。

① 关于指标体系设计的确定：指标内容可以是定性的，也可以是定量的。具体内容：略。

② 关于权重的计算：对于定量指标要确定它的权重，具体内容：略。

（3）指标体系、权重和评定标准。

① 课堂教学评价标准（供教师和管理者评价用）：略。

② 课堂教学评价标准（供学生评价用）：略。

5. 组织实施

（1）课堂教学评价由学院成立专门考核班子。

（2）若干纪律规定：略。

6. 评价方法

（1）评价信息来源：略。

（2）评价信息搜集方法：略。

（3）评价信息处理方法：略。

（4）评价结论反馈方式：略。

7．评价报告呈送期限

2000 年 1 月 8 日。

8．评价报告的接受者

本院主管教学工作的副院长和任课教师本人。

9．预算

略。

四、评价者和被评价者在准备阶段的心理现象与调控

（一）评价者在准备阶段的心理现象与调控

1．评价者在准备阶段的心理现象

（1）角色心理。所谓角色心理，是指人们在社会生活中，由于担负着一定的角色而形成的一种心理状态。在评价活动中，这种心理往往使评价者以显示自己的身份和专门知识技能、自己的品质、爱好和特长去要求被评价者。如果评价者的要求与评价指标相一致，就能对评价起积极作用；如果超过评价指标的要求，那就必然影响到评价的客观性。如在设计评价方案时，评价人员容易从各自的职业、兴趣、特长出发，表现出不同的价值取向。最明显的是专家往往偏重方案的理论依据和科学性，而实际工作者则倾向于方案的可行性。

所谓角色心理，是指人们在社会生活中，由于担负着一定的角色而形成的一种心理状态。

（2）心理定势。所谓心理定势，是指由一定的心理活动所形成的准备状态，影响或决定同类后继心理活动趋势的一种心理现象。它的积极方面，反映了心理活动的稳定性和一致性；消极方面，妨碍思维的灵活性。在评价准备工作中，各人往往按各自的心理定势表达自己的见解，不太注意分析具体情况，影响评价方案的客观性。

所谓心理定势，是指由一定的心理活动所形成的准备状态，影响或决定同类后继心理活动趋势的一种心理现象。

（3）时尚效应。时尚效应就是指对新颖、时髦事物的向往和崇拜的一种心理的现象。在追求时尚的狂热中，往往停止自己的独立思考，服从社会潮流，接受多数人所热衷的东西，影响评价方向。如果追求的"时尚"符合教育方针和规律，符合被评价对象的实际情况，就能起积极作用，反之，则可能起到消极的作用。

时尚效应就是指对新颖、时髦事物的向往和崇拜的一种心理的现象。

2. 评价者在准备阶段的心理调控

（1）把好评价人员的选拔关。评价人员应该具有良好的思想政治素质，品德高尚、实事求是、公道正派、不谋私利，有批评和自我批评的精神，有强烈的事业心和责任感，热爱评价工作；在业务上，评价人员除应了解被评价者和专业知识外，还应具有一定的评价理论、方法和技术。在评价人员的群体内部结构上，要注意包括各方面的代表。既要有评价工作顺利开展所需的各种专业人员，又要注意保证有足够数量的评价人员。

（2）做好评价人员的培训工作。一是要对评价人员进行职业道德、政策法规、规章制度、保密约定以及公正、公平、公道等原则的教育。

二是要对评价人员进行评价技能和方法的培训，使他们掌握必要的工具编制技术、数据处理技术，了解各种评价模式和方法的适用范围等。

（二）被评价者在准备阶段的心理现象与调控

1. 被评价者在准备阶段的心理现象

（1）自我认可疑惧心理。所谓自我认可疑惧心理，就是指被评价者在自我评价中怀疑自己的评价与将来他人的评价是否相符而产生的一种心理状态。这种心理状态可能对自我评价产生消极影响。具体表现为：其一，过低自我评价。唯恐自我评价高于他人评价，于是以较低水平评价自己。其二，模糊自我评价。为避免自我评价和他人评价的正面矛盾冲突，于是采用概括化的定性描述，运用含含糊糊的词语给出判断。其三，过高自我评价。认为自我评价是基础，他人评价走过场，因而企图以自我评价基点来抬高他人评价基点。

> 所谓自我认可疑惧心理，就是指被评价者在自我评价中怀疑自己的评价与将来他人的评价是否相符而产生的一种心理状态。

（2）被审心理。被评价者在接受他人评价之前，往往产生被动接受审查的评价心理，特别是那些资历较浅的被评价者，更是如此。被审心理是一种被动心理，它对评价的影响也是消极的。这种消极的影响具体表现为：自我评价草率，等待他人评价一锤定音；对评价要求领会不全面，材料准备不充分或者杂乱无章；忙于准备表面工作，以求形式上给评价者留下"好印象"等。

2. 被评价者在准备阶段的心理调控

（1）首先，在评价工作开展前，评价者要认真做好宣传和沟通工作，讲清评价的目的、意义和积极作用，消除被评价者的思想顾虑，克服受审心理或消极心态。其次，在评价方案制定时，要充分发扬民主，听取被评价者的意见和建议，使被评价者增强主人翁意识，积极主动参与评价工作。最后，要让被评价者了解评价的日程安排和工作程序，提高评价工作的透明度，以便使被评价者能做好充分的准备，积极配合，使评价工作顺利地按计划实施。

（2）引导被评价者正确评价自己。"人贵有自知之明"，正确的自我评价，对个人的心理和行为表现以及协调人际关系均具有重要影响。自我评价与他人评价如果差距过大，会使个体和他人的关系失衡，产生矛盾。长此以往，就会形成稳定的心理特征——自满或自卑，从而引发种种心理误差。心理学研究表明，人们的自我评价往往高于别人对自己的评价。自我评价过高，就容易因为他人评价的结果未能符合自己的期望，而遭受挫折，引发失落感。同时，自我评价过高者对挫折的容忍力也往往较低。相反，自我评价过低，是缺乏自信心的表现，长期发展会形成自卑感，处处谨小慎微，缺乏朝气和进取心。因此，被评价者正确而实事求是地进行自我评价能起到调整心态的作用，从而减少种种不必要的、消极的心理状态。

第二节　教育评价的实施阶段

教育评价的实施阶段是实际进行评价活动的阶段。它是整个教育评价活动的中心环节，也是教育评价组织管理工作的重点。实施阶段的主要任务是，运用各种教育评价方法和技术，搜集各种评价信息，并在整理评价信息的基础上，做出价值判断。同时，对评价者和被评价者的心理进行调控，以保证评价工作的顺利进行。

一、实施阶段

（一）预评价

为了使教育评价工作能顺利进行，最好在正式评价之前，先选择试点单位进行试评，以便取得经验，并进一步完善评价方案。试评可以由评价组织进行评价，也可以把被评价对象的自我评价作为试评。后者更有利于调动被评价者的积极性，促使自己寻找问题和改进工作。

（二）正式评价

这是实施阶段的一个重要步骤。做好这一步工作的关键在于与被评价者的密切配合，要求他们不仅做到实事求是地全面提供各种材料，而且还要为评价者提供有利的工作条件。同时，评价者要注意加强监督、检查、防止和杜绝各种弄虚作假和不良行为的发生。

1. 搜集评价信息

搜集评价信息是教育评价的基础性工作。评价信息是进行评价的客观依据，是做出科学结论的必要条件。评价信息搜集得越多、越全面、越充分，就越能使评价结果准确合理，越具有客观性、科学性。因此，搜集评价信息应注意到评价信息的全面性，要保证评价信息的准确性。评价信息的搜集一般分组进行，然后把从不同途径获取的信息进行归纳汇总。

搜集评价信息的方法有多种，如查阅文献法、观察法、调查法、问卷法、访谈法等。

2. 整理评价信息

整理评价信息，主要是指对评价信息的全面性、准确性、适应性以及收集资料方法的可靠性反复加以核实，将搜集到的全部评价信息进行检查、分类和保存，以便于使用。信息整理方法有：（1）归类。将搜集到的信息资料汇集归拢，初步进行分类。（2）审核。将归类的评价信息逐一核实，进行去伪存真、去粗取精的鉴别和筛选，对缺少的信息，要及时补充。（3）建档。将审核后的评价信息，根据评价指标体系，分门别类地制成一定的表格或卡片，进行编号建档，为评价做好准备。

整理评价信息主要是指对评价信息的全面性、准确性、适应性以及搜集资料方法的可靠性反复加以核实，将搜集到的全部评价信息进行检查、分类和保存，以便于使用。

3. 处理评价信息

这是实施阶段的核心工作。前面的信息收集、整理工作都是为处理评价信息服务的。处理评价信息，就是运用定性和定量的方法处理评价信息，将评价对象在各项评价指标中呈现出来的特征运用数学或其他方法处理成为评价结果。具体步骤如下。

第一，明确掌握评定标准和具体要求。

第二，评价者对被评价者或被评价单位的实际表现给予相应分数、等级或定性描述。

第三，评价小组对各评价者的测量或观察结果进行认定、复核；并对其实际操作情况、评判的态度和表现、评定标准把握的宽严程度等进行集体小结和评议，填写评价表格。

第四，评价领导小组对各评价小组的评价工作逐一进行审核。

第五，数据处理小组使用规定的计量或其他方法，处理评价信息，并将处理结果报告评价领导小组，同时反馈到各评价小组。

处理评价信息就是运用定性和定量的方法处理评价信息，将评价对象在各项评价指标中呈现出来的特征运用数学或其他方法处理成为评价结果。

4. 做出综合评价

这是运用教育学、统计学、模糊数学等有关的理论和方法，将分项评定的结果汇总成综合评价结果。这是实施阶段的最后一项工作。它要求教育评价的组织者，根据汇总的评价结果，对评价对象做出准确的、客观的、定量或定性的评价结论，形成评价意见。必要时，可对评价对象做出优良程度的区分，或做出是否达到应有标准的结论。

二、评价者和被评价者在实施阶段的心理现象与调控

（一）评价者在实施阶段的心理现象与调控

1. 评价者在实施阶段的心理现象

（1）首因效应。首因效应是指评价者对被评价者最先获得的印象，影响人们对同一人或事物全面了解的心理现象。首因效应有"先入为主"的强烈印象，故又称第一印象效应。在教育评价中，首因效应在一定程度上影响着评价者对评价对象的正确评价。如教师给学生改试卷或作业，两个学生做对的题和做错的题数目相等，其中一个学生开头做对的题目较多，教师有了较好的第一印象，可能影响总的评分偏高；另一个学生开头做错的题目较多，教师有了较差的第一印象，可能影响总的评分偏低。有时候，一个开始表现不好的学生，教师可能因首因效应而看不见他的点滴进步。首因是个强刺激，但最先出现的事物未必是主要的、本质的，甚至有时还有种种假象，这是评价者在评价初期需要十分注意的问题。

首因效应是指评价者对被评价者最先获得的印象，影响人们对同一人或事物全面了解的心理现象。

（2）近因效应。近因效应是指最近获得的信息对认知产生的影响。个体对最近获得的信息会留下新鲜而清晰的印象，其作用往往会冲淡过去所获得的印象。因此，评价者应当注意全面地看问题，不能因为被评价者近期的失误或近期的突出表现影响了对他的正确评价，从而引起前松后紧或前紧后松的偏差。

（3）晕轮效应。晕轮效应又称光环效应，它是指评价者对被评价

对象的某些特征具有强烈印象，这种印象会弥散到其他方面，形成总体印象。这是一种十分常见的认知偏差。晕轮效应的特点是以点概面、以偏概全，以表面的知觉代替深入了解和分析。晕轮效应往往出现在对人了解不多、认识肤浅的阶段。它有两种表现：一是以好概差，对印象好的被评价对象，爱屋及乌，一俊遮百丑。二是以差概好，俗称扫帚星效应，对印象不好的被评价对象，厌恶和尚，恨及袈裟。

美国心理学家阿希（Asoch）曾做过这样的实验：先让被试想象具有五种品格（聪明、勤奋、灵巧、坚定、热情）的人的形象，被试普遍认为这是一位理想而友善的人。再把热情更换成冷酷，其他四种品格不变，被试普遍想象出截然相反的形象。这表明，热情—冷酷这一品格具有强烈的晕轮作用，掩盖了其他品格，决定着人们看待别人的总体印象。①

晕轮效应又称光环效应，是指评价者对被评价对象的某些特征具有强烈印象，这种印象会弥散到其他方面，形成总体印象。

（4）参照效应。参照效应又称对比效应，它是指某些被评价对象的"形象"影响评价者对另一些被评价对象的判断。当不同被评价对象的某一特性形成强烈反差时，参照效应最容易产生。"相形见绌""鹤立鸡群"这两个成语也许是参照效应的妥帖写照。如在评阅试卷（尤其是主观题）时，评阅者以前所批阅的一些试卷的回答均不理想，当阅到一份回答得较好的试卷时，就容易给高分。反之，如果以前所批阅的一些试卷的回答均很满意，当阅到一份回答得稍差的试卷时，给分容易偏低。参照效应使评价者偏离了统一的标准，造成评分忽严忽宽的现象，应当予以纠正。在教师、学校评价中，也同样存在着参照效应。

---

① 吴谅谅，等. 现代管理心理学纲要［M］. 长沙：湖南人民出版社，1987：266.

参照效应又称对比效应，它是指某些被评价对象的"形象"影响评价者对另一些被评价对象的判断。

（5）理想效应。理想效应是指评价者对被评价对象所持有的完美的先期印象，导致对被评价者评价过低的现象，故又称为求全效应。一般而言，"金无足赤，人无完人"。才能越强的人，其缺点也往往越明显。由于评价者先前持有理想化的印象，在实际评价中往往会导致对被评价者的求全责备，被评价者一些不甚重要的缺点也容易引起评价者的心理失衡，做出偏低的评价。理想效应的偏差同样是以个人的预先期望替代了客观、统一的评价标准。在某种意义上说，理想效应是马太效应的对立面。

理想效应是指评价者对被评价对象所持有的完美的先期印象，导致对被评价者评价过低的现象，故又称为求全效应。

（6）趋中趋势。趋中趋势是指评价者在评价时避免使用极值，大多取中间的等级，如一般、较好等的现象。产生趋中趋势的原因主要有：评价者唯恐判断失误，影响自己的声望；采用不偏不倚的中庸态度最为保险，谁也不得罪；给予中间等级的评价结论较省事，因为较高或较低的评价结论都要提出比较充分的理由。趋中趋势掩盖了客观存在的差异，使评价失去了实际意义和激励作用。

趋中趋势是指评价者在评价时避免使用极值，大多取中间的等级，如一般、较好等的现象。

（7）逻辑错误。逻辑错误是指评价者根据被评价者的某一属性来推断其他无必然联系的属性。逻辑错误的表现在日常生活中也随时可见，如知道某人比较聪明，便推断他富有想象力、机敏、深思熟虑等；

了解某人处事较为轻率，就推断他好夸口、急躁、不踏实等。又如认为学术水平高的人教学水平也不差，或认为脾气好的人多半没有主见，等等。逻辑错误是思维定式的结果，用简单的方式看待事物的多样化联系，评价者应当深入了解被评价者各方面的实际表现，而不能凭经验做出想当然的判断结论。

逻辑错误是指评价者根据被评价者的某一属性来推断其他无必然联系的属性。

2. 评价者在实施阶段的心理调控

（1）制定统一的操作方法。通过制定统一的操作方法，如制定共同的取样方法、共同的记录格式、共同的记分方法等，以避免由于心理压力、外部干扰、取样不公、自然遗忘等原因造成的偏差和不公平。

（2）加强对评价过程的管理和监控。加强对评价过程的管理包括两个方面：一方面要建立健全规章制度，强化对评价的监督机制，加强评价过程各个重要环节的监控。如经常检查评价的进展、讨论重大的倾向性问题，及时了解被评价者的反映，以便使评价心理调控有组织和制度上的保证；另一方面又要及时了解评价者和被评价者的思想动态、情绪反应，做好积极的疏导和教育工作。在评价过程中采取有针对性的措施，可以预防某些心理误差的出现，即使出现了心理误差也能及时纠正，或制约其影响的范围。

（二）被评价者在实施阶段的心理现象与调控

1. 被评价者在实施阶段的心理现象

（1）自卫心理。自卫心理是指被评价者在被他人评价过程中产生的一种为保护自己免遭外界干扰，力图维持原有平衡状态的心理倾向。自卫心理一般表现为：其一，反抗。即当听到涉及自身缺点的评价就心情压抑，企图否认这些缺点，甚至愤慨。其二，开脱。如编造理由为自己辩解，推卸责任以减轻内疚，文过饰非以维护自尊，甚至弄虚作假制造假象等。其三，回避。如扬长避短、避重就轻、避主观内因推客观外因，甚至借故请假出差脱离评价现场等。这是一种预感评价结论对自己不利而采取的本能行为。其四，掩盖。如抽象肯定、具体否定、大事化小、小事化了、掩盖弱点等。

自卫心理是指被评价者在被他人评价过程中产生的一种为保护自己免遭外界干扰，力图维持原有平衡状态的心理倾向。

（2）应付心理。应付心理是指被评价者不乐意接受评价而表现出随意应付的不正常评价心理。具体表现为：自我评价马虎草率、计划不周、敷衍了事、拖拉搪塞。被评价者的应付态度容易引起评价人员的不满情绪，或出现疲劳、烦躁现象，影响评价工作的质量。当然，一般说来，由于评价对被评价者具有重要的影响，因此，在现实中，应付心理并不常见。

应付心理是指被评价者不乐意接受评价而表现出随意应付的不正常评价心理。

（3）逆反心理。逆反心理是指被评价者在评价过程中采取对抗或抵制的态度，这是一种反常的现象。一旦出现，评价者应当及时检查自己的工作。事实表明，逆反心理常常是由于评价者独断专行、人际关系紧张、派别活动而引起的。

逆反心理是指被评价者在评价过程中采取对抗或抵制的态度，这是一种反常的现象。

（4）迎合心理。迎合心理是指被评价者在不正确的思想支配下，为了获得不合实际的好结论而表现出来反常的积极配合的心理状态。具体表现为：被评价者的公关意识极为强烈，处处营造积极气氛和外部环境，试图让评价者受到情绪感染，发生移情，做出有利的评价结论。迎合心理在现实中经常可以见到，有时还会形成一种不良的风气，使一些不愿搞花架子的被评价者也不得已而为之。评价者应当引起重视，不要在"迎合"的氛围中，放弃原则，偏离方向。

迎合心理是指被评价者在不正确的思想支配下，为了获得不合实际的好结论而表现出来反常的积极配合的心理状态。

2. 被评价者在实施阶段的心理调控

（1）在评价实施中创造良好的评价气氛。评价实施的环境和气氛对被评价者的情绪和态度会产生直接的影响。因此，在评价中，评价者平等待人、虚怀若谷的行为，与人为善的作风，严谨而实事求是的科学态度，坚持原则、不徇私情、公正客观的立场等都有利于消除被评价者的思想顾虑。此外，评价者与被评价者应当经常进行心理交流，了解被评价者的思想动态，及时而有针对性地纠正可能出现的心理偏差。

（2）采用多种评价形态，控制评价效应。所谓评价效应，就是指通过评价者的目的、动机、需要、价值观等构成评价心理机制及倾向性，与不同的评价方案结合，作用于被评价者时所引起的被评价者的自我意识、情绪状态、意识动机、需要和成就目标、与评价者人际关系的变化等。评价态度和评价方式的结合可以产生多种评价形态，以评价的肯定和否定界限分，可分为正评价和负评价；以评价的态度为主划分，有期望型、激励型、公正型、偏见型、偏激型，等等。在以上评价形态中，显然要摒弃偏见型和偏激型。其他评价形态各有利弊，应予合理安排，以免产生不良的评价效应。

所谓评价效应，就是指通过评价者的目的、动机、需要、价值观等

构成评价心理机制及倾向性，与不同的评价方案结合，作用于被评价者时所引起的被评价者的自我意识、情绪状态、意识动机、需要和成就目标、与评价者人际关系的变化等。

第三节　教育评价结果的处理与反馈阶段

教育评价过程的第三个阶段，是对评价结果进行分析处理和反馈。这一阶段的工作质量和效果，直接关系到教育评价功能的发挥，关系到评价目标的达成。这里所说的教育评价结果有两层含义：一是对教育评价对象的各种结论性的意见；二是对实施评价方案情况的总结性意见。结果的分析处理，就是对上述两方面结果的分析处理。同时在这一阶段也要十分注意对评价者和被评价者的心理调控，以使评价功能得以充分发挥，圆满实现评价目的。具体来说，这一阶段包括以下三个环节。

一、评价结果的处理和反馈

（一）评价结果的检验

评价结果的检验，一方面要检查评价程序的每个步骤，视其是否全面、准确地实施了评价方案；另一方面要运用统计检验方法，对评价结果进行检验。

（二）分析诊断问题

为了充分说明评价结果，有效促进被评价者改进工作，还需要对有关资料进行细致分析，并对被评价者的优劣状况进行系统评论，以帮助他们找出存在的问题以及问题的症结所在。

（三）撰写评价报告

评价报告框架一般包括三大部分，即封面、正文和附件。封面提供下列信息，评价方案的题目、评价者的姓名、评价报告接受者的姓名、评价方案实施和完成时间、呈送报告的日期。正文的内容主要有：（1）概要：对评价报告简要综述，解释为什么要进行评价，并且可列举主要结论和建议；（2）评价方案的背景信息：评价方案是如何产生的，重点叙述评价标准的编制过程及其理论依据；（3）评价方案实施过程的描述：主要叙述评价过程，即搜集信息和处理信息的过程等；（4）结果及结果分析：介绍各种搜集到的、与评价有关的信息，包括数据和记录的事件、证据等，以及处理这些信息所得到的结果；（5）结论与建议：对评价结果进行推断，得出结论，提出建议。

（四）评价报告案例①

这里以"某高校二级学院课堂教学报告"为例。

教师课堂教学水平是反映学校教学质量高低的重要参数，同时，又是教师评定职称、晋升岗位的主要依据之一，因此，对教师课堂教学进行评价是必要的。本学期课堂教学评价采取定性和定量相结合的评价方法，以每一门课程为单位（不同班级的同一教师上的相同课程视为不同课程），对全院不同班级44门课程的授课情况进行了学生评价。从课堂教学评价搜集的信息和处理结果来看，同一教师在讲授不同课程所获得的评价结果是不同的，同一教师在不同的班级讲授相同课程时获得的评价结果也有差异，即使是那些在定量评价中得分较高和名次相对靠前的教师的课堂教学也并非完美无缺，他们同样或多或少存在某些值得改进的地方，而那些在定量评价中得分较低和名次相对靠后的教师的课堂教学也不是一无是处，他们存在着自身的优点。此外，那些排名处于中间的教师的课堂教学状况也是优点和缺点共存。下面主要结合定性、定量评价方法所搜集和整理的评价信息，从六个方面加以阐述。

---

① 吴钢. 公共事业评价［M］. 上海：上海教育出版社，2003：60.

1. 评价信息处理结果的总体情况分析

从对教师定量评价的十项得分的平均值来分析，他们的平均得分从高到低的排列顺序见表 3 - 1。

表 3 - 1　全院教师十项指标平均得分从高到低排列顺序

指标体系	平均分
1. 教学态度方面	3.6206
2. 教学思路方面	3.3835
3. 用普通话教学方面	3.1767
4. 作业量合适和认真批改方面	3.1157
5. 学生对所学课程的理论和方法的掌握程度方面	3.0952
6. 教学内容丰富、前后连贯和逻辑性方面	3.0702
7. 授课通俗易懂和重点突出方面	3.0540
8. 授课时理论联系实际活动方面	2.9904
9. 您对与课程内容相关问题的探究欲望方面	2.9805
10. 课堂上提问富有启发性，能激励学生思维方面	2.9662

从整体上来讲，教师的教学态度是端正的；教学思路是较清晰的；用普通话教学方面做得较好。而且，教师也具备了较好的教学能力，譬如，教师授课时内容能够很连贯且富有逻辑性、通俗易懂和重点突出，并能让学生较好地掌握所学课程的理论和方法。但是，与一个优秀教师所应有的水平相比，差距是十分明显的，如在课堂上启发性地提问和激励学生思维，使学生对与课程内容相关问题的探究有较强的欲望以及上课时理论联系实际等方面做得不够好。

2. 评价结果得分较高的教师授课情况

总分排列前三名教师十项得分的平均得分从高到低的排列顺序见表 3－2。

表 3－2　总分排列前三名教师十项指标评价得分从高到低排列顺序

指标体系	平均分
1. 教学态度方面	3.8866
2. 教学思路方面	3.8130
3. 用普通话教学方面	3.7044
4. 作业量合适和认真批改方面	3.6681
5. 学生对所学课程的理论和方法的掌握程度方面	3.6361
6. 教学内容丰富、前后连贯和逻辑性方面	3.6266
7. 授课通俗易懂和重点突出方面	3.6193
8. 授课时理论联系实际活动方面	3.5545
9. 您对与课程内容相关问题的探究欲望方面	3.5203
10. 课堂上提问富有启发性，能激励学生思维方面	3.4756

从表 3－2 可以看出，前三名教师教学态度端正，授课时思路清楚，语言表达较好；能做到幽默、诙谐和风趣；能在课堂上启发性地提问和激励学生思维，并能及时调节课堂教学气氛，布置作业较为合适和批改作业认真。

从授课情况来看，这些教师教学基本功较好，如教学时条理清晰，表达清楚等，同时在授课时能照顾到学生的情绪，通过多与学生交流，建立起师生平等的对话关系，还能让学生感到教师对所有学生负责，对自己的工作负责。学生在这样的课堂中既感到轻松自如，又能受到某种启发。

3. 从评价结果得分较低的教师授课情况来看

总分排列后三名教师十项得分的平均值从高到低的排列顺序见表3-3。

表3-3　总分排列后三名教师十项指标评价得分从高到低排列顺序

指标体系	平均分
1. 教学态度方面	3.2164
2. 教学思路方面	2.7114
3. 用普通话教学方面	2.6306
4. 学生对所学课程的理论和方法的掌握程度方面	2.3687
5. 作业量合适和认真批改方面	2.3240
6. 授课通俗易懂和重点突出方面	2.2150
7. 教学内容丰富、前后连贯和逻辑性方面	2.2150
8. 您对与课程内容相关问题的探究欲望方面	2.2150
9. 授课时理论联系实际活动方面	2.1840
10. 课堂上提问富有启发性，激发学生思维方面	2.1537

从表3-3可以看出，这些教师在授课重点突出和通俗易懂方面还有待改善，上课时要多注意激发学生思维，课堂上的提问应更具有启发性，教师上课时理论联系实际的水平有待进一步提高，作业量控制和认真批改作业方面也存在某些不足。

从教师授课情况来看，这些教师在授课时一般形式单一，缺乏实例的列举和分析，学生对这种教学持一定的抵制态度，因此，所获得的评价较低。

4. 总分排列前三名与后三名教师十项指标平均得分之差分析

总分排列前三名与后三名教师十项指标平均分之差从高到低排列顺序见表3-4。

表3-4 总分排列前三名与后三名教师
十项指标平均得分之差从高到低排列顺序

指标体系	平均分
1. 教学内容丰富、前后连贯和逻辑性方面	1.4531
2. 授课时理论联系实际活动方面	1.4426
3. 授课通俗易懂和重点突出方面	1.4211
4. 课堂上提问富有启发性，激发学生思维方面	1.3666
5. 作业量合适和认真批改方面	1.2953
6. 您对与课程内容相关问题的探究欲望方面	1.2606
7. 学生对所学课程的理论和方法的掌握程度方面	1.1858
8. 教学思路方面	1.1016
9. 用普通话教学方面	1.0738
10. 教学态度方面	0.6702

从某种意义上说，表3-4显示的是指标的区分度，一般的，平均分之差越大，指标的区分度就越大，指标的质量也就越高。对于评价分之差较小的指标应该考虑删除或修改，如表3-4中的指标10；若出现评价分之差为负数时，就一定要删除这条指标。

5. 对整个评价工作的分析

从本次评价过程来看，无论是进行定量评价，还是在定性评价的访谈中，学生都能较好地配合，为此，评价信度和效度较高。在运用定量评价，做到公正、客观和有说服力的同时，还注意采用定性评价，有效处理不易从定量评价中获取的信息，这样做是比较科学的。但是，在定性评价访谈过程中，由于评价信息记录格式不太规范，给评价信息处理带来一定的困难。如何规范评价，做好评价信息的记录工作等，是今后评价实践中急需解决的问题。课堂教学评价的发展，其目的是了解那些深受学生欢迎的课堂教学活动特点，归纳其共性，总结其经验，以利于发扬优点，改进缺点，使所有教师在相互学习中，满足学生这一"顾客"的需要，从而真正切实提高学校教学质量。

6. 几点建议

（1）对教师教学的建议。

① 要求教师在备课中，准备一些富有启发性的问题，授课时积极启发学生思维。

② 教师在授课时，要理论联系实际。

③ 要求教师在课堂教学中，有意识地进行研究型学习的探索，激发学生对与本课程相关问题进行探究的兴趣和欲望。

（2）对改进评价工作的建议。在课堂教学定性评价中，要统一评价信息的记录格式，规范处理评价信息的过程，使得评价结果有较高的信度和效度，增加它的可比性。

（3）对修改指标体系的建议。指标体系是要根据社会发展的需要和评价对象的现实条件进行修改的，由上述分析，建议去掉"教学态度方面"这一指标，加上富有挑战性的指标，把教师的课堂教学工作引向更高的层次。

（五）反馈评价结果

反馈评价结果是指把评价结果返回给评价对象和上级有关领导部门，以引导、激励评价对象不断改进、完善自己，同时为领导和领导部门提供决策依据。反馈评价结果的方式有多种，如个别交谈、汇报会、座谈会、书面报告等。评价者可从实际出发，根据不同情况采用适当的方式。在反馈评价结果时，评价者必须实事求是，充分肯定成绩，指出存在的问题，提出改进的建议。通过反馈评价结果，发挥评价的功能。

反馈评价结果是指把评价结果返回给评价对象和上级有关领导部门，以引导、激励评价对象不断改进、完善自己，同时为领导和领导部门提供决策依据。

（六）评价工作的总结

对评价工作本身的总结，是提高评价工作水平与质量的必要步骤和措施。评价工作总结，实质上是对教育评价的再评价，是按照一定标准，对教育评价方案、教育评价结果和获得结果的过程进行分析，从而对教育评价工作做出价值判断。这是对教育评价的科学性、有效性和可行性等进行评价。其作用在于促进教育评价规范化，完善教育评价活动，提高教育评价的科学水平，并为今后的教育评价积累经验。评价工作总结还包括对评价工作的计划管理、组织管理、过程管理、质量管理等方面的分析和评价。

（七）建立评价档案

将教育评价过程中的各项文件、计划、方案、数据和总结，立卷建档，并建立教育评价档案管理制度，有专人妥善保管，以备查阅和研究使用。

二、评价者在评价结果处理阶段的心理现象及调控

（一）评价者在评价结果处理阶段的心理现象

1. 类群关系

类群关系是指评价者和被评价者属于同一类别或同一群体，如同行、同事、同学之类的关系。一般来说，由于所处的地位和环境比较接近，评价者和被评价者之间会有较强的相互理解基础。但处理不当的

话,也会产生一些心理偏差。一方面,在竞争激烈的情境中,类群关系容易产生相互贬低、吹毛求疵的现象,俗话所说的"同行是冤家",便是这种偏差的生动写照。另一方面,类群关系也可能产生相互褒扬的现象,即人们常说的"惺惺相惜"。这两种倾向都不能公正、客观地对被评价者做出判断,是评价者必须注意避免的。

类群关系是指评价者和被评价者属于同一类别或同一群体,如同行、同事、同学之类的关系。

2. 亲疏效应

亲疏效应是指评价者与被评价者之间的亲近和疏远的关系影响到评价的客观性。亲疏效应常常因心理相容或相悖而产生,带有较多的情感因素,一般说来,对亲近者或心理相容者容易看到长处,并给予偏高的评价,而对于疏远者或心理相悖者则容易看到缺点,给予偏低的评价。当然,有时评价者为了避嫌,也会采用严于亲而宽于疏的矫枉过正的做法。这种做法可以理解,但不宜提倡。正确的评价应当是实事求是的,既不护短,也能举贤不避亲。

亲疏效应是指评价者与被评价者之间的亲近和疏远的关系影响到评价的客观性。

3. 从众行为

从众行为是指个体在规范压力(不合群、标新立异)和信息压力(信息来自他人)下,放弃个人意见,顺从群体的行为。从众行为是个人维护良好的人际关系,避免与群体发生冲突,增强自身安全感的一种手段。其典型表现为:随波逐流,人云亦云。从众行为和服从行为不同,从众行为中自愿成分较多,而服从行为中强制因素较多。

关于从众行为,美国社会心理学家阿希也做过一项典型的实验。他把大学生分成若干个试验组，每组 9 人。其中仅 1 人是真正的被试，其余 8 人为故意做出错误判断的非试验者。实验的过程为：出示两张卡片，卡片 1 画有一条线段，卡片 2 画有三条长短不同的线段，其中只有一条线段与卡片 1 中的线段长度相等，要求被试找出卡片 2 中与卡片 1 中的线段长度相等的那条线段。多次试验的统计结果表明：有 37% 的被试放弃自己的正确判断，而顺从群体的错误判断。这一实验证明了个人在群体压力下会产生从众行为。

研究表明：从众行为的产生主要取决于情境因素和个人因素。情境因素包括：群体内成员所处的地位、群体的气氛、群体的凝聚力、问题的性质等。个人因素包括：智力水平、情绪的稳定性、独立性等。从众行为的普遍存在，对评价者的个人素质提出了较高的要求。评价者既要具有学术水平，又要有良好的心理素质。评价者应善于独立思考、敢于坚持真理，不轻易放弃经过本人深思熟虑的、有事实作依据的看法。

从众行为是指个体在规范压力（不合群、标新立异）和信息压力（信息来自他人）下，放弃个人意见，顺从群体的行为。

4. 威望效应

威望效应是指评价小组内有威望者的态度对他人观点的形成所产生的巨大影响。威望效应与从众效应的不同之处在于从众是顺从群体的意见，威望效应则是跟从权威的意见。但两者也有共同之处，即评价者在评价小组内都未能坚持自己的看法，而顺从了他人的观点。由于具有威望者往往是学术方面的权威，或是处于某种领导地位，因此，他们的意见具有一言九鼎的力量。评价是崇尚真理和价值的，评价者应当在自己所掌握的实际材料的基础上做出自己的判断。对不同意见可以展开深入的讨论，应当相信真理和价值在辩论中会逐步明确或澄清。

威望效应是指评价小组内有威望者的态度对他人观点的形成所产生

的巨大影响。

5. 本位心理

本位心理是指评价者在评价中坚持突出本部门（本专业领域）的利益和价值观，缺乏全局观念的倾向。评价小组常常由各方面代表组成，在选优或进行综合评价时，不同部门的利益冲突就更加突出，各方代表都会自觉或不自觉地强调本部门的重要性或特殊性，坚持己见，互不让步。本位心理不但会影响评价的客观性，甚至还会影响评价小组内部的团结和合作，需要认真克服。

本位心理是指评价者在评价中坚持突出本部门（本专业领域）的利益和价值观，缺乏全局观念的倾向。

6. 社会刻板印象

社会刻板印象也称为模式效应。它是指对被评价者群体的既有印象影响到评价者做出正确的判断。这是一种心理定式作用，即评价者头脑中存在着对某一类人的经验性固定印象，将被评价者有意、无意地归入一定的类别，并依据固定的印象进行判断。社会刻板印象的特点是以对群体固有的经验模式去解释特定的事物或现象，用对被评价群体的整体印象替代对个体具体特征的认识和评价。如前所述，教育评价的显著特点之一是针对特定个体的，其判断的结论一般不宜进行推广。社会刻板印象违背了具体情况具体分析的原则，试图以共性来推断个性，从而使评价偏离了实际。

社会刻板印象也称为模式效应。它是指对被评价者群体的既有印象影响到评价者做出正确的判断。

（二）评价者在评价结果处理阶段的心理调控

1. 加强评价结果处理的管理和监督

这一阶段的主要工作是要注意审核验收，做好评价的再评价，同时，提高评价人员的重视程度，自觉进行自我调控，要不断总结经验，不断提高评价质量。

2. 考核评价者，进一步提高评价人员的素质

通过评价实施，对于那些评价水平不高，心理素质不好，又不愿改进的评价人员应采取适当的方式予以更换；对于那些故意扰乱评价工作顺利开展的人员要坚决按照有关规定予以严肃查处。

三、被评价者在评价结果处理阶段的心理现象与调控

（一）被评价者在评价结果处理阶段的心理现象

1. 敏感心理行为

敏感心理行为是指被评价者过分看重评价结论，而表现出来的处处斤斤计较、患得患失的行为。应当说，关心评价结论是十分正常的心理现象，但关心到事事计较，则无疑已发展成了一种心理偏差。敏感心理行为有各种表现：如对关系到自我形象的名次或累计总分极其敏感，对关系到自己切身利益的因素极其敏感。当评价结果对自身不利时，往往耿耿于怀，纠缠不休。

敏感心理的产生主要来源于被评价者未确立正确的评价观。具有这种心理的被评价者不能把评价当作一次认真总结经验和教训，致力于改进和提高工作的机会，而是着眼于比高低、争名利。对评价结果过分敏感势必忽视对造成结果的原因进行冷静的分析和反思，从而影响了评价功能的发挥。

敏感心理行为是指被评价者过分看重评价结论，而表现出来的处处斤斤计较、患得患失的行为。

2. 自慰行为

自慰行为是指被评价者为自己的不佳表现寻找种种理由，进行辩解、开脱，进行自我安慰。这是一种妥协性自我防御的机制。自慰行为主要有两种表现：

（1）"酸葡萄"式自我安慰。被评价者得不到自己所期望的评价结论，就故意贬低所追求目标的价值，甚至公开表明自己并不想得到它。

（2）"甜柠檬"式自我安慰。被评价者对自己所获得的评价结论，内心并不认可，但表面上却表示满意。

自慰行为是指被评价者为自己的不佳表现寻找种种理由，进行辩解、开脱，进行自我安慰。

3. 推诿责任

推诿责任是指被评价者得到较低的评价结论时，不是从自身的缺点、弱点方面加以分析，而是把责任推给他人，埋怨他人，以减轻自己的焦虑和不安。这是一种文过饰非的行为，是消极的自我防御机制。推诿责任的行为会引起人际矛盾和冲突，评价者必须十分重视。

推诿责任是指被评价者得到较低的评价结论时，不是从自身的缺点、弱点方面加以分析，而是把责任推给他人，埋怨他人，以减轻自己的焦虑和不安。

4. 否定评价

否定评价是指被评价者在得到较低的评价结论时，不是从自身的缺点、弱点方面加以分析，而是怀疑评价不科学，责备评价不公正，对评价的方法、标准、工具、过程、结果等方面持否定性评价。否定评价现象的出现，一般有两种原因：其一是评价工作本身存在失误；其二是被评价者不能正确对待评价结论而做出的过激反应。如属前者，评价者应及时纠正工作失误；如属后者，评价者应当对否定评价者进行严厉的批评和教育。

否定评价是一种极其消极的自我防御机制，被评价者完全根据自己的情绪，对评价持非理智的反抗、抵制和排斥的态度，并有可能发展成为一种逆反心理。

否定评价是指被评价者在得到较低的评价结论时，不是从自身的缺点、弱点方面加以分析，而是怀疑评价不科学，责备评价不公正，对评价的方法、标准、工具、过程、结果等方面持否定性评价。

（二）被评价者在评价结果处理阶段的心理调控

1. 结果反馈方式要讲究艺术

教育评价的基本功能是通过评价达到改进工作的目的。因此，评价结果的反馈要讲究艺术。只有被评价者认识到评价结论是客观的、公正的，他们才能心悦诚服地接受评价结论，进而认真总结成功的经验或失败的教训，使今后的工作做得更好。评价者在反馈评价结果时，态度要平等和蔼，采用交换意见的方式进行双向沟通。应当允许被评价者发表不同的看法，甚至进行申述，创造良好的气氛，使被评价者具有参与感。双向沟通能使评价者针对被评价者所反馈的意见、态度，进行及时的解释和疏导，通过摆事实，讲道理，使被评价者逐渐转变情感、态度，从而接受评价结论。对于不同性质的评价结果应当采用不同的反馈方式，如一些共性的结论或倾向性的问题可以采用大会的方式公开报告，而对于一些个性的、较为敏感的评价结果采取个别反馈方式最为适宜。

事实表明，对不同气质、性格的被评价者采取不同的反馈方式也是一种很有效的做法。如对外向型或理智型的被评价者一般可提供直接而坦率的反馈，指出其主要的优缺点，并讲清理由，而对内向型或情绪型的被评价者则需采用曲线反馈，避免急躁，要循循善诱。

2. 引导被评价者进行正确的归因

在反馈过程中，评价者还要做好深入细致的思想工作，引导被评价者正确对待评价结果，做出合理的归因，把评价作为改进和提高的重要手段。

美国心理学家韦纳（B. Weiner）提出的归因理论是值得评价者在工作中借鉴的。归因是指人们对他人或自己的所作所为进行分析，推理或解释其原因的过程。韦纳等人认为：人们在解释成功和失败时经常会归因为四种主要原因：能力、努力、任务难度和机遇（包括各种其他的外部因素）。不同类型的人会对工作的成败做出不同的归因。比如，具有内部控制特征的人常常认为，工作的结果主要由自身的因素（能力或努力）所决定，而具有外部控制特征的人则常常认为，工作的结果主要由外界的因素（任务难度或机遇等）所决定。

不同的归因对今后的工作积极性有重要影响。一般说来，追求成功的人常常把成功的原因归因于自己的能力强（内在的稳定因素），把失败的原因归因于自己不努力（内在的不稳定因素——可控制的因素）。相反，避免失败的人往往把成功的原因归因为运气（外在的不稳定因素）、任务容易（外在的稳定因素），把失败的原因归因为自己的能力差。

研究和实践都表明，应当引导被评价者在归因时，主要从自身找原因，不宜过分强调外在的因素。对于得到不佳评价结论的被评价者，尤其应当引导他们多归因于努力这一可改变的内部因素，以激发其加倍努力的进取心。

小　结

本章主要论述了教育评价的过程及其在各个过程中的心理调控问

题。教育评价是一项复杂的系统工程，大体可分为准备、实施、结果处理与反馈三个阶段。

因为评价工作主要涉及的是人而不是物，因此心理调控显得尤为重要。评价者和被评价者的心理过程、状态、特征对评价过程各个重要阶段都会产生影响。成功的评价活动是以评价者和被评价者的密切合作为基础的。在评价中，经常分析评价者和被评价者的各种心理现象，采取相应措施，适时进行调控，是评价工作顺利实施并取得成效的基本保证。

在评价中，评价者处于主导地位，应当十分重视对评价者的心理进行调控。评价者的心理现象主要来自人际关系、所获得的信息、对信息分析和判断等几个方面。对评价者的心理现象进行调控，应抓好评价人员选拔和培训，加强对评价过程的管理和监控。

被评价者的心理现象主要表现为：自我评价时的心理现象、接受他人评价时的心理现象、对待评价结果的心理现象。评价的组织者和实施者应当采取措施，努力消除被评价者的各种顾虑，提高其自我评价的能力，营造良好的评价氛围，使被评价者能积极参与评价，并对评价结论做出正确的归因。

思考题

1. 教育评价过程分为哪几个阶段？每一阶段有哪些主要工作？
2. 评价者在实施评价时，常常会出现哪些心理现象？
3. 被评价者在接受评价时，常常会出现哪些心理现象？
4. 对在评价过程中出现的一些常见心理现象，提出一些可行的预防和纠正措施及策略。

进一步阅读的相关文献

1. 张玉田，等. 学校教育评价［M］. 北京：中央民族学院出版社，2002.
2. 王景英. 教育评价理论与实践［M］. 长春：东北师范大学出版社，2002.

4

教育评价标准的编制

教育目的是一切教育现象（活动、机构等）的出发点和归宿，也是评价教育现象价值大小的基本依据。教育评价如果脱离了教育目的，就成为一种盲目的行动。在我国，学校教育的主要目的是培养德、智、体等方面全面发展的社会主义事业的建设者和接班人。然而，教育目的一般都是用极其简练的措辞表达，代表国家对教育应培养怎样的人的总体要求。因此，在各级各类学校实施教育时，必须加以细化，具体阐述其培养目标。在设计评价方案时，要编制好体现教育价值的评价标准，它是评价方案的核心。而教育目的和目标是编制评价标准的主要依据。

第一节　编制教育评价标准的依据

由发展性目标评价模式可知，编制评价标准除了要依据教育目标之外，还必须考虑其他方面的因素，如评价对象和条件、与教育评价活动有关人员的愿望、需要和意图以及现有的各种规章制度和科学理论等。只有这样，编制出来的评价标准才是科学、客观和有效的。在此，我们只对教育目标做深入研究。

一、教育目的与目标的区别和联系

目的和目标两个词，在日常用语中通常被交替使用。《现代汉语词典》对目的的解释是"想要达到的地点或境地；想要得到的结果"，对目标的解释为"想要达到的境地或标准"。[①] 两者并无明显的区别。

在教育评价中，目的和目标作为术语，则有着明显的区别。一般说来，目的代表理想的、长期的、抽象的、一般的、笼统的结果，强调方向性。而目标则表示实际的、即时的、具体的、特定的、明确的结果，强调可操作性。

教育目的代表理想的、长期的、抽象的、一般的、笼统的结果，强调方向性。而教育目标则表示实际的、即时的、具体的、特定的、明确的结果，强调可操作性。

可见，目的和目标两者是互为补充、相辅相成的关系。目的代表着目标的总和及方向，目标则是目的的具体化和实例。需要指出的是，由

---

　① 中国社会科学院语言研究所词典编辑室. 现代汉语词典［M］. 北京：商务印书馆，2002：903.

于存在着总体大于部分之和这一规律，因此，尽管可列举许多目标来表示目的，但举例总无法穷尽目的的全部内涵。因此，较好的做法是先概括地描述目的，再列举具体的目标，把两者有机地结合起来，以免出现"只见树木，不见森林"的偏差。

此外，在教育评价中，人们往往更加重视目标，因为评价需要明确而具体的目标。正如美国学者 A. 比安切里所指出的："目的与目标根本不同，你能测量目标，但不能测量目的。一个最后的目的是一种哲学力量……"①

二、教育目标与教育活动及教育评价的关系

目标、活动和评价是教育过程的三个重要组成部分。三者的关系是相互作用的双向关系。

美国学者泰勒用一个三角形简单而形象地表现了三者的关系。

具体地说，目标既是教育活动的指南、出发点，又是评价的依据；教育活动既为评价提供了内容样本，又丰富和充实了目标；评价既可以判断目标的正确性、可行性以及实现的程度，也能对教育活动提供反馈，进行有效的控制和改进。

三、教育目标和评价目标

教育目标是评价活动的主要依据。评价是按照特定的目标与标准，对教育行为与教育主、客体所进行的价值判断活动。就这一意义来说，

---

① 联合国教科文组织国际教育发展委员会. 学会生存一教育世界的今天和明天［M］. 北京：教育科学出版社，1996：183.

评价是受教育目的（目标）制约的，评价本身并不是目的，它只是实现教育目标的一种手段。另一方面，评价确实也有自身的目的（目标）。评价的根本目的和主要价值是提供信息，促进教育目的（目标）的实现。此外，人们还期望通过评价，发挥其导向、激励、监控等其他重要作用（详见第一章对评价功能和作用的论述）。同时，评价目标中还包括一些规范性评价要求。因此，评价的目标是为评价本身的质量和效能进行评价而设立的，人们可以对照评价自身的目标，了解评价活动是否实现其预定的目标，检验评价活动是否科学、客观、有效。

四、教育目标的结构

教育目标的结构可从两种维度加以描述，一是目标的层次性，二是目标的阶段性。教育目标的这两个维度构成了纵横交错的教育目标结构网络。

（一）目标的层次性

教育目标的层次性构成了横向的目标结构。教育目标可分为由一般到具体的三个层次：教育目的、培养目标、课程或学科教学目标。现分述如下。

1. 教育目的

教育目的是指国家对教育应培养怎样的人（受教育者的质量规格）的总体要求，对所有学校均具有普遍的指导意义。

例如，《中华人民共和国教育法》第五条规定："教育必须为社会主义现代化建设服务，必须与生产劳动相结合，培养德、智、体等方面全面发展的社会主义事业的建设者和接班人。"

1999 年 6 月 13 日颁布的《中共中央国务院关于深化教育改革全面推进素质教育的决定》则进一步指出："实施素质教育，就是全面贯彻党的教育方针，以提高国民素质为根本宗旨，以培养学生的创新精神和实践能力为重点，造就'有理想、有道德、有文化、有纪律'的德、智、体、美等全面发展的社会主义事业建设者和接班人。"

教育目的是我国学校教育的基本目的，具有高度的概括性，它指明了学校教育系统的工作方向，是一切教育活动的出发点和所寻求的预期结果。

2. 培养目标

培养目标是指根据教育目的而制定的各级各类学校的具体培养要求，它与教育目的的关系是普遍与特殊的关系，在统一的教育目的的指导下，突出了对不同层次、不同类型培养对象的特殊要求。

例如，《中华人民共和国义务教育法》第三条规定："义务教育必须贯彻国家的教育方针，实施素质教育，提高教育质量，使适龄儿童、少年在品德、智力、体质等方面全面发展，为培养有理想、有道德、有文化、有纪律的社会主义建设者和接班人奠定基础。"

《中华人民共和国职业教育法》第四条规定："实施职业教育必须贯彻国家教育方针，对受教育者进行思想政治教育和职业道德教育，传授职业知识，培养职业技能，进行职业指导，全面提高受教育者的素质。"

《中华人民共和国高等教育法》第五条规定："高等教育的任务是培养具有创新精神和实践能力的高级专门人才，发展科学技术文化，促进社会主义现代化建设。"

可见，上述三部不同教育层次和类型的教育法规在培养目标上体现了各自的特点。如《中华人民共和国义务教育法》突出义务教育的基础性，《中华人民共和国职业教育法》强调职业教育的职业性，而《中华人民共和国高等教育法》则更加重视学生的创新精神和实践能力。

近年来，随着素质教育的推行，我国中小学培养目标在坚持全面发展的基础上，更加重视学生的个性发展。

如上海市中小学课程教材改革委员会根据《中华人民共和国教育法》有关规定，提出了中小学培养目标是："对学生进行德、智、体等方面的教育，使他们成为有良好的思想素质、文化科学素质、劳动技能素质和身体心理素质，个性得到健康发展的适应社会主义事业需要的公民。"[①] 根据这一基本要求，全日制普通高级中学和全日制九年义务教育的小学和初中又制定了相应的具体培养目标。

3. 课程或学科教学目标

各级各类学校的培养目标要通过实施课程才能实现。一般认为，广义的课程是为实现学校培养目标而选择的教育内容的总和，包括学校所教各门学科和课外活动等。狭义的课程是指学校所教授的具体学科。因此，课程目标是课程要达到的目标，它规定了一定教育阶段的学生在发展品德、智力、体质等方面期望达到的程度。而学科教学目标是特定学科所要达到的目标，它规定了通过学科教学学生应当达到的发展程度。

下面，以上海市义务教育初中阶段思想政治、数学、体育学科目标为例，概括说明我国对初中学生德育、智育、体育三方面的具体要求。

（1）上海市初中思想政治学科的教学目标可概括为：对学生进行公民道德品质教育、公民心理品质教育、公民法律意识教育和公民爱国责任教育，在让学生知道基本的道德和心理品质修养知识、基本的法律规范、我国基本国情和公民的社会责任的基础上，培养热爱集体、热爱社会主义祖国、热爱中国共产党的情感，养成讲究文明、遵纪守法的行为习惯，使学生成为适应社会主义现代化建设的有理想、有道德、有文化、有纪律的合格公民。

（2）上海市义务教育阶段数学学科目标可概括为：使学生掌握适应社会生活、从事社会主义现代化建设和进一步学习所需要的数学基础知识和基本技能。培养学生的思维能力、运算能力、空间观念和解决简

[①] 上海市中小学课程教材改革委员会. 全日制九年义务教育语文学科课程标准（试用）. 1996.

单实际问题的能力。初步形成辩证唯物主义观点。形成学好数学的兴趣，逐步培养学生具有良好的学习习惯，实事求是的科学态度，顽强的学习毅力和独立思考、探索创新的精神。培养学生应用数学知识进行简单操作的能力。

（3）上海市义务教育阶段体育与保健学科的教学目标可概括为：增强体质，促进身心全面、协调发展。掌握体育与保健的基础知识、基本技术和基本技能，提高自我锻炼和自我保健的能力。培养体育情感和良好的心理素质，发展个性才能，打好终身体育锻炼的基础。培养爱国主义、集体主义和坚毅顽强、竞争进取等良好的思想意志品质。

可见，学科教学目标最为详尽地体现了使学生品德、智力、体质等方面得到全面发展的具体要求，使国家的教育目的、各级各类学校的培养目标能够落到实处。

教育目标这种层次结构体现了自上而下、由一般到具体的分解、细化趋势。与之相适应，相应层次的教育评价也逐渐深入、具体。

（二）目标的阶段性

目标的阶段性是指同一层次目标的阶段性要求，构成了纵向性的目标结构。主要适用于课程或学科教学目标。

阶段可以以学生的学习年限来划分，随着学生学习年限的增加，目标的阶段性要求也不断提高、扩展或者深化。例如，上海市全日制义务教育英语学科课程标准把英语教学分为：小学 3～5 年级、6～9 年级两个阶段。前者是学习英语的准备阶段，着重打好语音、语调和书写的基础。后者则是学习英语的巩固和提高阶段，在加强培养学生听说能力的同时，形成初步的读写能力，并进一步培养良好的学习习惯和学习英语的兴趣。

阶段也可以按教育与教学活动的进程来划分，如分为教育阶段结束时的总结性目标和教育过程中的形成性目标等。一般来说，中小学的特定学科教学都要持续几年。如果以某学科目标作为总结性目标的话，那么学科的学年目标和学期目标都是为学科目标服务的形成性目标。当然，阶段性的划分只有相对的意义。对更为具体的单元教学目标乃至课时教学目标而言，学年目标和学期目标又成了总结性目标。

如果说，教育目标的层次性主要反映了社会对各级各类教育的不同要求，那么，教育目标的阶段性则主要体现了教育具体实施应当依据青少年身心发展的基本规律以及教学过程自身发展的规律。可见，教育目标不仅是实施教育工作的依据，也是开展教育评价的依据。

五、中外学生发展目标的比较

教育目标的研究对教育活动和评价的深入开展具有重要的意义。多年来，国外对教育目标（尤其是学生发展目标）进行了较为深入的研究，并取得了引人注目的成果。为了便于学习与借鉴，在此，首先介绍国外学生发展目标的研究成果，在此基础上再作简要的比较。

（一）美国的教育目标分类学

从 20 世纪 50 年代至 70 年代，美国学者对教育目标（学生发展目标）的分类问题进行了较为深入的研究，出版了《教育目标分类学·认知领域》《教育目标分类学·情感领域》《教育目标分类学·动作技能领域》三本专著。为学生发展目标的分类提供了基本框架，深受世界各国教育界的好评。

为了学习、借鉴国外的研究成果，华东师范大学于 20 世纪 80 年代中期先后翻译出版了这三本专著，对我国的目标研究和学生的评价起了推动和促进作用。

在此，我们对这三个领域的目标分类作一简单的介绍。

1. 认知领域

国外认知领域的目标相当于我国的智育目标，表明学生的智能水平——能够做什么。认知目标分类学是由美国教育家布卢姆（Benjamin S. Bloom et. al.，1956）等人提出的。

该目标分类学提出了学生智能的发展水平，分为知识与智慧技能两大部分和六个类别。

（1）知识。

第一类 知识：又称识记、记忆。该目标是指具体和抽象知识的识记和辨认，即学生能以非常接近学习时的形式，回想起一些观念或现象。

（2）理智能力与理智技能。理智能力与理智技能是指处理材料和问题的条理化的操作方式和一般性技巧。它注重组合和改组材料以达到特定目的的心理过程。理智能力与理智技能由五个目标组成。

第二类 领会：即理解或领悟。

第三类 运用（应用）：指在特定和具体的情境中使用抽象概念，把概念和原理运用于无特定解决方案的新情境中去。

第四类 分析：指把信息分解成各种组成要素或组成部分。

第五类 综合：指对各种信息组成要素或组成部分进行加工，把它们改组成一个新的、更富有表现力的、更清晰合理的整体。该目标强调创造性。

第六类 评价：指对材料和方法的价值（符合准则的程度）做出定量和定性的判断。

认知领域目标分类学是按照目标的复杂性程度，即由简单到复杂而组织起来的。该分类学的主要特点是：

●层次性：六个目标具有由低到高的层次关系，即知识目标层次最低，评价目标层次最高。

●累积性：每一层次的目标包含了较低层次目标中的行为，同时又增加了本层次所特有的新的行为要素。比如说，领会目标包含了知识目标的行为，又增加新的行为；而评价目标则包含了其他五类目标的行为。

• 超越性：构成各种类别行为基础的认知心理过程，不受年龄与教学类型的限制；在不涉及特定知识时，也不受学科和教材的限制。简言之，这一分类既适用于各个年龄阶段的学生，也适用于各门学科。

布卢姆的认知目标分类学已经被世界各国广泛运用于课程编制领域，尤其是评价领域，被誉为"现代教育评价的基石"。

2. 情感领域

国外情感领域的目标相当于我国的德育、美育方面的目标，表明学生的意愿——愿意做什么。情感目标分类学是由美国教育家克拉斯沃尔（David R. Krathwohl et. al.，1964）等人提出的。

20 世纪 80 年代以来，各国教育界对情感目标日益重视。人们普遍认为情感的发展是学生全面发展的重要组成部分，忽视情感的教育是不完整的教育。教育应当同时实现身心发展的两大目标。情感目标包括：兴趣、态度、价值观、责任感、意志力、情绪、意向、倾向等，是德育的重要组成部分。

该目标分类学提出了学生情感（兴趣、态度、价值、个性）的发展水平，分为下列五个类别（各类别又包含若干个子类别）。

（1）接受（注意）：学生对某些现象产生兴趣，从消极的不拒绝发展到愿意以至有选择地接受或注意特定的现象与刺激。

（2）反应：学生对某些现象做出反应，从服从性的反应发展到自愿主动以至积极参与并具有满足感。

（3）赋予价值：学生赞赏某种观点，并以此指导行动，属于信念、态度（倾向性）这一范畴，具有一贯性和稳定性。从初步认可发展到主动追求以至信奉，体现个人对指引行为的内部价值的责任感。

（4）组织：学生把各种认可的价值组合成价值体系，价值逐渐抽象化、概念化、有序化，达到动态平衡。属于形成价值观这一范畴。

（5）由价值或价值复合体形成的性格化：学生所持有的价值观已经内化为个体的特征，形成了自己的人生哲学。具有高度的适应性。

　　情感目标分类学是按照内化的组织原理而构建起来的，即由外向内逐步加深认识，由他律逐步变为自律。

　　克拉斯沃尔的情感目标分类学已经被世界各国广泛运用于课程编制领域，但由于情感评价较为困难，在评价领域的运用尚处于探索阶段。

　　3. 动作技能领域

　　动作技能领域也称为心理运动领域，大致相当于我国的体育、美育和劳动技术教育，动作技能目标分类学是由美国两位女学者哈罗和辛普森（Anita J. Harrow，1972；Elizabeth J. Simpson，1972）提出的。

　　（1）哈罗的分类学。该分类学适用于学前教育、体育、美育、职业技术教育和特殊教育。分为六个层次：

　　① 反射动作：指与生俱来的不随意动作，随成熟而发展。在没有意识的情况下，对某种刺激做出反应时引发的活动。如弯曲、伸展、姿势调整。

　　② 基础——基本动作：由反射动作的结合而形成的固有动作形式，为复杂技巧动作奠定基础。常在出生后第一年出现。

　　③ 知觉能力：对来自各种感觉通道的刺激的解释，为学习者提供顺应所处环境的信息。在所有有意义的动作中都可以观察到知觉能力的结果。

　　④ 体能：具有健康、有效发挥作用的身体生理特征；身体各系统正常发挥功能，适应所处环境的要求；体现器官活力的机能特征。适用于学前教育和体育。

　　⑤ 技巧动作：通过学习和练习才能掌握的动作任务。学生能有效控制身体各部分，熟练地完成复杂动作任务。适用于艺术（舞蹈）、职教（操作）、体育运动等方面的教学。

　　⑥ 有意沟通（非理性交流）：指通过动作来交流感情体验。如体态语言、表演，或通过动作来解释、传递信息，进行动作沟通。

　　该动作技能目标分类学是根据从简单到复杂的组织原理构建的。前两个目标主要适用于学前和特殊教育，教师可依此评价儿童的动作正常发展的情况。知觉能力虽不属动作技能，但是动作技能产生和发展的必要条件。哈罗把通过动作来交流作为动作技能的最高层次，颇具新意和启发性。

（2）辛普森的分类学。该分类学适用于职业技术教育、体育和美育。

① 知觉：学生通过感觉器官觉察客体、质量或关系的过程，是动作的必要条件但非充分条件。

② 定势：学生为某种特定的行动或经验而做出的预备性调整或准备状态。

③ 指导下的反应：学生在教师的指导下，或根据自我评价表现出外显的行为动作。

④ 机制：学生习得的反应已成为习惯，表现具有一定的信心和熟练程度。

⑤ 复杂的外显反应：学生掌握了动作技能，动作稳定而有效。

⑥ 适应：学生能够改变习惯的动作以适应新情境的要求。

⑦ 创作：学生创造出新的动作和操作方式。主要体现在体育与艺术领域。

该动作技能目标分类学也是根据从简单到复杂的组织原理构建的。辛普森的分类学注重动作技能的不同发展阶段具有很强的实用价值。

（二）中美学生发展目标分类的比较

把上海市中小学课程教材委员会制定的思想政治、数学、体育与保健学科的教学目标和美国学者提出的认知、情感、动作技能的目标分类对比起来看，可发现中美教育界对目标的分类采用了不同的模式。两者各有所长，体现了各自的文化传统。

概括来说，我国学生发展目标的分类采用横向类别并列式，注重内容和结果，注重不同学科的特性；并综合认知、情感和动作技能三方面的要求。

美国学生发展目标分类采用纵向水平层次式，注重过程、发展阶段和不同的水平层次。分类强调心理性；具有跨学科的特性，有利于培养和评价。不同领域的目标分类分别予以阐述，具有一定的深度。

他山之石，可以攻玉。近年来，我国教育界在教育目标制定的过程中，既保持了我国注重内容的传统，又努力吸取国外的成功经验，逐步把两者结合起来。例如，在认知领域中，把学生的发展水平分为了解、理解、掌握和熟练掌握等。在情感领域中，把学生的发展水平分为接受、兴趣、热爱、形成品格和习惯等。在动作技能领域中，把学生的发展水平分为识别、初步学会、学会、熟练等。

（三）国外认知目标研究的新进展

在教育目标研究领域，布卢姆的认知目标分类学最受重视，已被翻译成二十多种文字，并成为世界各国测验设计和课程开发的基础。1994年，美国课程专家安德森等人主编了论文集《布卢姆教育目标分类学：40年的回顾》（J. R. Anderson，L. A. Sosniak，1994），系统阐述了布卢姆的认知领域教育目标分类学的重要影响，认为该书"一直是教育测验与评价、课程编制、师范教育研究的重要参考书"。[①] 此后，由安德森与克拉斯沃尔牵头，联合了美国多名认知心理学家、课程与教学专家以及测试与评定专家，对布卢姆的认知目标分类学进行修订，并于2001年出版了《学习、教学与评定的分类学——对布卢姆教育目标分类学的修订》。[②] 该著作提出了两维的分类学框架，一维是知识的分类，另一维是认知过程的分类，见表4－1。

---

① L. W. 安德森，L. A. 索斯尼克. 布卢姆教育目标分类学——40 年的回顾，前言 [M]. 谭晓玉，袁文辉，等，译. 上海：华东师范大学出版社，1998.

② Anderson L W, Krathwohl D R, et. A Taxonomy for Learning, Teaching, and Assessing: A Revision of Bloom's Taxonomy of Educational Objectives. Abridged Edition. Addison Wesley Longman, Inc. 2001.

表 4 - 1　两维的分类学框架

知识维度	认知过程维度					
	1. 记忆	2. 理解	3. 应用	4. 分析	5. 评价	6. 创造
A. 事实性知识						
B. 概念性知识						
C. 程序性知识						
D. 元认知知识						

　　安德森等人的两维分类学框架，从两个方面对布卢姆的认知目标分类学进行了拓展和修订。一是增加了知识维度并细化为四个目标，其中事实性知识是指为了解一门学科或解决学科中的一些问题，学生必须知道的基本要素；概念性知识是指结构中基本要素之间的相互关系，使要素能协同发挥作用；程序性知识是指如何做事，探究方法，以及运用技能、算法、技术与方法的准则；而元认知知识是指了解一般的认知以及对自身认知的意识与了解。二是对认知过程维度的目标进行调整，采用更常用的语言命名目标，并调整了目标的层次结构。如把原来的知识改为记忆，把领会改为理解，把综合改为创造，并列为认知过程的最高层次。

　　两维的分类学框架的主要特点是：融入了认知心理学的新近研究成果，注重把学习、教学和评定有机地结合起来。

　　目前，我国基础教育新课程已开始全面实施。新课程在知识与技能、过程与方法、情感态度与价值观方面均提出了新的要求。因此，及时了解、学习和借鉴国外关于教育目标的最新研究成果，对于把握教育评价发展的动态和趋势，深化课程与评价的改革将具有积极的促进作用。

第二节 设计教育评价指标体系的方法

一、指标

指标的一般含义是"计划中规定达到的目标"①。在教育评价中，指标是指具体的、行为化的、可测量的或可观察的评价内容，即根据可测或可观察的要求而确定的评价内容，用具体的项目反映抽象的内容。谈到指标不要以为都是可以量化的，如有些观察的内容并不一定可以量化，因此，指标有定性指标和定量指标之分。对于定量指标，我们在设计时要计算出它的权重，以便更科学和客观地处理评价信息。指标体系就是反映某一评价对象数量和质量要求的指标的集合。

指标的优点是：能反映被评价对象的共同属性，具有规范性和可比性；分解细致，便于测量，也便于定量处理；误差较小，信度较高。

指标的缺点是：设计和编制较为费时耗力；较难反映被评价对象的特点和社会多样化的需要，多次分解可能偏离本质属性，造成效度相对较低。

二、设计教育评价指标体系的程序和技术

（一）教育评价指标体系设计的基本程序

由于我国现行的许多教育评价标准大多采用指标体系的形式，现以指标体系为例，简述其设计的基本程序。

美国学者克龙巴赫（L. J. Cronbach，1982）提出，指标体系的设计

---

① 中国社会科学院语言研究所词典编辑室．现代汉语词典［M］．北京：商务印书馆，1983：1488.

包括发散和收敛两个阶段①。

1. 发散阶段

发散阶段的主要任务是分解教育目标，提出详尽的初拟指标。

鉴于评价所依据的教育目标一般比较概括。因此，在拟订相应的评价内容（指标）时，需进一步分解、细化目标，使之可以观察和测量。在初拟指标时，一般采用集体讨论的方法，召集有关人员，集思广益，详细列出与目标有关的所有指标，力求完备。这些指标可以来自各个方面：有关人士所关注的问题、以往实践的经验总结、教育与评价文献中的研究发现、专业人员的咨询意见等。

根据目标的复杂程度不同，有些目标可由若干一级指标构成，某些一级指标又可分解为二级指标，甚至细化为三级指标。这些不同层次的指标便构成评价的树状指标体系。如图4-1所示。

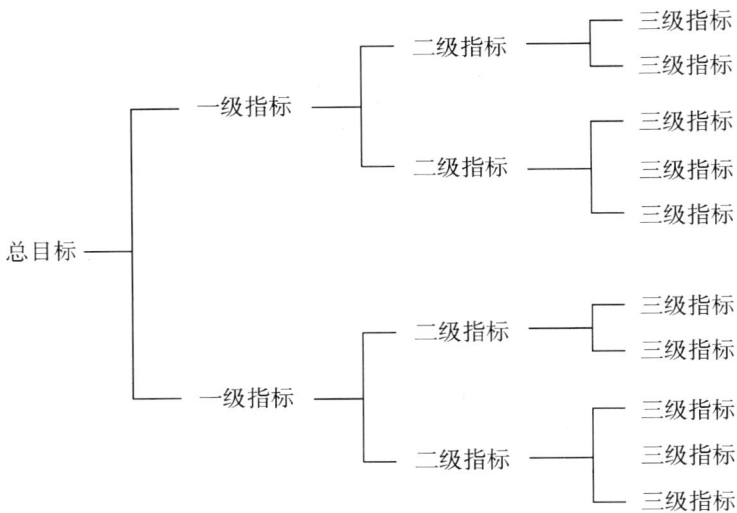

图4-1 评价指标体系的树状结构

① Cronbach L J. Designing Evaluations of Educational and Social Programs. San Francisco: Jossery-Bass. 1982.

2. 收敛阶段

收敛阶段的主要任务是对初拟的评价指标体系进行适当的归并和筛选。

由于受到时间和人力、物力的限制，一次评价是不可能回答所有问题的。即使各种条件允许，根据庞大的指标体系所收集的信息，也难以有效地分析、处理，更难有效地利用，从而造成教育资源的浪费。因此，收敛阶段是必不可少的。收敛的目的是精简指标，使其更能体现目标的本质，以保证评价的有效性；同时，突出评价的重点，使评价具有更强的可行性。

收敛阶段的参与人员应当包括评价的委托人（资助者）、评价信息的听取人（使用者）、管理人员、专家以及与评价有关的其他人员。

对指标的筛选与归并，目前国内学术界大多提倡统计方法与理论论证、专家评判相结合的方式。不少学者提出了归并和筛选指标时应遵循的一些基本原则。

（1）指标应具有重要性。指标的重要性是指能对教育活动产生持久而重要影响的指标。应当删除那些影响不大、枝节性的，甚至可有可无的指标，体现评价的导向作用。

（2）指标应具有独立性。指标的独立性是指同一层次的各条指标不相互重叠，尽量减少冗余。重叠的指标不仅使整个指标体系变得臃肿庞大，而且增大了类似指标的权重。删除那些重叠的指标，不仅有利于提高指标体系的科学性（内部的自洽性），同时也增强了评价的可行性。

（3）指标应反映被评价对象特性的本质属性。指标是被评价对象特性的具体表现，在从目标向指标转换过程中有可能造成失真现象，即指标并不反映目标的本质属性。删除那些不能反映或者偏离目标本质属性的指标，能够提高评价的有效性。此外，指标还应当尽可能体现可观察、可测量的特点。这一特点有助于提高评价的可操作性。

浙江省萧山市从 1992 年起开始探索适应素质教育要求的评价机制，

并在理论论证和专家评判的基础上，制定出初中学生素质评价指标体系。该指标体系的主要特点是：围绕新时期基础教育中十分强调的学生的四种基本素质为核心来构建的，试图用对学生基本素质的综合测评取代传统以书面考试为主的评价（见图4－2）。

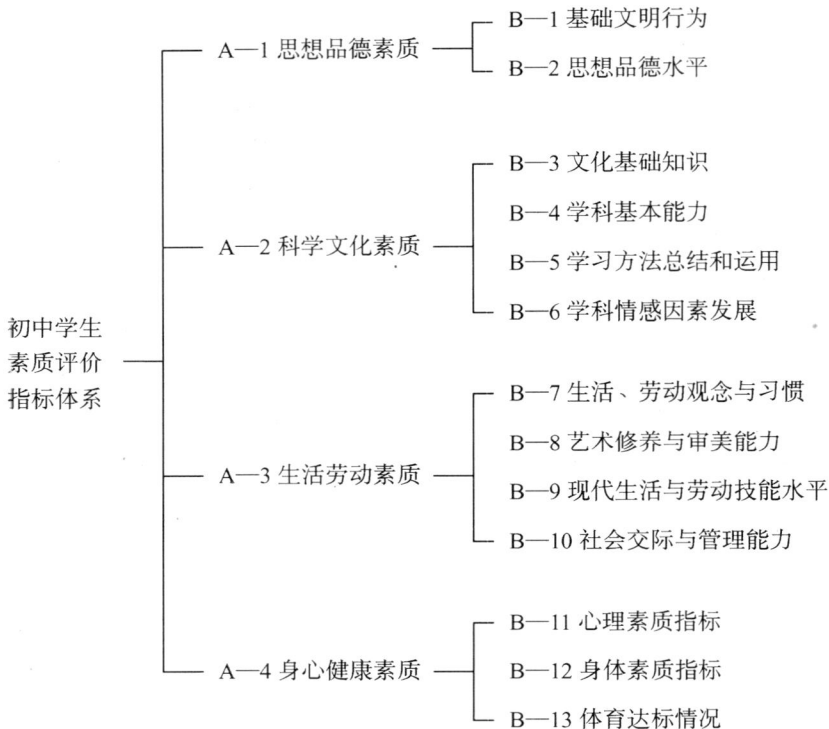

```
                                        ┌─ B—1 基础文明行为
                        ┌─ A—1 思想品德素质 ┤
                        │                 └─ B—2 思想品德水平
                        │
                        │                 ┌─ B—3 文化基础知识
                        │                 │
                        │                 ├─ B—4 学科基本能力
                        ├─ A—2 科学文化素质 ┤
                        │                 ├─ B—5 学习方法总结和运用
                        │                 │
 初中学生                │                 └─ B—6 学科情感因素发展
 素质评价 ───────────────┤
 指标体系                │                 ┌─ B—7 生活、劳动观念与习惯
                        │                 │
                        │                 ├─ B—8 艺术修养与审美能力
                        ├─ A—3 生活劳动素质 ┤
                        │                 ├─ B—9 现代生活与劳动技能水平
                        │                 │
                        │                 └─ B—10 社会交际与管理能力
                        │
                        │                 ┌─ B—11 心理素质指标
                        │                 │
                        └─ A—4 身心健康素质 ┼─ B—12 身体素质指标
                                          │
                                          └─ B—13 体育达标情况
```

图4－2 萧山市初中学生素质评价指标体系

3. 试验修订

在经过筛选、归并，确定了评价的指标体系后，还应当制定相应的判断达成情况的评价基准（详见第三节），选择适当的评价对象进行小范围的试验，并根据试验的结果，对评价的指标体系及评价的基准进行修订。从根本上说，实践才是检验评价指标体系与基准科学性和可行性的最终标准。因此，试验和修订是制定评价指标体系和评价基准过程中

必不可少的组成部分。此后，评价指标体系和评价基准才能正式投入使用。

（二）教育评价指标权重的确定

在设计评价方案时，选择正确的评价指标是最为重要的。很难想象，把次要·（非本质的、价值不大的）的内容作为指标的评价，会产生积极的作用。尽管如此，权重的确定也具有举足轻重的影响。同样一套指标体系，如赋予不同的权重，评价的结论会大相径庭。这是人所共知的事实。为此，必须研究各种指标的权重确定问题。

权重又称权数，是统计学中的一个术语，通常用 W 表示。权重是指在统计中计算平均数等统计量时，对各个变量具有权衡轻重作用的数值。在教育评价中，权重是指根据各组成要素在整体中的地位重要性和作用大小，所分别赋予的不同数值。权重代表了评价指标的重要性程度。

权重是指根据各组成要素在整体中的地位重要性和作用大小，所分别赋予的不同数值。权重代表了评价指标的重要性程度。

在给指标体系中的各指标分配权重时，应当遵循两条原则：（1）各指标权重的取值范围为 0 到 1 之间；（2）各指标权重之和为 1。

如果人们认为指标体系中的各指标具有相同的重要性，便可赋予各指标同样的权重。然而，在实际评价中，人们常常发现，各指标的重要性是有差别的，因此往往赋予各指标不同的权重。可见，指标规定了评价的内容——具有价值的变量，揭示了变量的特性；而权重则进一步界定评价内容的相对重要性，反映了变量价值的大小。

（三）筛选指标和分配权重的常用方法

无论是筛选指标还是给指标分配权重，都需要判断指标的相对重要性，再做出相应的决策。在实践中，人们常常采用专家会议法来筛选指标及分配权重，即邀请一些管理干部、教师（与学生）代表及有关理论工作者，以论证会的方式，共同讨论商定。

专家会议法有利于集思广益，相互启发，克服了由少数人决策的片面性。但其缺点也是显而易见的，如容易受权威和多数人意见的影响，不愿当面发表或修改自己的意见，会议时间短，对一些有意见分歧的问题或复杂的问题讨论不够深入等。此外，专家会议法主要是一种协商的方法，其结论较难进行定量处理。

20世纪50年代以来，研究工作者开发出许多筛选指标和分配权重的好方法。在此，介绍几种最常用的方法。

1. 特尔斐法

该方法是20世纪50年代美国兰德公司赫尔默开发的一种专家咨询法。其特点是以匿名的方式，向专家们分发咨询表，函询征求意见。经咨询组织者的统计整理后，将汇总情况反馈给专家，再次征求意见。经多次反复后，使专家意见逐步趋向收敛，最后达成基本统一。

咨询表既可以用来筛选标准，也可以用来分配权重。

筛选指标所用的咨询表，一般列出初步拟订的若干项（如10项）指标，请专家从中挑选出他认为必不可少的指标，也可增加新的重要的指标。为了便于收敛，可限定挑选（增加）的指标数量（如5项）。也可请专家按重要性对指标进行排序，汇总出名列前茅的几项指标。

分配权重所用的咨询表，一般列出已确定的若干指标，请专家就其重要性发表看法。指标的重要性程度可分为很重要、重要、一般三种。为了缩短咨询的时间，有时也可请专家直接判断咨询表中提出的各项指标的相对重要性，同时完成指标的筛选和权重分配工作。此时，重要性程度应当细化，如分为很重要、重要、一般、不太重要、不重要五种。删除被多数专家列为不重要的指标后，对保留的指标分配权重。

与常用的专家会议法相比，特尔斐法的优点表现为：采用向局外专家咨询的形式，从而减少了内部人员因有切身利害关系可能带来的偏差；"背对背"的通讯咨询方式，可以免除权威人士的威望影响与其他干扰；专家咨询的面更广、权威性也趋向于更高；有控制的多次反馈，对问题的探讨较为深入，使意见逐步趋向一致；咨询的结论便于定量处理。总体上说，特尔斐法是一种比较科学、客观的方法，目前在国内外都得到广泛的采用。

2. 关键特征调查法

关键特征调查法与特尔斐法很相似，主要的区别在于它调查的样本更大，调查的对象也不限于专家；调查的过程相对简单，一次完成，一般不进行多次反复。关键特征调查法的结论的权威性不如特尔斐法，但具有更广泛的群众基础和民主性，方法的实施也更加简便易行。因此，关键特征调查法可作为特尔斐法的补充和验证。

关键特征调查法是先请调查者从所提供的备择指标中找出最关键、最具特征的指标，再对指标进行筛选，最后确定指标的权重。

1999 年，笔者借用华东师范大学教育管理学院所拟订的高校干部政治素质十个备择指标，对某市中小学 54 名进修教师进行调查，请教师们按照他们心目中中小学领导干部必须具备的政治素质，对十项备择指标进行排序，选取排序前五项指标的统计结果如下（见表 4 - 2）。

表 4 - 2　中小学领导干部政治素质备择指标排序前五项指标的结果

备择指标	事业心	求实精神	廉洁性	知人善任	民主性
选择人数	49	40	34	33	28
百分比	90.74	74.07	62.96	61.11	51.85
重要性	1	2	3	4	5

根据选择人数超过 50% 的标准（该标准可按筛选后预定指标数量灵活确定），从十项备择指标中，筛选出事业心、求实精神、廉洁性、

知人善任、民主性五项最主要的指标。然后，再根据这五项指标选择人数的百分比，计算出各指标的权重。计算的方法是看每项指标选择人数的百分比在五项指标选择人数的百分比总和中所占的比重。如事业心指标的权重为：

$$W_1 = 90.74 \div (90.74 + 74.07 + 62.96 + 61.11 + 51.85)$$
$$= 0.2663 \approx 0.27$$

依次可计算出另四项指标的权重分别为：0.22、0.18、0.18和0.15。

3. 层次分析法（AHP法）

这种方法是美国学者萨蒂（T. L. Sarty）首先引进教育评价领域的。基本方法是要求有关人员对同一层次的评价准则进行两两比较，区分出各项准则影响目标实现的相对重要程度，构成数值化的判断矩阵（见表4-3、表4-4）。经运算排序后，求得各准则的权重。该方法采用比较严格而复杂的数学处理方式，较为精确。

表4-3 萨蒂的指标相对重要性比较表

指标的相对重要程度	指标相对重要程度的赋值
同等重要	1
略微重要	3
重　要	5
重要得多	7
极端重要	9

注：（1）在折中时可取两个相邻程度的中间值，即取2、4、6、8。

（2）如需比较的两个指标分别为 i 与 j，指标 i 与指标 j 比较得出上述一个数值，那么指标 j 与指标 i 比较则为该数值的倒数。

表4-4 指标重要程度比较示例

	B_1	B_2	B_3
B_1	1	3	5
B_2	1/3	1	3
B_3	1/5	1/3	1

表4-4表明，指标 B_1 比 B_2 略微重要，赋值为3（B_2 与 B_1 比，赋值便为1/3，下同）；指标 B_1 比 B_3 重要，赋值为5；指标 B_2 比 B_3 略微重要，赋值为3。全部指标两两比较完毕后，便获得一个判断矩阵。该矩阵的特点是：对角线上的数值均为1（指标与自身相比，同等重要）；对角线两边的数值互为倒数。对该判断矩阵进行运算，便可求出各指标的权重（详细的运算过程可参阅吴钢.现代教育评价基础（修订版）.上海：学林出版社，2004：139-142）。

（四）确定评价指标和权重时应注意的几个问题

评价的实践表明，要提高评价的实效，确定评价指标和权重是关键。而在确定评价指标和权重时应当考虑以下几个问题。

1. 指标的制定应力求简约，提高其可行性和科学性

评价的指标体系过于庞杂、烦琐是目前评价中存在的主要问题之一。庞杂的指标体系看似十分全面、完备，但缺乏实际的可行性。由于时间和条件等限制，常常出现对有些指标的评价敷衍了事、走过场的现象，严重影响了评价的实效性。

从更深的层次看，烦琐的指标反映了评价者对被评价对象特征的认识尚不深刻，不能抓住最本质的内容，只是简单罗列出所有有关的方面。因此，在确定评价指标时，应根据试行的结果对预订的指标逐项进行精心地筛选，只保留最本质的指标。经过实践验证并精简的指标体系不但提高了评价的可行性，同时也增强了评价的科学性。

2. 权重的确定应当力求科学，并需要得到实证性资料的支持

在确定权重时，人们经常依据以往的经验、通过专家论证等方法使之尽可能科学、合理。尽管如此，权重的合理与否仍需要得到实证性资料的支持。在实践中，往往有这样的现象，按照预定的指标和权重进行综合评价时，所得出的评价结论与被评价对象的实际表现并不符合。出现这种现象时评价者应当仔细分析原因，检查权重是否合理。如发现是权重分配不当，便可对权重进行微调。较为简便的方法是设置几套权重系统，分别计算，得出各自的综合评价结果。对几套综合结果进行比较，从中挑选一套总体上最符合实际的权重系统。

3. 指标和权重都应不断修订、不断完善

实践是检验真理的唯一标准，指标和权重的确定是否合理，应在实践中得到验证，并根据实践的结果不断修正和完善。同时，人们对教育规律的认识和掌握是不断深入的，指标和权重的合理性总是相对的，会因时因地发生变化。因此，在保持评价指标和权重相对稳定的前提下，应当每隔一定时间对评价的指标和权重进行修订，使评价更符合实际，发挥积极的促进作用。试图一次就制定出完美的、适用于不同时空的对象评价方案的想法是形而上学、不切合实际的。

第三节　教育评价基准的制定

一、教育评价基准

在教育评价中，基准主要用来表示被评价对象达到什么程度才是合乎基本要求的，基准往往是区分被评价对象不同表现水平的临界点。

基准是区分被评价对象不同表现水平的临界点。

　　一般说来，基准可以是一种，即区分合格或不合格的最低基准；也可以是多种，即在合格水平上再进行区分。在教育评价中，为了实现评价的导向、鉴定和改进等功能，常常需要采用多种基准。基准可以用定量数据表示，如十分制、百分制等；也可以用文字等级（优、良、合格、不合格）或字母等级（A、B、C、D 等）表示。不管基准采用分数还是等级，都需要以具体的文字描述相应分数或等级的典型表现，否则判断就会受到评价者主观因素的影响。例如，有些地区在评价学校办学思想时，对判断优等学校和合格学校的基准做出如下的具体描述（见表 4－5）。

表 4－5　学校办学思想判断的基准描述

优等基准	合格基准
坚持社会主义办学方向，依法治校，全面贯彻教育方针，面向全体学生，积极创造条件，实施素质教育，促使学生生动、活泼、主动地发展；	坚持社会主义办学方向，依法治校，贯彻教育方针，面向全体学生，能创造条件，努力做好由应试教育向素质教育转轨，有措施，有成效，促使学生生动、活泼、主动地发展；
制订 3～5 年学校发展规划，目标明确，切合校情；	有 3～5 年学校发展规划，有目标；
学年计划体现规划的分步实施，目标具体，措施落实，形成全校目标管理体系。	学年计划基本体现规划的分步实施，学校尚能实施目标管理。

　　从表 4－5 可见，优等与合格学校的基准在内容覆盖上基本相同，但表现的程度有明显差别。由于不同等级基准的文字描述主要靠限定语来加以区分，因此，在实践中，人们往往只确定优等与合格两类基准，以解决过多等级不易精确描述的困难，简便而可行。介于优等和合格基准之间的学校可评为良好，而低于合格基准的学校则被评为不合格。如

要进行量化处理，不同的等级还可赋予相应的分值区间，如优等为 91～100 分，良好为 70～89 分，合格为 60～69 分，低于 60 分为不合格。得分相同等级的学校，可视其具体表现在区间内做适当的微调。

二、教育评价基准的种类及其特点

教育评价基准一般可分为三类。

（一）相对基准

相对基准是根据特定参照组的表现制定判断的基准。该参照组一般从被评价对象总体中选取，有时也可采用外部的参照组（常模）。评价时把各被评价对象与该相对基准进行比较，从而确定个体在群体中的相对位置。在评比和择优时，相对基准最为常用。

（二）绝对基准

绝对基准是根据特定的目标和准则制定的判断基准，一般不受被评价对象总体实际水平的限制。个体只与绝对基准相比较，不进行个体间的相互比较。绝对基准最适用于合格性和达标性评价。如国家颁布的《国家体育锻炼标准》、高等教育自学考试等就是典型的绝对基准。

（三）个体内部差异及发展变化基准

个体内部差异及发展变化基准是以个体的特定表现作为判断的基准，即进行自我比较。这类基准可分为横向和纵向两种。横向基准用于对个体的同期诸侧面进行比较性评价——个体内差异评价，纵向基准用于对个体的发展情况进行今昔对比的评价——个体发展变化评价。个体内部差异及发展变化基准在理论上适用于所有个体，在实际评价中常常用于对后进个体的评价。因为无论是采用相对基准，还是绝对基准，后进个体在评价中常常都只能得到较差的等级，自信心严重受挫；而进行自我比较能使后进个体看到自己的进步或值得肯定的方面，从而激发自信心，逐渐赶上。

三、教育评价基准的选择

相对评价是把个体的表现与他人表现进行比较，他人表现的好坏会影响到对特定个体的评价；绝对评价是把个体的表现与预定的要求进行比较，他人表现的好坏并不影响对特定个体的评价；个体内部差异及发展变化评价是个体进行自我比较，他人表现的好坏与预定的要求均不影响对特定个体的评价。应当说这三种基准各有其利弊，较好的做法是根据不同的评价目的和对象选择最适当的评价基准，或适当加以有针对性的组合。同时还应当指出，相对评价与绝对评价之间的区分是相对的。一般说来，绝对基准往往建立在相对基准的基础上。例如，《国家体育锻炼标准》是一种绝对基准，但在制定标准时，必须考虑到各级在校学生不同年龄组（包括性别）实际所能达到的水平（常模），而决不会根据运动员的水平来指导制定绝对基准。但是，绝对基准一旦制定，就按照这些基准来判定个人的达标水平，而不再考虑其在群体中的相对位置。

小　结

本章主要论述编制评价标准的基本依据——教育目标、评价的指标体系和基准这三项内容。制定评价的指标体系（包括权重）和基准是评价工作中最重要的环节。

教育目标既是教育活动的指南、出发点，又是评价的依据。目标具有层次性和阶段性。国内外对教育目标进行的研究，对促进教育与评价工作的深入开展具有重要的理论和实践意义。

评价的指标体系规定了评价的具体内容，集中反映了人们对教育活动价值的认识。它应当科学反映教育目标，体现其价值取向，以发挥其导向功能。权重则进一步界定了指标的相对重要性程度。筛选指标和确定权重有多种方法，如特尔斐法、关键特征调查法和层次分析法等。确定指标体系、权重时，既要有理论的指导，也要有实证的支持。指标体系和权重都应当在评价实践中经常修订和完善。

评价的基准是区分被评价对象不同表现水平的临界点，可分为相对基准、绝对基准、个体内部差异及发展变化基准。这三种基准各有其优点和局限性。评价者应当依据评价的目的和被评价对象的特点灵活地选用最适当的基准，以充分发挥评价的促进作用。

思考题

1. 说明下列概念并举例

教育目的　教育目标　课程或教学目标　权重　基准

2. 编制教育评价标准的依据是什么？它们之间有哪些联系和区别？

3. 联系实际，说明三种评价基准的适用场合。

4. 运用所学的方法，编制一份评价学生基本素质的指标体系，并确定各指标的权重。

进一步阅读的相关文献

1. 陈玉琨. 教育评价学 [M]. 北京：人民教育出版社，1999.
2. 侯光文. 教育评价概论 [M]. 石家庄：河北教育出版社，1996.
3. 张玉田，等. 学校教育评价 [M]. 北京：中央民族学院出版社，2002.
4. 吴钢. 现代教育评价基础（修订版）[M]. 上海：学林出版社，2004.
5. 王孝玲. 教育评价的理论与技术 [M]. 上海：上海教育出版社，1999.

5

收集教育评价信息的方法

　　由教育评价的定义可知，可靠的评价信息是评价中最基础的要素之一，离开了资料，描述和判断都将成为无源之水和无本之木。要使搜集到的评价信息符合真实而可靠的标准，评价者必须熟练地掌握常用的搜集信息的方法。最常用的搜集评价信息的方法大致包括以下五种：测验法、问卷法、访谈法、观察法、文献法。

第一节 测 验 法

测验是心理和教育测量的基本手段，也是教育评价中最常用的一种收集信息的方法，在教育评价中，测验法主要用来收集学生的各种信息。

一、测验法的性质

测验法是指用各种测量工具（教育、心理测验和其他量表）测定被评价对象的某些重要特性，从而收集到有关评价信息的方法。测验法常用来收集学生的认知发展、学业成就、学习能力、体能等方面的资料。

由于教育的成效最终要在学生身上得到体现，因此，测验法在教育评价中得到最广泛的运用。

测验法是指用各种测量工具（教育、心理测验和其他量表）向被评价对象收集资料的方法。

二、测验的定义

测量是按照一定的法则和程序给事物属性和特征分配数值。而测验是对行为样组进行客观、科学和标准化测量的系统程序。测验是评价学生认知发展的主要工具。

这一定义包含了三个重要概念。第一，行为样组是指测验并不是对学生在某一学习阶段中的所有目标（或表现）进行全面的检查，而是一种抽样检查，即抽样出的一组行为，根据学生对样本试题的反应，推断其知识、技能、能力等心理特征。第二，客观、科学是指测验应当消除个人主观偏差，按事物本来面目去考察，具有较高的效度与信度。第三，标准化是指在测验编制、实施、阅卷与评分、分数解释与报告各个环节，都应当努力控制各种误差。

在日常生活中，人们常把经常进行的、覆盖面较小的考核称为测验，而把重要的、全面的考核称为考试。在教育评价中，测验比考试的涵盖面更广些。考试一般用于测量学生的学业成就，且与学校教育制度（如毕业、升学等）有密切的联系；而测验既可用来测量学生的学业成就，还可以测量学生的智力、人格、品德等，而且不一定与教育制度存在密切的联系，如智力测验、人格测验、态度测验、兴趣测验等。

20 世纪 80 年代中期起，我国开始研究标准化测验，并取得长足的进步。在一般人的观念中，标准化测验是指全部采用选择题、能客观评分的测验，这是一种需要澄清的误解。国内的一些专家认为，标准化测验是按照系统的科学程序组织、具有统一的标准，并对误差做了严格控制的测验。标准化包括测验编制、施测过程、评分记分、分数合成、分数解释等各环节的标准化。

测验是对行为样组进行客观、科学和标准化测量的系统程序。测验是评价学生认知发展的主要工具。

三、测验的类型

测验是对被评价对象的行为样本进行标准化、客观性测量的系统程序或工具，它由一系列任务或项目组成。根据不同的分类标准，测验可分为不同的类型。

按所测量的属性，测验可分为智力测验、能力倾向测验、教育成就（成绩）测验和人格测验等。

按测试或回答的方式分类，测验可分为书面测验、非书面测验

（口试或操作测验）。书面测验采用文字（或符号）材料，要求被试以书面方式回答，其优点是实施方便、效率高，其缺点是容易受被试者文化程度的影响。操作测验一般需进行实际操作，包括口头交流和做实验等，在有些场合需要利用工具进行操作，其优点是能直接而真实地反映被试的实践性表现能力，其缺点是大多数操作测验不能同时测试许多对象，而且评分比较困难（某些体育测验项目除外）。

按编制的规范性分类，测验可分为标准化测验和教师自编测验。标准化测验是由学科及测量专家编制的测验，其优点是科学、规范，严格控制了测验的编制、实施、评分、分数的解释与报告等重要环节的误差。但编制需要耗费大量的人力和物力。教师自编测验则是由教师自行编制，针对性较强，但编制要求不十分严格，质量不如标准化测验高。

按施测的人数分类，测验可分为个别测验和团体测验。

四、测验的信度

（一）信度的定义

测验的信度是指测验的可靠性、一致性和稳定性程度。信度系数一般都是通过统计方法获得。

测验的信度是指测验的可靠性、一致性和稳定性程度。

（二）信度的类型

1. 再测信度

再测信度是用相同的评价工具对同一组被评价对象进行两次评价，两次评价结果的相关程度，反映了评价的稳定性。

计算公式为：$r = \dfrac{N\sum X_1 X_2 - (\sum X_1)(\sum X_2)}{\sqrt{N\sum X_1^2 - (\sum X_1)^2}\sqrt{N\sum X_2^2 - (\sum X_2)^2}}$

式中，X_1、X_2 为同一被评价对象两次评价的分数，N 为被试人数。

再测法的优点是：能提供评价结果是否随时间而变化的资料，可作为预测被评价者将来行为的依据。其缺点是：被评价者在两次评价的间距中会发生一定的变化，造成评价结果的不一致，人们很难依此证明工具的可靠性。例如，用同一测验两次评价学生的学科成就，如间隔时间较短，学生的测验分数会受练习和记忆的影响；如间隔时间较长，则无法排除学生的发展、变化对测验分数的影响。在实际评价中，如用再测法来鉴定评价的信度时，应注意各种限制条件可能造成的影响。

2. 复本信度

复本信度是用两种平行（等值）的评价工具对同一组被评价对象同时进行两次评价，两次评价结果的相关程度，反映了评价工具的等值性。计算方法同上。

复本法的优点是：可避免再测法受时间间隔影响的缺点，应用范围较广。其缺点是：建立完全平行的复本较困难。在实际的评价中，同时制定出两套等值的指标或工具进行评价的现象也不常见。

3. 分半信度

所谓分半信度是指将评价工具中的全部项目（或评价的全部指标）分成相等的两半，计算被评价者两半部分得分的相关系数。分半的具体方法可采用前、后分半或奇、偶分半（即按奇数项目和偶数项目分半）。但由于前、后两部分题目在类型和难度上都有所不同，被评价者还会受到练习、疲劳等因素的影响；因此，在实践中人们常常采用奇偶分半方法，即求出被评价者奇、偶数项目总分的相关。

由于分半信度是根据一半项目（指标）而得出，为估计全部项目的信度，应作适当的校正。人们一般都采用美国学者斯皮尔曼（Spearman）和布朗（Brown）提出的校正公式。该公式用两个分半测验（或指标系统）的信度来估计整个测验（或指标系统）的信度。

$$r_{tt} = \frac{2r_{hh}}{1 + r_{hh}}$$

式中，r_{tt} 为整个测验的信度，r_{hh} 为两个分半测验的信度。

分半法的主要优点是不需要进行两次评价；但它的使用有一些限定条件，如假定两半测验是等值的（即具有相同的平均数和标准差），此外分半法也不适用于速度测验。

在实际工作中，上述条件不太容易满足，一些学者又提出了更好的估计分半信度的方法。这些估计方法不需计算两半测验分数的相关，也不需进行校正，使分半信度的估计更加简便。

弗拉南根提出的公式为：

$$r_{tt} = 2\left(1 - \frac{S_a^{\,2} + S_b^{\,2}}{S_t^{\,2}}\right)$$

式中，$S_a^{\,2}$ 和 $S_b^{\,2}$ 分别为两半测验分数的方差，$S_t^{\,2}$ 为整个测验分数的方差。

4. 内在一致性信度

内在一致性信度旨在了解评价工具内项目的同质性，即工具内部所有项目之间的一致性。内在一致性信度是为了解决不同分半方法求得的信度系数不尽相同的现象，而提出的估计信度的更好方法。它也是使用最广泛的信度指标。

对于试题为 0、1 记分（即只有对错两种分数的试题，如选择题、填空题等客观题）的测验，一般用库德和理查逊提出的 KR-20 公式来估计内在一致性信度。

$$r_{kk} = \left(\frac{K}{K-1}\right)\left(1 - \frac{\sum p_i q_i}{S_t^{\,2}}\right)$$

式中，K 为测验的题量，p_i、q_i 分别为通过、未通过第 i 题的人数比例，$S_t^{\,2}$ 为测验总分的方差。

对于试题不是 0、1 记分（即学生因答对程度不同，可得到不同分数的试题，如作文题、论述题等主观题）的测验，则可采用克龙巴赫提出的 α 系数法来估计内在一致性信度。

$$\alpha_{kk} = \frac{K}{K-1}\left(1 - \frac{\sum S_i^2}{S_t^2}\right)$$

式中，K 为测验的题量，S_i^2 为某一试题得分的方差，S_t^2 为测验总分的方差。

　　鉴于我国的测验大多采用客观题和主观题并重的形式，因此各种大规模校外考试（如高考、高中毕业会考）都用 α 系数法来计算内在一致性信度。与分半法一样，KR-20 公式和 α 系数法也不适用于速度测验。

五、测验的效度

（一）效度的定义

　　测验效度是指测验的有效性或准确性，即测验对其所要测试的特性准确测量的程度。

　　测验效度是指测验的有效性或准确性，即测验对其所要测试的特性准确测量的程度。

　　需要指出的是，测验效度是相对的。效度的相对性有两层含义：一是有效性是针对特定的评价目的、对象而言的，一种测验工具不可能适用于任何目的和对象；二是有效性不是有或无的对立，而是程度的不同。一般说来，测验的实施都建立在精心设计的基础之上，测验不可能完全无效。另外，由于测验的复杂性和各种偏差的存在，评价也不可能完全有效。

（二）效度的类型

　　美国学者 J. W. 弗伦奇（French）和 B. 米奇贝尔（Michbel）在 1954 年首先提出三种效度。这些效度最早用于对测量的评价。

1. 内容效度

内容效度是指测验内容或行为取样的代表性和适当程度，即实际测验内容和预定测验内容之间的一致性程度。

2. 效标关联效度

效标关联效度是指测验结果与效标的一致性程度。效标是指衡量测验有效性的外在参照标准。效标一般采用权威性的测验结论以及被试者的实际表现。根据效标证据收集的时间，还可把效标关联效度进一步分为预测效度和同时效度。预测效度是以被试者以后的表现为效标，了解测验预测的有效程度。由于测验的目的并不在于预测，因此，预测效度只适用于选拔的场合。同时效度是以已获得的其他经验性资料为效标，了解测验结论与这些效标之间的一致性。

3. 结构效度

结构效度是指测验结果与理论构想或特质的一致程度。这种效度在评价中有广泛的运用，如评价指标是评价者对被评价对象特性的概括，而评价工具（问卷、量表和测验等）则是对这些特性具体测量的项目。指标设计得是否妥当，工具究竟测量了哪些特性等，结构效度能回答这些问题。

六、测验项目的分析

（一）难度

1. 难度的定义和类型

难度是指项目的难易程度。它可分为绝对难度与相对难度两种。

绝对难度又称认知难度，是指项目本身固有的难度。相对难度又称统计难度，是学生实测后，经计算得到的难度指标，常用通过率（P 值）来表示。

难度是指项目的难易程度。它可分为绝对难度与相对难度两种。绝对难度又称认知难度，是指项目本身固有的难度。相对难度又称统计难度，是学生实测后，经计算得到的难度指标。

2. 统计难度计算方法

统计难度最常用的计算方法是计算试题的通过率，计算公式为：

$$P = \frac{某题的平均分}{该题的满分值}$$

目前，由于计算机技术的普及，根据全体学生在每题的得分精确计算试题的统计难度，已十分方便。但在条件不具备的场合，有时也可以通过分组来进行粗略估算试题的统计难度。

估算试题统计难度的具体步骤为：先把学生成绩由高到低排列，取前27%的学生作为高分组（h），后27%的学生作为低分组（l），再分别求出高分组和低分组在各题上的通过率，估算公式为：

$$P = \frac{P_h + P_l}{2}$$

式中，P_h、P_l 分别为高分组和低分组的通过率。

在实践中，为方便起见，也可采用前后 25% ~ 30% 的比例为标准进行分组。

3. 统计难度的数值范围

统计难度的数值范围为 0 ~ 1 之间，通常为一个小数。难度为 0 表示无人答对，难度为 1 表示人人都答对。一般而言，人们把难度值为 0.0 ~ 0.2 的题目称为难题、难度值为 0.3 ~ 0.7 的题目称为中等题，难度值为 0.8 ~ 1.0 的题目称为易题。各种常见测验的整卷的难度值一般均在 0.5 ~ 0.8 之间，测验的选拔性越高，整卷的难度也趋向于越高。

（二）区分度

1. 定义

区分度是指项目对学生特性的区分程度。区分度高的题目能有效地区分水平不同的学生，区分度低的题目则不能有效地区分水平不同的学生。

2. 计算方法

区分度的常用计算方法为相关法，即计算学生各项目得分与测验总分的相关。

根据分数（变量）的不同性质，可采用不同的公式计算区分度。具体说明如下：

（1）当项目得分与测验总分均为连续变量（如百分制分数）时，可采用积差相关公式计算项目的区分度。

（2）当分数为一个连续变量（百分制分数），一个人为的两分变量（及格、不及格或得分、不得分）时，采用二列相关。如测验题目的分数是连续的，而测验总分被分为及格、不及格两类；或测验的总分是连续的，而题目分数被分为得分、不得分两类时，均可采用此方法。二列相关的计算公式为：

$$r_b = \frac{\overline{X}_p - \overline{X}_q}{S} \cdot \frac{pq}{Y} \quad \text{或} \quad r_b = \frac{\overline{X}_p - \overline{X}_t}{S} \cdot \frac{p}{Y}$$

式中，$\overline{X}_p$、$\overline{X}_q$ 为两分变量通过组与未通过组的平均数；$\overline{X}_t$ 为测验的平均分，S 为测验的标准差，p、q 为通过组与未通过组人数与总人数之比；Y（Y 的数值可从本书附录中的正态分布表查得）为 p 与 q 交界处正态曲线的高度。

（3）当两个分数均为两分变量时，可采用点二列相关计算试题的区分度。计算公式为：

$$r_{pb} = \frac{\overline{X}_p - \overline{X}_q}{S} \cdot \sqrt{pq} \quad \text{或} \quad r_{pb} = \frac{\overline{X}_p - \overline{X}_t}{S} \cdot \sqrt{\frac{p}{Y}}$$

式中，符号的说明同二列相关。

　　一般而言，积差相关公式可用于计算非 0、1 记分试题的区分度，二列相关和点二列相关则用于计算 0、1 记分试题的区分度。此外，在相同条件下，积差相关比二列相关更可靠（即样本相关系数的抽样误差小）。当 p 与 q 相差很大时，二列相关的可靠性降低很多。只有当 p 在 0.5 左右时，二列相关才较为可靠。当分数的性质符合二列相关的条件而采用点二列相关公式计算时，则会低估两列数据的相关。

　　项目的区分度也可粗略地估计，其估计值称为试题的鉴别指数（D）。它是比较高分组与低分组在试题通过率的差异，计算公式为：

$$D = P_h - P_l$$

高分组与低分组划分与统计难度简便算法时的方法相同。

3. 区分度的数值范围和解释

　　由于区分度主要由计算相关而得出，而相关系数因相关的方向性不同，会出现正值（正相关）及负值（负相关）。因此，区分度的数值范围为 $-1 \sim +1$。

　　区分度出现负值，说明该项目不但不能有效地区分成绩好与成绩差的学生，反而起到了负面的干扰作用，即能力差（总分低）的学生的通过率高，能力强（总分高）的学生的通过率却低。项目区分度为正值时，数值越大越好。

　　在实践中，人们提出了判断项目区分度高低的经验性标准。例如，英国剑桥大学考试委员会认为，当项目的二列相关系数大于 0.25 时，该项目便具有良好的区分度。美国测验专家伊贝尔（L. Ebel，1965）则认为：当鉴别指数 $D \geqslant 0.3$ 时，项目区分度为良好；$D = 0.2 \sim 0.29$ 时，区分度尚可，但需要修改项目，提高区分度；$D < 0.2$ 时，项目区分度差，必须淘汰。

　　一般说来，选拔性考试更重视试题的区分度，以便筛选学生；而达标（水平）考试不十分讲究试题的区分度。但无论如何，编制良好的测验不应出现区分度为负值的试题，试题的区分度应当尽可能提高。

区分度是指项目对学生特性的区分程度。区分度高的题目能有效地区分水平不同的学生，区分度低的题目则不能有效地区分水平不同的学生。区分度通常通过计算而得出。

（三）难度与区分度的关系

从理论上说，中等难度（$P = 0.5$）的试题具有较好的区分度；难度接近1或0时，区分度会趋向变小，即过易或过难的试题区分度一般都不高。在多年的实践中，我们发现，过难试题的区分度更低，因为过难的试题，会造成成绩好的学生也依赖于猜测，从而降低了试题的区分度。

（四）测验分析的作用

首先，测验分析有助于筛选和修改题目。在大规模的校外考试中，负责试题编制与测验开发的机构，通常把经过试测而筛选出来的高质量的试题归类放入题库，以便今后组卷；同时对一些基础较好，但个别指标不理想的试题进行再加工，使之完善。

其次，试题分析的信息有助于命题者提高命题的技巧，如分析测试性能良好的试题可总结出命题的成功经验，对性能不佳的试题进行深入分析可揭示出未能实现预期意图的原因（如题意不清、备择项无效等），从而提高命题的水平。

最后，试题分析还能为改进教学提供反馈信息：从学生答题的情况可了解到哪些教学目标已完全掌握，哪些基本掌握，哪些仍是教学中的薄弱环节等。一般说来，多数学生未能掌握的目标应当视为教学的失误，教师应对有关的内容进行补授，详尽分析错误原因，纠正错误概念。而少数学生出现的错误大多是个人原因所致，可采取有针对性的措施加以纠正。

七、测验的编制和实施

测验的编制详见第八章。测验自身的质量固然重要，但良好的测验离开了规范的实施程序，便不能取得预期的效果。因此，评价者必须重视测验的实施环节。

测验条件的规范性和一致性是成功实施测验的关键，测验必须使众多学生在相同（至少是相似）条件下应试，才能保证测验的公平性。测验条件的规范性和一致性包括：（1）良好的考场物理环境（安静、通风、光线适宜等）；（2）主考严格依照测验手册的要求实施测验，保持良好的考场秩序和纪律，杜绝作弊现象。

八、测验法的主要优缺点

（一）测验法的优点

测验法具有效率高（每单位时间可得到最多的信息）、资料便于作定量处理的优点。可获得信息的种类也较为广泛，如学业成就、技能等。由于被试愿意无保留地表现其最高水平，应试动机较强，因此，测验的结果比较客观、可靠。

（二）测验法的缺点

测验是根据被试对测验项目所做出的反应，推断出其知识、技能和人格等方面的发展状况，具有间接性。此外，在进行书面测验时，对测验工具的编制要求较高。在进行操作测验时，对主试的要求也较高。

第二节　问　卷　法

问卷法也是教育评价中最常用的收集信息方法之一，它具有效率高、所获得的信息便于进行定量分析等特点。在教育评价中，评价者常常采用问卷法了解教师对学校工作的看法或建议；或了解学生对教师教学工作的反映等。

一、问卷法的性质

问卷法是以精心设计的书面调查项目或问题，向被评价对象收集信息的方法。问卷法既可以了解被评价对象的态度、动机、兴趣、需要、观点等主观情况，也可了解被评价对象的客观性基本概况。问卷法所获得的信息主要是被调查者自己陈述的信息。

问卷法是以精心设计的书面调查项目或问题，向被评价对象收集信息的方法。

二、问卷的类型

根据回答问卷的方式，问卷可分为封闭式（结构式）和开放式（非结构式）两种。封闭式问卷提供备择的答案，供被调查对象进行选择或排序。开放式问卷则要求被调查对象写出自己的情况或看法。在实际运用时，这两种类型常常结合起来，以封闭式问题为主，辅以若干开放式问题，以便收集到更加全面、完整的信息。

一般而言，评价者对比较明了或相对简单的问题常常采用封闭式问卷进行调查，对不甚了解或较为复杂的问题常常采用开放式问卷进行调查。此外，在问卷设计时，评价者往往先提出开放性问题，进行小规模的试调查。经分析、归纳后，再根据典型的反应编制封闭式问题。就这一意义上说，开放式问题是封闭式问题的基础。

编制良好的问卷是成功实施问卷法的关键。本节将着重阐述问卷的项目类型和编制问卷的基本原则。

　　问题（项目）是问卷的主体，因此，问卷法的关键是设计好调查的问题（项目）。下面就封闭式与开放式问卷项目的设计作简单的介绍。

（一）封闭式问卷的项目类型

　　封闭式问卷项目主要用于对被评价对象的预期反应能较为准确把握的场合。其基本形式是在列出调查项目（题干）的同时，提供若干备择答案，供被调查者选用。有时也可增加其他一栏，以便包括被调查对象的非预期反应。其优点是：易于回答，省时、覆盖面广、效率高，答案便于统计处理与分析，结果具有可比性。缺点是：答案可能限制被调查者回答的广度，或者并非真正代表被调查者的真实想法，无法了解被调查者的独特想法，影响调查的质量。编制合理的封闭式项目需要花费更多的时间和精力。

　　封闭式问卷的项目或问题可归纳为：选择式、量表式、排列式等几种类型。

　　1. 选择式

　　选择式项目要求被调查对象从问卷所提供的备择答案中选择符合自己想法的一项。备择项可以是两项（是否、同意／不同意、符合／不符合等），也可以是多项。如：

　　两项选择：你对学校的后勤管理是否满意？　　a. 是　b. 否

　　多项选择：你觉得单位领导的领导作风属于哪一类？　　a. 专制 b. 民主　c. 放任

　　2. 量表式

　　量表式项目采用心理测量中的量表形式，以了解被调查者特定反应的程度。经常使用的量表有 5 点量表，即利克特量表（Likert Scale）。如：

你有机会参加在职培训吗?

a. 机会很多　　b. 有些机会　　c. 机会不多　　d. 机会很少　　e. 几乎没有机会

3. 排列式

要求被调查者按照一定的标准（如重要性或时间序列等），对问卷所提供的备择答案排出等级或系列。如:

你对下列学科的兴趣如何? 请根据兴趣大小排出顺序。

语文、数学、外语、政治、历史、地理、物理、化学、生物、计算机、音乐、体育、美术。

（二）开放式问卷项目的类型

开放式问卷项目的特点是只提出问题，不列出可能的答案，适用于答案不易收敛，或需要深入了解的场合。其优点是: 具有更大的弹性，允许被调查者自由发挥; 搜集到的材料丰富、生动，可能得到一些非预期的、有价值的信息。缺点是: 被调查对象答题时需要花费较多时间; 有时会因误解题意而答非所问; 资料的汇总、归纳需手工完成，较为费时; 且调查结果不易集中，较难进行综合、统计处理与横向比较。

开放式问卷项目可归结为填空式、自由回答式两种类型。

1. 填空式

填空式项目要求被调查对象在有关栏目后填入实际情况或看法。由于所填写的内容只是几个词或一句话，程度有限，因此，又称为有限制的反应。如:

在日常学习生活中，你最关心的问题是＿＿＿＿＿＿＿＿＿＿＿＿。

2. 自由回答式

自由回答式项目让被调查对象畅所欲言，自由发表意见。因对答案的长度不作限定，故又称为无限制的反应。如：你觉得学校最急需解决的问题是什么？

（三）编制问卷的基本原则

判断问卷编制成功与否有两条基本标准。首先，问卷能收集到调查者所希望了解的信息；其次，被调查者乐于回答。因此，在编制问卷时应当遵循以下一些基本原则。

1. 重点突出

问卷中所提的问题应与调查目的一致，突出调查的重点。除了少数背景性问题外，不应列入可有可无的问题。

2. 结构合理

问卷中所提的问题应当符合逻辑顺序和被调查者的思维程序。一般的安排是先易后难，先简后繁，先一般后具体。一些被调查者不愿回答的敏感性问题，可放在问卷的最后。

3. 问题明确，措辞得当

问卷中问题应当简明扼要，明确而无歧义。措辞力求通俗易懂，尽量不使用专业术语。语气要亲切，使被调查者愿意合作，乐于回答。避免使用带有导向性的问题。

4. 问题的数量适当

对问卷的长度要进行控制，问题的数量应适当。问题数量过多，被调查者容易产生厌烦情绪，影响调查的质量；问题数量过少，则不能获得基本的信息。实践表明，回答问卷的时间一般不要超过 30 分钟。

5. 便于处理

鉴于问卷调查所获取的信息量很大，通常要利用计算机进行处理。

因此，问卷的编制应当有利于调查资料的编码、录入、汇总和处理。

编制好的问卷一般都应当进行小规模的预测，鉴别出会产生误解的、无用或不充分的项目。如某项教师问卷中了解教龄长短的背景性项目：

您的教龄为：（　　　）

A. 0～10 年　B. 11～20 年　C. 21～30 年　D. 超过 30 年

对 25 名教师的预测结果为：21 人选 A，3 人选 B，1 人选 C，无人选 D。这表明教龄长短的类别划分不妥当，不能提供充分的信息。

把教龄类别改为：A. 0～2 年　B. 3～5 年　C. 6～8 年　D. 9～11 年　E. 超过 11 年

再进行调查，此时，7 人选 A，3 人选 B，4 人选 C，5 人选 D，11 人选 E。显然，修改后的项目可获得更多的信息。

（四）问卷调查项目举例

例如，可用下列封闭与半开放的项目来了解教师的教学观念。

在教学中您最重视的是：（可选 1～2 项）

A. 学生掌握知识的情况　　　B. 学生学习能力的提高

C. 学生思想水平的提高　　　D. 学生的全面发展

E. 学生特长的有效培养　　　F. 其他（请说明）＿＿＿＿＿＿

三、问卷法的实施

问卷法的实施一般包括三项工作：选取调查对象、发放问卷、回收问卷。

（一）选取调查对象

鉴于问卷调查通常用于较大规模的群体，除了要根据调查的目的、内容确定调查对象的范围外，采用适当的抽样方法是重要的环节。为了使抽取的样本具有代表性，最常用的抽样方法是等距抽样或分层抽样。

等距抽样又称系统抽样或机械抽样。具体的做法是先把被调查对象编上序号（也可利用现成的序号，如学号或工号）后，随机确定抽样的起点，以后按照固定的间隔（5 人或 10 人），进行等距抽样。等距抽样最显著的优点是抽样极其方便，适宜现场操作。所抽取的样本在总体中的分布十分均匀。缺点是无法得到无偏的方差估计量。

分层抽样又称类型抽样或分类抽样。具体做法是先根据某种标志把总体中所有个体分成若干类型，再在各个类型中随机抽取必要数量的样本。分层抽样的优点是既可以估计总体的特征，也可以估计各种类型的特征。

（二）发放与回收问卷

问卷调查的方式包括通讯作答、当面作答、有组织分配三种。通讯作答是通过邮寄方式进行。优点是简便易行，省时省力，调查范围广；主要缺点是回收率不高。当面作答的优点是容易取得被试的合作，回收及时且回收率高；缺点是取样范围不广。有组织分配是在有关行政部门支持下进行的问卷调查，具有发放迅速，回收率高，便于汇集与整理等优点，得到了广泛的应用。

在回收问卷后，要剔除不符合要求的废卷，统计有效问卷的回收率。如果调查对象是专业人群，一般要求问卷的回收率应在 70% 以上。调查对象为一般公众时，回收率会更低些。如果发现回收率明显较低，应当再发信及问卷进行追踪调查。

四、问卷法的主要优缺点

问卷法在实际使用过程中大多采用封闭式问题，其主要优缺点如下所述。

（一）优点

取样的广泛性和代表性；调查时间灵活；效率高、费用低、简便省时；格式比较客观统一、标准化，资料易作量化分析；实施简便；对使用者不必进行特别培训；可匿名调查，减少顾虑；具有间接性，被调查者可就不便当面交流的问题，更加开放、真实地反映自己的态度和观点。

（二）缺点

限制发挥、不够灵活；无法控制填写时的情境，不能进行正确引导；搜集的资料容易流于表面，难以深入了解内心的想法；被试需有一定的文化程度；回收率较低（尤其是通讯调查）；难以了解数据缺失的原因；被调查者在回答时会受到趋中现象（如在了解态度、兴趣等倾向的题目中选择中间位置的中立、不确定等选项）、随机反应、社会性要求定势等因素的干扰，影响答案的可靠性。

第三节　访　谈　法

访谈法在教育评价中也有着广泛的应用，无论是评价机构还是评价个体，评价者都常常通过访谈的方式收集评价信息。访谈法是向被评价对象直接提问，从而了解情况的方法。访谈法获得的信息是被评价对象自己陈述的，一般可作定性的分析。

一、访谈法的性质

访谈法又称谈话法，它是通过与被调查对象进行交谈而获取有关信息的方法。访谈法具有双向交流的特点。它与问卷法同属基本的调查方法，但更适用于调查对象较少的场合。访谈法对访谈人员的能力要求较高。

访谈法是通过与被调查对象进行交谈而获取有关信息的方法。

二、访谈法的类型

根据不同的分类标准，访谈法大致可分为三大类。

（一）有结构访谈与无结构访谈

按照访谈提问和反应的结构方式，可分为以下四种形式，详见表 5 – 1。

表 5 – 1　访谈法的结构分类表

		问题项目特点	
		无结构	有结构
反应的特点	无结构	无结构访谈	半结构访谈 Ⅰ
	有结构	半结构访谈 Ⅱ	有结构访谈

这里将四种访谈形式的主要特点归结如下。

1. 有结构访谈

有结构访谈是指导性的访谈形式，属于正式的、标准化访谈。访谈者根据统一设计的访谈表进行询问，并记录。被访谈者根据问题回答，做出反应。其优点是：实施程序严格、规范，结果便于分析处理，且具有可比性。缺点是：不够机动、灵活，无法处理非预期的情况。

2. 无结构访谈

无结构访谈是非指导性的访谈，属于非正式的或非标准化访谈，或自由漫谈。通常只有粗略的访谈范围，甚至可进行自由提问和做出回答。无结构访谈往往采用事后记录的方法，不作现场记录可使被访谈者消除防卫心理，提供更多的真实想法。其优点是：实施程序灵活、访谈环境宽松，无压力，易于深入探讨问题。缺点是：对访谈者的能力要求高，不熟练的访谈者不宜采用，资料不易处理。

上述两种方法的利弊都比较鲜明，为此研究工作者又创造了介于两者之间的半结构（半标准化）访谈形式。半结构访谈一般使用事先拟定的访谈提纲与主要问题，提问与回答的方式均比较灵活，依访谈情境而定，是一种聚焦式的访谈。这样，访谈双方既有同一的交谈中心，又有一定的发挥余地。半结构访谈包括两种变式。

3. 半结构访谈 Ⅰ

半结构访谈 Ⅰ 的特点是问题的结构性较强，但回答的方式比较自由，甚至可以采用讨论方式。

4. 半结构访谈 Ⅱ

半结构访谈 Ⅱ 的特点是问题的结构性不强，但回答的方式比较正规，即不作过多的自由发挥。

上述四种访谈形式各有所长，采用何种形式更加适当，要根据访谈的目的、对被访谈人的了解程度、被访谈者的能力和其他特征而定。在实际使用时，还可以灵活地加以组合。

（二）个别访谈与集体访谈

根据被访谈的人数不同，访谈可分为：个别访谈和集体访谈（座谈会）。两者各有所长，个别访谈容易减少顾虑，谈得比较深入。而座谈会则有利于相互启发、补充和核实。座谈会的人数一般控制在 6～12

人为宜，并把座谈的主题提前告诉与会者，以便做好准备。

（三）直接访谈与间接访谈

根据是否借助中介物，访谈法还可分为：直接访谈（面谈）和间接访谈（电话访谈）。

电话访谈是 20 世纪 70 年代后出现的新型访谈法，目前已得到较为广泛的应用。其主要优点是：能节省路途往返时间，扩大访谈的对象；费用低（估计为面谈费用的 1/3 ~ 1/2）；降低潜在威胁性；减少人员并提高质量（可聘请有经验者从事访谈）。其主要缺点是：拒绝率可能较高；较难保证访谈环境的统一和标准化；在被访谈者出现厌倦、应付敷衍时，难以有效地加以引导。

由于这些类型是按照访谈的不同侧面而划分的，在三大类型中的各种形式可进行适当的组合，如进行个别的、面对面的直接访谈，并采用有结构的方式。

三、访谈法的实施

访谈法的实施包括访谈设计、访谈人员的选择与培训、访谈的实施和记录。

（一）访谈设计

访谈设计包括访谈的对象和内容的确定。

首先，要确定访谈的对象。毋庸置疑，被访谈者必须是知情者，能提供评价所需的信息。选择访谈的对象时还要做到点面结合，既有典型性又有代表性，以便全面获取信息。

其次，要围绕评价的中心确定访谈的内容，拟定适当的访谈提纲、访谈表及访谈工作细则。访谈的内容大致可分为：事实调查，要求被访者提供所了解的情况；意见的征询，征求被访者的看法、意见和建议；

了解被访者的个人情况和具体特征。

（二）访谈人员的选择与培训

首先，访谈的成功与否取决于访谈人员的基本素质，包括学识、处事经验、性格、品德等方面的特性。研究表明：访谈人员必备的基本条件包括仪表端庄、举止得当；知识丰富、口才流利；诚实灵活、客观公正。应当根据这些要求选择好访谈人员。

其次，访谈的成功与否取决于访谈人员的访谈技巧。因此，在访谈前，还必须做好访谈人员的培训。培训的内容包括访谈的注意事项、访谈表的内容、访谈的技巧与具体要求。了解被访者的背景，根据被访者的不同特点设计多种访谈方案。

由多名访谈人员进行的较大规模的访谈，还应当对访谈人员进行访谈程序标准化的训练，以保证不同的访谈人员实施访谈的一致性。

（三）访谈的实施和记录

访谈法是一项专业性较强的工作。首先，要编排好访谈的问题，先提出一些简单的、容易激发兴趣的问题，再逐步深入到复杂问题，最后涉及较为敏感的问题。其次，要善于控制访谈的过程，措辞得当，有分寸；掌握追问的技巧。最后，要有良好的人际关系协调技能，善于消除访谈对象的疑虑，建立融洽的访谈氛围，并能根据情境作灵活的调整。

访谈的记录一般采用当场速记的方式进行。记录要突出重点，尽可能保持访谈的原貌。也可采用两名访谈人员参加访谈的方式，其中一人主要作记录。在访谈对象同意的情况下，可采用录音的方式，事后根据录音进行整理。

四、访谈法的优缺点

（一）优点

访谈法简便易行，便于双向交流信息，主客双方有交互作用；实施程序比较灵活，也便于控制，既可随时澄清问题，纠正对问题理解的偏差，又可随时变换问题或方式，捕捉新的或深层次的信息；可以有效地防止（在问卷调查中经常出现的）问题遗漏不答的现象；访谈法的适用面广，能有效地收集关于态度、价值观、意见等资料；能在交谈的同时进行观察；如能建立主客双方的融洽关系，消除顾虑，反映真实的想法；团体座谈时，可相互启发，促进问题的深入。

（二）缺点

时间与精力花费较大，访谈样本小，需要较多训练有素的访谈人员，成本较高；访谈者的特性（价值观、信念、偏向、表情态度、交谈方式等）会影响被访谈者的反应；访谈者需要事先接受较严格和系统的培训。被访谈者的言不符实，或对某些问题的偏见会导致所获得资料的偏误。此外，对访谈结果的处理和分析也比较复杂。

第四节 观 察 法

观察法也是教育评价中常用的一种收集资料的方法。无论是评价学校、评价教师，还是评价学生，观察法都得到广泛的应用。如校外的主评者经常通过观察，了解学校的校园建设和师生的精神风貌；通过听课评价教师课堂教学。在评价学生素质发展时，观察能获得其他方法所收集不到的重要信息。

一、观察法的性质

观察的基本含义是"仔细察看客观事物或现象"。[①] 观察法是指评

[①] 中国社会科学院语言研究所词典编辑室．现代汉语词典［M］．北京：商务印书馆，1983：408.

价者在一定的时间内，对被评价对象在自然状态下的特定行为表现进行观察、考察、分析，而获得第一手事实材料的方法。

观察法是对被评价对象在自然状态下的特定行为表现进行观察、考察、分析，而获得第一手事实材料的方法。

观察法最适用于了解被评价对象的行为、动作技能、情感反应、人际关系、态度、兴趣、个性、活动情况等。观察法可采用轶事记录、行为描写、检核表、评定量表等方式记录观察结果。

二、观察的类型

根据不同的分类标准，观察法可分为以下几种类型。

（一）按观察的计划性分类

观察法可按事先是否确定具体观察项目和记录要求，分成"有结构观察"和"无结构观察"。前者有比较严密的观察和记录计划，能获得翔实的信息，观察的资料可进行定量分析和对比研究，常用于对所评价的现象较为了解的场合。后者无详细的观察和记录计划，获得的信息不系统完整，常用于获得一般印象的场合。

（二）按观察者的角色分类

根据观察者是否直接参与被评价者所从事的活动，观察也可分为"参与性观察"（局内观察）和"非参与性观察"（局外观察）。

参与性观察是观察者不暴露自己的真实身份，在参与活动中进行的隐蔽性观察；非参与性观察是以旁观者的身份进行观察。一般说来，参与性观察效果较好，有自我体验，能与被观察者建立融洽的关系，观察时间较长，对活动有更深刻的了解，及时发现新的信息。但费时费力，对观察者的能力要求较高，此外观察者的感情因素会影响观察的客观性。非参与性观察较客观，省时省力。但容易被表面现象所迷惑，获得的信息缺乏深度。

在教育评价中经常采用的观察一般为非参与性观察，外来评价者的身份限制了他们进行参与性观察的可能性。

（三）按观察的内容范围分类

按观察的内容范围大小划分，可分为完全观察和取样观察。

1. 完全观察

完全观察是指对与评价有关的活动进行全面的观察。优点是收集的资料比较完整、翔实，适用于小样本或个案调查；缺点是耗时费力。

2. 取样观察

取样观察是指抽取有代表性的样本进行观察。这是在20世纪20年代后兴起的方法，提高了观察的客观性、可控性和有效性。样本可以是时间，也可以是活动、行为或表现。因此，取样观察又可以分为：时间取样观察和事件取样观察两种形式。

（1）时间取样观察。即对一定时间间隔中所出现的各种行为、表现做全面的观察与记录。时间取样可随机进行，也可在可能发生典型行为表现的时间进行。为了获取跨时间的系统信息，可在活动开始、中期和结束阶段均进行观察。

（2）活动、事件取样观察。即在观察期间只对某种预定的行为、表现进行观察与记录。

三、观察法的实施

实施观察法主要包括三方面的工作，即观察设计、观察资料的记录、观察资料的整理。

（一）观察设计

观察设计包括确定观察的对象和内容、选择观察方式和工具、培训观察人员。

首先，要确定观察的对象、时间和地点，观察的具体内容（了解什么情况、收集哪些信息），即回答观察什么。

其次，要确定观察的方式并制定观察的提纲和记录的表格，即回答怎样观察。

最后，对观察人员进行培训。包括对被观察对象、观察条件的了解、感知力、注意力、理解力的训练、记录表的熟悉等。

（二）观察资料的记录

观察的结果常以一定的方式记录下来。记录要力求真实，并标明时间、地点、事件发生的条件等。记录的方式主要有对行为或事件的描述和按记录表记录两种。

1. 行为或事件的描述

描述的主要形式包括：日记描述、轶事记录、连续记录等。描述方式所获得的资料可作定性为主的分析。

2. 按记录表记录

记录表是一种事先拟定了各种需观察的项目的表格，可供观察者详细记录事件或行为是否出现或者出现的次数。有时，记录表还带有评定、判断栏目，要求观察者对观察到的现象进行价值判断（评出等级）。该方式所获得的资料通常可作定量处理。

随着多媒体技术的发展，目前在观察时还经常采用录像技术。当然，在进行录像前，一定要征得有关人员的同意。录像可以减轻现场记录的负担；不仅可以收集到更多的信息，还可以反复重现观察时的情境，便于深入地分析。但录像的缺点也是十分明显的：仪器的出现和录像过程对观察的现场情境会产生影响；要提供全景式的情境较为困难，此外，设备的成本较高。在第 6 章处理教育评价信息的方法中，我们介绍了一个采用课堂实录的方法，综合多种手段（课堂教学录像、课堂观察记录、课后深度访谈、问卷调查等），评价一堂初中地理课的示例。

（三）观察资料的整理

观察后，观察者应当及时整理和补正记录，如发现有遗漏或记录有误时，应尽可能凭借记忆或参考其他观察者的记录进行补充、修正。在采用描述性记录方式时，观察者常常采用速记或简略、潦草的记录方式，此时，及时整理尤为重要。整理记录的时间如延迟太久，会因遗忘、难以辨认等原因造成材料的失真。观察资料在整理时还可附注上观察者临时想到的解释和受到启发的问题，以便供以后分析时参考。但观察到的实际情况的原始记录和观察者的推论应当明确分开。

四、观察法的优缺点

（一）优点

观察是在现场进行的，具有直接感受性；一般不需要通过任何其他中介环节（不必使用复杂的仪器设备），主要依靠观察者的感官和思维；可获得被评价对象不愿意或没能报告的行为表现，以及短时出现的情况；通常不会妨碍被观察者的日常学习和工作；在行为发生的现场作即时记录，全面、准确、生动，具有真实性和客观性。

（二）缺点

取样较小，观察对象项目多且分散时较难应用；有时会对被观察者产生干扰；依赖观察者的能力和心理状况，会因主观因素（经验、价值观、思维方式等）的干扰而引起失真；观察者需经过严格的培训；时间与精力花费较大，实施成本高；资料的记录和整理较难系统化，结论较难类推或判断因果关系；有时观察项目归类的推论性太强，从而影响调查的信度。

第五节 文 献 法

在评价中，评价人员除了要获得第一手资料外，还经常利用已有的文献、档案等现存的资料进行分析，进而做出判断。因此，文献法也是评价者收集信息的重要方法。

一、文献法的性质

文献法是依靠收集和分析记载被评价对象情况的现成资料（文件、档案等）而获得所需信息的方法。与上述其他收集信息的方法不同，文献法使调查者与被调查者在时空上完全隔离开来，不会产生相互作用，因而是一种相对隐蔽的收集信息的方法。

文献法是依靠收集和分析记载被评价对象情况的现成资料（文件、档案等）而获得所需信息的方法。

教育评价中的文献法与一般教育研究中的文献法略有不同，主要表现为：文献覆盖的范围较窄（与评价内容密切相关的材料）；大多数文献很容易从被评价对象的文件、档案部门获得，因此，评价者的精力主要应当放在对文献的核实和甄别上。

二、文献的类型

根据不同的分类标准，可把文献分成不同的类型。

（一）按文献的外在形式（载体）分类

● 书面文献：即用文字记载的资料。如学校的文件、师生的个人档案等。

● 音像文献：即用声音或图像记载的资料。如录音磁带、录像带、图片、照片等。

● 实物文献：即用实物记载的资料。如学生创作的作品等。

近年来，随着音像及多媒体技术的发展，音像文献资料的数量逐渐增多，使文献资料日益生动、直观。

（二）按文献的内容分类

● 政府、机构、组织、团体的文件与档案。

● 社会研究文献：如其他研究人员的调查报告、研究报告、评价报告、新闻报道等。

● 个人材料：如个人的工作计划、总结和自我鉴定等。

（三）按文献的加工程度分类

● 一次文献：即作者本人根据所见所闻而记录的材料。

● 二次文献：指对一次文献进行初步加工整理的文献，如文摘、索引等。此类文献主要用于检索，在教育评价中并不常见。

● 三次文献：即在二次文献基础上继续进行加工整理的文献，如综述、述评、专题报告等。

在教育评价中，大部分文献都属于一次文献，即未经加工的原始材料，也包括少量的三次文献。

三、文献调查的实施

近年来，由于计算机技术的发展，不少教育机构都十分重视教育信息管理的科学化和规范化，把众多的教育文献输入计算机，并实现计算机管理，从而减轻了教育评价中收集有关文献资料的负担。文献调查的实施步骤主要为：

（一）筛选与分类

筛选就是根据评价的目的和内容从众多的文献中选择有用的材料。分类则是对选定材料根据所涉及的主题进行归类。

（二）复印或摘录

为了便于分析和讨论，评价者可把一些重要的档案材料复印后分发给评价小组的各位成员。对一些篇幅较长的材料可以摘录其要点，以便作集中讨论，节省时间，提高评价的效率。

（三）文献的核实和汇总

为了使评价的结论建立在可靠的材料基础之上，评价者还要对选定的材料进行核实，去粗取精，去伪存真。重要的结论一定要汇总来自不同渠道的材料，在相互验证的基础上才能得出；决不能根据孤证就草率地得出结论。

四、文献法的优缺点

（一）优点

1. 不受时空的限制
评价者可通过文献了解不能亲自获得的材料。

2. 没有反应性问题

消除了被调查对象在访谈与观察时可能出现的掩饰或改变行为等反应性问题，文献也不会因评价者的主观偏见而改变。

3. 方便与节省

文献法可随时查询与摘录，费用不高。

4. 可克服评价者亲自调查的局限性

文献法可以扩大视野，进行更全面的分析和概括。

（二）缺点

现有的文献材料并不是为评价而特意准备的，具有不完全性，不能满足评价者的特定需要，而且原始材料可能带有原记录者的个人偏见与虚假成分，需要评价者认真地核实和甄别。

上述收集评价资料的方法各有所长，每种方法所能收集到的信息也不尽相同。因此，评价者应当根据所要评价内容的特性，选择最适当的方法，以便收集到所需的信息。在评价中，评价者还应当同时使用多种方法，以便获得更全面、更完整的信息，使评价能够真实地揭示被评价对象的本质特征，评价的结论具有坚实的依据，从而充分发挥评价的积极作用。

小　结

对被评价对象进行描述和判断是以详尽信息为基础的，评价者要获得真实而可靠的信息，必须能够熟练地掌握收集各种类型信息的方法。

本章简要介绍了五种常用的收集评价资料的方法。

测验法是通过测试题目来收集有关资料；问卷法和访谈法是通过被评价对象自我报告的方式搜集资料；观察法是评价者通过感官搜集资

料；文献法是对现有的文献进行调查。

一般说来，测验法和问卷法比较适用于调查对象较多的场合，了解面上的情况，所获得的信息比较容易进行量化处理；访谈法与观察法则比较适用于调查规模较小的场合，了解点上的情况，所获得的信息主要进行定性分析；文献法没有时空的限制，可扩大视野，对文献调查可进行定性分析，也可做定量分析。

测验法和问卷法的效果主要取决于调查工具编制的质量；而访谈法和观察法的效果主要取决于评价者实施调查的技巧；文献法的效果则主要取决于评价者筛选、分析文献资料的水平。各种收集资料的方法各有所长，评价者应当根据评价所需的信息，选用最适当的方法或结合使用多种方法，使评价的结论建立在可靠的基础之上。

思考题

1. 简述测验的主要类型。
2. 比较测验法和问卷法的主要特点。
3. 对一次学业成就测验进行试题分析，并写出分析报告。
4. 比较访谈法和观察法的主要特点。
5. 按照问卷编制的程序，编制一份学生兴趣调查问卷。
6. 列举评价一所学校时可利用的文献资料。
7. 举例说明观察法在日常教育活动中的运用。

进一步阅读的相关文献

1. 裴娣娜. 教育研究方法导论 ［M］. 合肥：安徽教育出版社，1995.
2. 侯光文. 教育评价概论 ［M］. 石家庄：河北教育出版社，1996.
3. 黄光扬. 教育测量与评价 ［M］. 上海：华东师范大学出版社，2002.
4. 戴海崎，等. 心理与教育测量 ［M］. 广州：暨南大学出版社，1999.
5. 王钢. 定量分析与评价方法 ［M］. 上海：华东师范大学出版社，2003.

6

处理教育评价信息的方法

  一般来说，搜集到的原始评价信息通常是庞杂无序的，必须对它们进行处理（如审核、整理、分类、汇总等）和分析，才能理出头绪，理清思路，使评价信息能系统而完整地反映被评价对象的基本特征，进而得出有充分说服力的评价结论。因此，评价信息的分析与处理是教育评价工作中最重要的环节之一。本章主要论述教育评价信息分析、处理的基本方法，重点论述教育评价信息的定量描述和推断。

第一节　处理教育评价信息的方法概述

　　教育评价信息的分析、处理方法有两种不同的分类。第一种分类依据分析、处理的功能，把处理方法分为描述、解释、推断等几个类别，是一种递进式的分类。第二种分类从分析、处理的具体方式出发，把处理方法分为定性分析和定量分析两类，属并列式的分类。这两种分类可相互交叉，构成多种可实际运用的信息分析、处理的方法。本节简述描述、解释方法的概况。定性分析与定量分析将列专节论述。

一、信息的描述方法

　　信息的描述是通过呈现经过审核、整理及汇总的资料，说明被评价对象"是什么"的一种方法。

　　描述是说明被评价对象"是什么"的一种方法。

　　描述包括三个要素：（1）经过审核、整理及汇总的资料；（2）研究对象；（3）描述的技术和手段。一般说来，描述的对象是教育事实而不是理论观点，描述的内容是教育客体的形成、发展变化的具体情况，描述是解释的基础。从描述的层次分，描述可分为现象性描述和本质性描述两种。

　　现象性描述是最基本的描述，目的是准确表述被评价对象的特征，帮助人们客观地认识描述对象。本质性描述是较深入的描述，目的不仅仅是准确表述，还在于对被评价对象作进一步的概括。深层的描述能使人们获得更多的启示。

　　描述的类型还可分为定性描述和定量描述两种。定性描述可根据其完整和深入程度进一步分成对被评价对象部分外部特征印象描述、对被评价对象总体面貌和一般特征的概观描述、对被评价对象的基本特征全面进行分类记述与分析的类型描述。定量描述是对评价对象的基本特征进行数量化的描述。定量描述可以精确、清晰地呈现社会事实。使用定量技术是描述方法科学化的重要途径。关于定量描述的具体方法，将在第三节详细论述。

二、评价信息的解释

解释的基本词义是"分析、阐明，说明含义、原因、理由等"①。在评价中，解释是指对影响被评价对象特征的内在原因或外部因素做出说明的一种方法，回答"为什么是这样的"问题。

解释是对影响被评价对象特征的各种原因做出说明的一种方法，回答"为什么是这样的"问题。

因此，描述是对被评价对象特征的概括，而解释则进一步阐述其产生的原因。

解释具有下列一些特性。

（一）可检验性

可检验性是指解释是否正确，不仅可以进行逻辑的证明，还可以进行实践的检验。

（二）不完全性

由于被评价对象的现状和变化的原因极其多样而复杂，因此，解释

---

① 中国社会科学院语言研究所词典编辑室．现代汉语词典［M］．北京：商务印书馆，1983：581.

一般总是不完全的。从客观说，一次解释不可能揭示所有的原因；从主观看，它还受到人的认识的阶段性和局限性的制约。但不完全性不等于片面性。片面性是只承认局部而否认其他局部与整体。

（三）有效性

有效性有两层含义，其一是指解释能正确揭示被评价对象存在、发生和发展的规律，其二是指解释能正确引导人们改进工作。因此，描述时要努力保证客观性，解释时要努力提高有效性。

解释的层次可分为充分解释和部分解释两种。

充分解释是指解释能证明被评价对象特征的存在是某种普遍适用的通则的具体表现，充分解释在教育评价中并不多见。教育评价中的解释大多是部分解释，即只说明了被评价对象特征存在的部分原因，或较充分说明了部分特征的产生原因。解释所用的通则可以是全面归纳法则——必然性解释，也可以是统计法则——可能性解释。相应的，解释的方法可以是定性的，也可以是定量的。

定性的解释方法主要有因果分析的逻辑方法以及意向分析方法（解释动机和态度）。定量的解释方法包括相关分析、回归分析和因径（路径）分析。有关相关分析的方法将在第三节进行论述。而回归分析和因径（路径）分析需要一定的数学基础，本章不作进一步的阐述。

鉴于定性分析的方法主要依靠哲学思辨或逻辑分析，一般都提出几条较抽象的原则，由分析者在实践中根据情境灵活地加以运用，不断总结经验，提高分析的水平，很难归纳出普遍适用的分析程序。因此，本章论述的重点将放在定量分析上。

第二节　定性分析方法

一、定性分析的定义

　　定性分析是用语言描述形式以及哲学思辨、逻辑分析揭示被评价对象特征的信息分析、处理方法。定性分析的目的是把握事物质的规定性，形成对被评价对象完整的看法。它是分析与处理教育评价信息最常用的基本方法之一。

　　定性分析是用语言描述形式以及哲学思辨、逻辑分析揭示被评价对象特征的信息分析、处理方法。

二、定性分析的特点

　　定性分析的主要特点可归结为以下几点。

　　（1）定性分析关注事物发展过程以及相互关系。通过对被评价对象的描述和解释，突出被评价者特性的整体性、发展性、综合性。

　　（2）定性分析的对象是质的描述性资料，主要包括访谈记录、观察记录和文献信息等。这些资料都带有模糊性和不确定性，其中访谈和观察记录通常从自然状态下的小样本及个案处获得，覆盖面不广，但具有一定的深度。

　　（3）定性分析无严格的分析程序，有较大的灵活性。定性分析的步骤和程序依所搜集到的资料的数量和质量而定。

　　（4）定性分析主要采用归纳逻辑分析及哲学思辨方法。进行定性分析时，首先要对信息进行分类与归并，从各种事实中抽象、归纳出本质的特征；再用哲学思辨的方法（如辩证思想、系统思想）对原因进行深入分析和探讨。

（5）定性分析容易受主观因素的影响并且对背景具有敏感性。定性分析注重性质（价值）的分析和判断，因而分析者的主观因素会影响分析的客观性；另一方面，定性分析又很注重对背景的分析，认为不同的情境会导致不同的行为。

三、定性分析的适用范围

在教育评价中，定性分析比较适用于：第一，对发展过程的原因探讨。第二，对被评价对象优缺点的详细描述。第三，对典型个案的深入研究。第四，对被评价对象内隐的观念、意识分析。第五，对文献档案信息的汇总与归纳等。

四、定性分析的基本过程

定性分析的基本过程包括：第一，确定定性分析的目标以及分析材料的范围。第二，对资料进行初步的检验分析。第三，选择适当的方法和确定分析的维度。第四，对资料进行归类分析，得出结论，并进一步探讨可能存在的因果关系。第五，对定性分析结果的客观性、效度和信度进行评鉴。

五、定性分析的示例

定性分析的方法在教育评价中得到了广泛的运用，班主任给学生做出的综合评语、学校对教师思想与工作情况的评价、教育行政、督导部门对学校工作的评价和督导，大多采用定性分析的方法。

下面给出一份某区教育局督导室对某小学进行督导的报告，以供参考。

督 导 报 告

2001 年 5 月 21 至 23 日，区教育督导室与教育学院小学教研室一行 17 人，以《中华人民共和国教育法》《中华人民共和国义务教育法》等教育法规和《区中小学督导评价指标》为依据，对某小学进行了综合评价和全面督导。

（一）学校所取得的主要成绩

1. 领导班子年轻、有朝气、主动进取、开拓创新，学校面貌有较大变化

通过对该校有关干部进行专访，对师生、家长进行问卷调查以及查阅学校的《三年规划》《工作计划》《工作总结》等书面资料，我们认为学校领导班子成员虽然都很年轻，担任行政工作时间不长，但他们能主动进取，不断地开创工作的新局面。

学校实行"校长负责制"，内部机构设置合理，各部门职责明确，政令畅通，运转有序，并开始注重动态管理，工作有布置，有考核分析，效果明显。校长兼任书记，平时以身作则，深入干群，把主要精力用于教育。教学上，处于学校的中心地位，拥有最后的行政决策权。党支部成员和工会也能积极参与民主管理。

学校的办学目标清晰、有层次，体现社会主义方向，全面贯彻党的教育方针。在校领导的带领下，全校拧成一股绳，努力实施以德育为核心、培养创新精神和实践能力为重点的素质教育，使学校面貌有较大改观。

对教师问卷调查表明：90% 的教工认为主要领导能深入实际，作风民主，办事公正，严于律己，有较高威信。在家长问卷中，有 70% 的家长对学校的教育质量是满意的，其余的都是基本满意，学校的社会声誉日益提高。

2. 德育工作较扎实，有实效，并显露了自身的工作特点

学校能根据《市中小学德育管理规程》《小学德育纲要》开展德育

工作，确实抓住了一个"实"字，取得了实效。我们认为至少有以下几个特点：

（1）初步构建了学校德育教育主体化的框架。措施得力，如自编德育教材、制定班主任工作规范，注重任课教师结合教学进行德育渗透，建立心理咨询室，重视家委会、家长学校等社会力量的参与，使全校人人都能把德育工作者的要求落到实处，并使家庭、学校、社会三方形成教育合力。特别是组织家长参与的心理咨询函授学校，颇有新意，为今后办"学习型家庭"奠定了良好的基础。

（2）重视培养学生的自主精神，使思想教育成为一种内化过程。学校依据"学生是德育的对象，也是德育的主体"的观点，尽可能多地为学生创设各种条件，如开展各项班队主题活动，建立"无批评日"和"学习帮助室"等，让学生在活动中求成功，体现自主发展。即使是后进学生，也让其增强自信，积极向上。

（3）教育内容、手段贴近学生实际，关注社会热点，这样才能激发学生思维的兴奋点，使学生更乐意投入其中，教育才有实效。

3. 依法施教，积极探索，课堂教学有新意

学校能严格执行《课程计划》，安排科学合理，活动课程也能开齐、开足。教学流程管理各个环节都有具体要求，教导处定期检查反馈，做到定性与定量分析相结合。课堂教学攻坚有比较明确的方向，并在不同阶段根据现状寻找新的切入口，时时注意一个"新"字，尤其难能可贵的是"自主学习""合作学习"等先进的教育理念已逐步为广大教师所接受，并积极予以研究，将这些教育理念操作化，从而使教学方法不断创新。学生在教学活动中"学会讨论，学会评价，学会合作"有较明显的体现。课堂提问也开始重视"评价性提问""推理性提问"和"应用性提问"；比较简单的提问相对减少。学生发现问题、分析问题、解决问题的能力有所提高。

4. 师资队伍建设目标定位准确合理，管理办法和考核制度落实

学校十分重视师资队伍建设，将师资发展要求列为"三年规划"

的重要内容，并有分年度递进目标，还有学期工作计划、师德计划及志愿兵发展计划与之配套。规划要求建立"一支师德良好、业务合格、肯钻研、乐奉献的教师队伍"，定位准确，并有一套行之有效的师资管理办法和考核制度。校领导从常抓一个"优"字着手，坚持严格要求、正面引导。注意从教师需求出发，有针对性地组织和安排政治、业务学习，帮助教师更新教育观念，改进教学方法。同时注重调动不同层次教师的积极性，在全校造就了一个奋发向上、敬业爱岗、团结和谐的教师群体氛围。学校积极落实各项培训计划，目前教师"九五"职务培训已经完成，教师100%学历达标，有64%的教师达到大专学历或正在进修。不少教师注重将学到的理论用于教学实践，不断改进教法，提高教学质量。

5. 学校特色建设的指导思想明确，方法科学，成绩显著

学校能根据区教育局提出的每所学校可创特色、创品牌的要求，从自身实际出发，在积极落实《全民健身计划纲要》的过程中，以学生发展为本，逐步形成了"跳绳活动"这一特色的群体活动项目，初步总结出一套开展这项活动的科学方法，取得了较优异的成绩。历年来学生在跳绳比赛中获市级比赛1项第一名，7项第三名，区级比赛11项第一名，16项第二名，11项第三名，4项团体第一名等。显示出该项目已具有相对先进性、相对稳定性和相对示范性等特点。我们予以认可。

（二）学校存在的主要问题及建议

1. 学校的档案建设尚待改进

在学校"行政会议记录""教代会"等资料中很少有专题学习的内容及重大事件的审议过程。为此建议班子成员能在行政会议时，抽出一定时间系统地、有计划地学习一些科学管理以及教育理论方面的知识，增强民主管理意识，提高管理水平，并且规范文书档案资料。

2. 对教科研工作的协调和指导不够

学校能注意引导教师开展教科研工作，各教研组都有研究专题，但

尚缺乏系统性、整体性。为此建议进一步建立以"合作学习，可持续发展的评价研究"为内容的核心课题，以促进全校教师的科研水平，促进可持续发展学习的提高。

3. 师资队伍建设缺乏整体培养规划

学校虽重视师资队伍建设，但仍缺乏整体培养规划，尤其是尖子教师的培养。为此建议开展师资建设的专题研究，全面分析教师队伍现状（优势和薄弱环节），在了解教师个人发展需求的基础上，确定教师分层培养目标；并采取有力措施，加紧培养一些有发展潜力的青年教师，使之脱颖而出，成为本区域范围内有一定知名度的教师，促进并带动全校教师队伍整体水平的不断提高。

区教育督导室
2001 年 5 月

第三节　定量分析方法

一、定量分析的定义

定量分析是指用数值形式以及数学、统计方法反映被评价对象特征的信息分析、处理方法。定量分析的目的是把握事物量的规定性，客观、简洁地揭示被评价对象的重要的可测特征。

定量分析是指用数值形式以及数学、统计方法反映被评价对象特征的信息分析、处理方法。

二、定量分析的特点

定量分析的主要特点可归结为以下几点。

（1）定量分析注重被评价对象的可测特征，进行精确而简洁的量化描述。

（2）定量分析的对象是具有数量关系的资料；如问卷调查和测验的信息，这些信息具有样本大、覆盖面广、确定性等特性，具有较大的可比性。评定量表及观察量表中的一些项目经二次量化后，也可成为定量分析的对象。

（3）定量分析具有严格而规范的分析程序和很强的顺序性，高级的分析一般都要以低级的分析为基础。

（4）定量分析采用数学和统计分析的方法，通过数学或逻辑运算，抽取并推导出对特定问题有价值的数据，并在此基础上得出结论。

（5）定量分析受分析者主观影响相对较少，客观性强。

（6）定量分析可借助计算机等现代化手段完成分析，效率较高。

三、定量分析的适用范围

在教育评价中，定量分析比较适用于：第一，对群体的状态进行综述。第二，评比和选拔。第三，从样本推断总体。第四，对可测特征的精确而客观描述等。

四、定量分析的基本步骤

定量分析的基本步骤包括：第一，对数据资料进行统计分类，描述数据分布的形态和特征。第二，通过统计检验，解释和鉴别评价的结果。第三，估计总体参数，从样本推断总体情况。第四，进行相关分析，了解各因素之间的联系。第五，进行因素分析和路径分析，揭示本质联系。第六，对定量分析客观性、有效性和可靠性进行评鉴。

五、定量数据的类型

(一) 类别数据

类别数据是用数字来代表事物或把事物分类，说明事物特性的异同。分类是测量的最低方式，事物的同质性是研究事物数量关系的前提。统计分类可突出对象的本质特征，保持组内的同质性和组间的异质性。类别的数字只是代表不同事物的区分性标签或代号，并无任何数量大小的含义。如人们在抽样调查中常用 1、2 表示男性、女性，用 1、2、3 等表示不同的地区等。这些例子中的数字只表示不同的类别，没有大小的差别。

类别数据的数值只能计算个数，属于离散的量。例如，我们可以分别统计男女学生数量、不同地区的学校（或教师）的数量。

处理类别数据的常用方法都属于次数的统计方法，如计算次数、众数、百分比、卡方检验、列联相关等。

在教育评价中，问卷调查表中被调查者的背景资料大多属于这种数据。

(二) 等级数据

等级数据是用数值表示事物所具有某一特征的多少，它在分类的基础上，又增加了序列的特性，可排列大小。如学生考试（或体育比赛）的名次（第 1、2、3 名），各种评定量表（如品德考评）的等第（优、良、中、差，相应指派 4、3、2、1 数字）等。

处理等级数据的常用统计方法有：计算中位数、百分位数、肯德尔和谐系数、等级相关等。

在教育评价中，通过等级评定量表（包括问卷调查表中体现程度区别的项目、某些观察记录表中的等级评定）获得的资料大多属于此类。在评价信息处理时，等级数据有时也被粗略地当作等距数据来对待。

（三）等距数据

等距数据除了具有分类、排序作用外，其数值单位也相等，并人为确定了零点（测量的起点）。一般认为，两个学生的考试分数分别得 90 分与 80 分，两者分数的差距是 10 分，即人们认为分数的数值单位是相等的。但测量的零点是人为确定的，零分只能表示学生没有答对试卷上的任何一道试题，并不表明学生对这门学科一无所知。

严格地说，教育、心理测量均属于间接测量（即通过所测到的表现进行推断），其数值趋向于等级量表，但习惯上被当作等距量表处理，以便能广泛应用各种统计方法。

处理等距数据的常用统计方法有：计算平均数、标准差、积差相关、t 检验、F 检验等。

在教育评价中，通过测验获得资料（如学生的成绩）以及教师和学校评价指标系统中的分项分数及总分大多属于等距数据。等距量表数据在教育评价中得到最为广泛的应用。

（四）比率数据

比率数据不仅数值单位相等，而且具有绝对零点。物理测量值（长度、重量、体积、时间、距离）属于典型的比率数据。

比率数据可进行加减乘除运算。

常用的统计处理方法除了上述等距数据所用的方法外，还可计算几何平均数、相对差异量等。

在教育、心理测量中，比率数据的运用并不广泛，仅有少数特性可归入此类，如打字技能，我们可以测量每分钟正确打字的数量。此外，《国家体育锻炼标准》所测量的一些项目，也是比率数据。

六、描述数据的简要统计量

在这里大多以人们最为熟悉的学生学业评价为例。但定量描述的具体指标和方法大多也适用于教师以及学校评价信息的处理。

（一）集中量

集中量是代表一组数据典型水平或集中趋势的量。集中量反映了被评价者（学生、教师、学校）整体的状态水平，可用来进行组间比较，组内的个体也可参照集中量了解自己的位置。常用的集中量有众数、中位数、平均数。

1. 众数

众数是一组数据中出现次数最多的数值，即峰值。如在一组学生考试分数中，75 分出现的次数最多，为 8 次；众数便是 75 分。需要注意的是，不要把众数的数值与它所对应的次数混淆起来：即众数是 75，而不是 8。

2. 中位数

中位数是一组按大小顺序排列的数据中位置居中的数值，简称中数。中位数属百分位体系，适用于等级排列的数据。其计算方法为：（1）数据的个数为奇数时，取最中间的数；（2）数据的个数为偶数时，取最中间两个数的平均数。

3. 算术平均数

算术平均数是各观测值的总和除以观测值个数所得的商，也称为平均数或均值。其计算公式为：$\overline{X} = \dfrac{\sum X}{N}$，

式中，$\overline{X}$ 为算术平均数，X 为各观测值，N 为观测值的个数，$\sum$ 为加总符号。

4. 三种集中量的比较

算术平均数是使用最广泛的集中量。其优点是：严密、灵敏、可

靠、代表性强、容易理解、适合代数运算、受抽样变动影响较小、推断总体参数时更稳定。其缺点是：易受两极极端数值的影响而失去代表性。

中位数意义明确，不受两极极端数值的影响，适合于采用百分体系；缺点是：缺乏灵敏性、不如平均数可靠、不能用代数方法计算、易受抽样偏差的影响。

众数容易计算，不受两极极端数值的影响，适于粗略估算，可帮助分析具有两个集中点的分布；缺点是：不准确、不可靠、不适合代数方法计算。

（二）差异量

差异量是代表一组数据变异程度或离散程度的量，差异量反映了被评价者群体的离中趋势，即分化的程度。差异量的数值越大，群体成员之间的分化程度就越高。常用的差异量也有三种：全距、四分位差、标准差。

1. 全距
全距是一组数据中最大值与最小值的差数，也称两极差。

计算公式为：$R = \text{Max}(X) - \text{Min}(X)$，

式中，R 为全距，$\text{Max}(X)$、$\text{Min}(X)$ 分别为数据中的最大值和最小值。

2. 四分位差
将一组数据按大小顺序排列后，分成次数相等的四部分，位于各分界点的数据称为四分位数。四分位差是第三四分位数（即第 75 百分位）与第一四分位数（即第 25 百分位）之差的一半。

计算公式为：$QD = \dfrac{Q_3 - Q_1}{2}$，

式中，QD 为四分位差，Q_3、Q_1 分别为第三和第一四分位数。

3. 方差和标准差

方差是各数据与其平均数离差（即各数据与平均数之间的距离）平方和的平均数，方差的算术平方根称为标准差。

标准差的计算公式为：$S = \sqrt{\dfrac{\sum (X - \overline{X})^2}{N}}$，

式中，S 为标准差，X 为各观测值，$\overline{X}$ 为平均数，N 为数据的个数。

4. 三种差异量的比较

标准差是性质优良的差异量，避免了两极极端数值的影响，考虑了全部数据的离差，便于进行代数运算，在统计推断中也得到广泛应用。标准差常与平均数结合使用。

四分位差根据中间大部分数据而求得，不受两极极端数值的影响，较好反映数据的变动情况，具有一定代表性，但忽视了两端各 25% 的数据，代数运算不便。四分位差常与中位数结合使用。

全距计算简单，适于粗略估算，但未考虑中间数据的差异，受两极极端数值的影响最大，对数据变化情况描述不精确、反映不灵敏。全距常与众数结合使用。

5. 差异系数

差异系数是不带任何测量单位的相对差异量。差异系数用标准差与平均数的比例来表示，即以平均分为单位来衡量差异的程度。

差异系数的计算公式为：$CV = \dfrac{S}{\overline{X}} 100\%$，

式中，CV 为差异系数，S 为标准差，$\overline{X}$ 为平均数。

经验表明，CV 值一般在 5% ~ 35% 之间。如 > 35%，可怀疑平均数是否失去意义；如 < 5%，可怀疑平均数和标准差是否计算有误。

在教育评价中，教师和学校管理人员还用差异系数来分析和评价学科内和学科间学生学习的分化情况。学习分化的经验性判断标准为：如果 $CV < 9\%$，表示基本无分化；如果 $CV > 20\%$，表示分化严重；如果

$9\% < CV < 20\%$，则表示有分化迹象，应引起重视。

现举一实例来说明集中量和差异量的计算。

某中学数学教研组开展教改的实验研究，以了解数学教学方法的改革对学生成绩的影响以及学习兴趣与成绩之间的关系。实验班（36 人）每个学生的数学期末考试成绩（1～100 分，用 X 表示）和学习兴趣调查的得分（1～10 分，用 Y 表示）如表 6－1 所示。

表 6－1   实验班学生数学成绩与兴趣调查得分汇总

X	56	58	61	66	67	69	69	72	73	73	76	76
Y	2	3	2	4	5	8	4	6	5	3	4	4
X	77	78	80	81	82	83	84	84	86	86	86	87
Y	3	5	7	4	6	8	5	7	5	6	8	5
X	87	88	88	89	89	90	91	93	95	96	97	98
Y	7	8	9	6	8	7	9	8	7	8	10	9

根据表 6－1 中的学生数学成绩，可计算出实验班数学成绩的集中量和差异量，结果如下所示：

众数为 86 分，中位数为 83.5 分，平均数为 80.86 分。

全距为 42 分，四分位差为 7.75 分，标准差为 10.85 分。

该班数学成绩的差异系数为 13.42%，略有分化迹象。

（三）描述数据频数的分布情况

数据的频数分布情况，可采用许多不同的方式来表示。最常见的是用图表的形式进行汇总，做出直观、形象的描述。在评价报告中，如适当采用一些统计图表，并附以简要的说明，会收到良好的效果。

1. 频数分布表

分类数据可直接列出频数分布表，而连续数据则先要分组（通常是 5 分一组）进行归类后再列表。常用的频数分布表有：次数分布表、频率（相对频数）分布表、累积次数分布表、累积相对次数分布表等。

现举一例，加以说明。为了改进学校的教育与教学工作，上海某初级中学对近 3 年的毕业生进行抽样追踪调查（样本为 172 人）。表 6 - 2 是该调查问卷中关于毕业生动手能力项目的频数分布。

表 6 - 2　某初级中学毕业生动手能力问卷调查的频数分布表

动手能力	频数	相对频率	累计频数	累计频率
很强（A）	10	5.8	10	5.8
较强（B）	29	16.9	39	22.7
一般（C）	85	49.4	124	72.1
较差（D）	46	26.7	170	98.8
很差（E）	2	1.2	172	100

2. 统计图

统计图是用图形的方式表示统计数量关系及其变动情况的工具。统计图具有形象直观、使人印象深刻的特点。根据所收集数据的性质可选用不同的统计图。

（1）条形图。条形图常用来比较性质相似的间断性资料。直方图中直条的长短表示统计事项数量大小。上述频数分布表中的第一列数据也可用如图 6 - 1 的条形图形式表示。

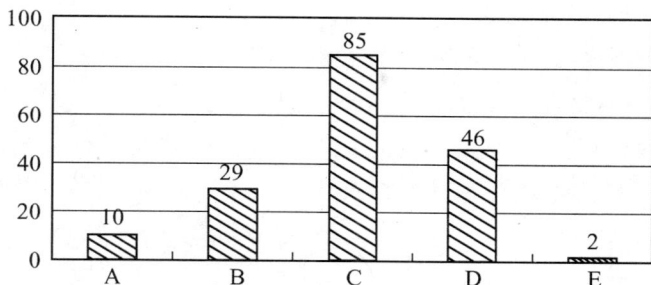

图6-1　某初级中学毕业生动手能力问卷调查的频数分布条形图

（2）圆形图。圆形图常用来表示间断性资料的构成比例。圆形面积表示一组数据的整体，圆中的扇形表示各组成部分所占的比重。下面的圆形图也是采用同一组数据绘制而成的（见图6-2）。

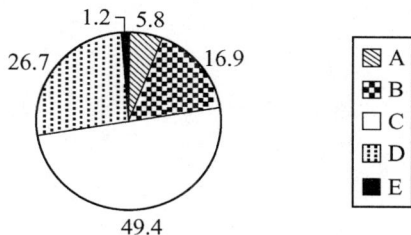

图6-2　某初级中学毕业生动手能力问卷调查的相对频数圆形图

（3）折线图。折线图也称为频率多边图，常用来表示连续性资料（如学生的成绩）。折线图以横轴表示不同的数值（如学生的分数），用纵轴上的高度表示频数的多少（见图6-3）。

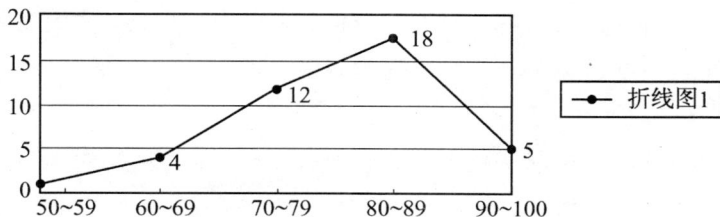

图6-3　某初级中学初一（2）班英语测验成绩频数折线图

3. 数据频数分布曲线

数据的频数分布也可用曲线表示。常见的分布曲线有多种类型，可从曲线的峰的数量、峰的高低、峰的对称性几方面加以区分。

（1）峰的数量。从峰的数量区分，频数分布曲线可分为：单峰分布、双峰分布和多峰分布（见图6-4）。

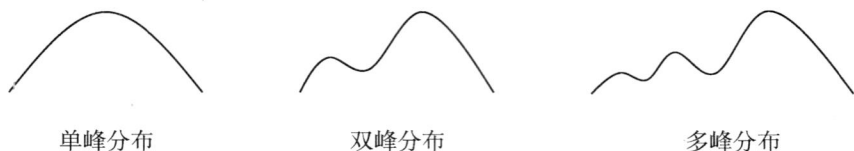

单峰分布　　　　　双峰分布　　　　　多峰分布

图6-4　单峰分布、双峰分布与多峰分布的示意图

（2）峰的高低。从峰的高低区分，频数分布曲线可分为：高峰态——标准差较小、分数分布高窄、集中在平均数两侧；低峰态——标准差较大、分数分布低阔。

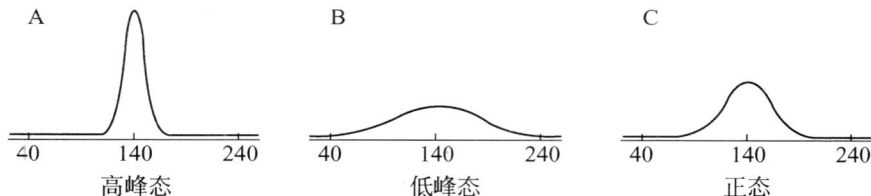

高峰态　　　　　低峰态　　　　　正态

图6-5　高峰态、低峰态的示意图

（3）峰的对称性。从峰的对称性区分，频数分布曲线可分为：正态分布与偏态分布。

正态分布是一种单峰、对称的分布，表现为两头低、中间高的钟形曲线。它是一种重要的连续性数据的概率分布。

正态分布是一种两头低中间高的钟形曲线。它是一种重要的连续性数据的概率分布。

正态分布的基本特征是平均数、中位数、众数三者重合为一点。应当指出，正态分布曲线数量很多，如图 6-5 中的三种曲线分布都属正态分布，只是标准差不同。人们把平均数为 0、标准差为 1 的正态分布称为标准正态分布。图 6-6 即为标准正态分布的示意图。

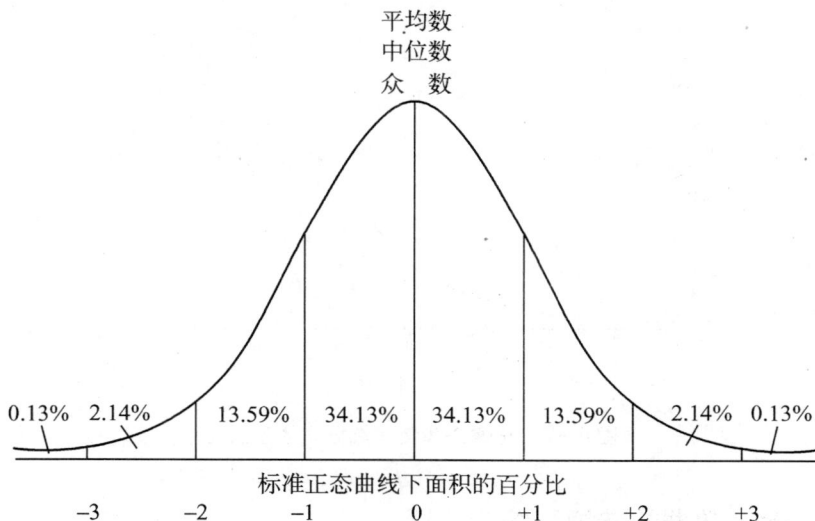

平均数
中位数
众　数

0.13%　2.14%　　13.59%　　34.13%　　34.13%　　13.59%　　2.14%　0.13%

标准正态曲线下面积的百分比

−3　　−2　　−1　　0　　+1　　+2　　+3

图 6-6　标准正态分布的示意图

从图 6-6 中可以发现，标准正态分布曲线下的面积与标准差具有固定的关系。对称轴 ±1 个标准差的区间内包含了 68.26% 的个案；±2 个标准差的区间包含了 95.44% 的个案；±3 个标准差的区间内包含了 99.74% 的个案。

偏态分布是指单峰，但不对称的频数分布。其基本特征是中位数居中，平均数与中位数的距离较近，众数与中位数的距离较远。偏态分布可分为正偏态和负偏态两种。平均数大于众数或中数时，为正偏态分布；平均数小于众数或中数时，为负偏态分布。

图 6-7 是正偏态和负偏态分布的示意图。

平均数 ＝40
中位数 ＝35
众　数 ＝30

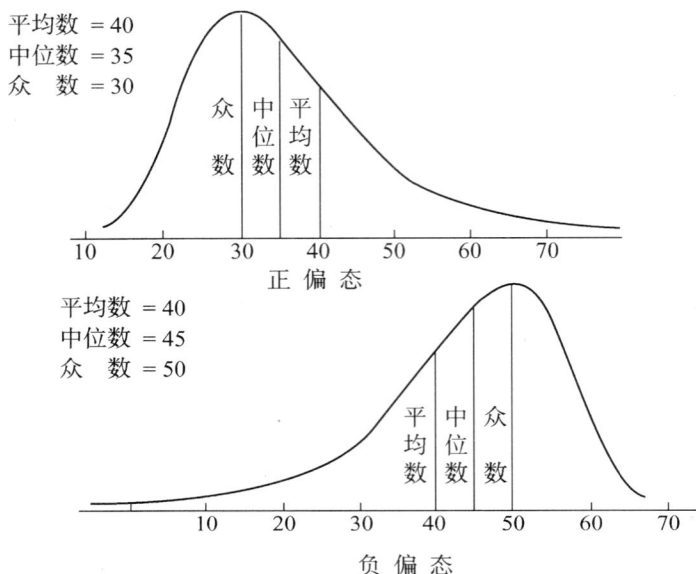

正 偏 态

平均数 ＝40
中位数 ＝45
众　数 ＝50

负 偏 态

图 6 - 7　正偏态和负偏态分布的示意图

七、数据的转换和综合问题

（一）原始分和标准分

学生接受测验后，按评分标准对其直接评出的卷面分数，称为原始分。在教育评价中直接利用原始分会带来一些问题。首先，同期评价不同学科之间的分数不能进行横向比较。如某学生期中考试语文成绩为85分，数学成绩为90分，人们无法判断他哪门学科学得更好。其次，同一学科不同时期的分数不能进行纵向比较。如某学生期中考试语文成绩为85分，期末考试语文成绩为90分，人们也无法判断他语文学习是进步了，还是退步了。第三，各学科之间的分数不能相加，如不少学校把学生期中考试的各科成绩合成总分进行排序，这种做法是不妥当的。上述问题存在的根本原因在于原始分缺乏明确的参照点和度量单位，受到试卷难度（平均分）和标准差的影响。将原始分转换成标准分就能较好地解决上述这些问题。

标准分是一种最常见的导出分数。所谓导出分数是指将原始分经过数学转换后得出的分数。而标准分是以平均数为参照点，以标准差为单位的导出分数。标准分具有十分明确的意义，指明了个体在群体中的相对位置。

标准分有多种不同的表示方式。

1. Z 分数

Z 分数是平均数为零，标准差为 1 的标准分。Z 分数是最典型的标准分，其他形式的标准分一般都由 Z 分数派生而成。其计算公式为：

$$Z = \frac{X - \overline{X}}{S},$$

式中，X 为原始分，$\overline{X}$ 为参照群体的平均分，S 为参照群体的标准差。

在正态分布下，Z 分数的数值范围为 ±3 之间，包含了群体中 99% 的个体（参阅图 6 –6 标准正态分布的示意图）。

2. T 分数

T 分数在心理测量中有广泛的应用。转换公式为：$T = 10Z + 50$。T 分数的数值范围为 20 ~ 80 分。

3. CEEB 分数

CEEB 分数是美国高校入学考试委员会采用的标准分。转换公式为：CEEB 分数 $= 500 + 100Z$。它的数值范围为 200 ~ 800 分。

现举一例来说明各种标准分的计算。

某学生的语文成绩为 95 分（全班的平均分为 90 分，标准差为 10 分），数学成绩为 90 分（全班的平均分为 80 分，标准差为 10 分），试问该学生哪门学科成绩在班内的相对位置更高？

经计算，该学生的语文 Z 分数为 0.5 分、T 分数为 55 分、CEEB 分数为 550 分；而该学生的数学 Z 分数为 1.0 分、T 分数为 60 分、CEEB

分数为 600 分。显然，该学生的数学成绩在班内的相对位置更高。

（二）数据的综合问题

在教育评价中，常常需要把各分项的分数合成一个总分，以便做出综合的整体判断。这种做法确有实际的需要，它的存在有其合理性。但在合成分项分数时，需要考虑如下一些问题。

第一，各分项分数是否具有同质性。如果几种分数完全互不相干，加总就缺乏科学性。

第二，如果各项分数基本同质，其价值或重要性是否相同。对重要性不同的分项分数进行加总，应当先加权再求和。

第三，只提供总分是否妥当。一般说来，总分具有补偿性，各项分数相加后，掩盖了各部分所存在的差异。

为了全面反映被评价对象的实际水平，较为妥当的方法是同时报告总分与子分数，以分别表示其整体水平和个别差异。

八、相关与相关系数

平均数和标准差是对一组数据（单变量数据）进行描述的特征量。要描述成对数据（两个变量）之间的变化关系（如学生两门学科成绩的关系、教学经费与教学效果之间的关系）时，就需要进行相关分析。相关分析是对两组对应变量之间关系的密切程度的一种测定。

相关分析是对两组对应变量之间关系的密切程度的一种测定。

（一）相关与相关散布图

1. 相关

两个变量之间的确定性联系可称为函数关系。两个变量之间不精确、不稳定的变化关系称为相关关系。

2. 相关散布（点）图

在直角坐标系中，以横轴为 X，纵轴为 Y，根据两个变量的成对数据（X、Y）描点，即构成相关散布图。根据散布图可了解两个变量之间是否存在相关、相关的强弱、相关的方向、是直线相关还是曲线相关（如焦虑与成绩之间的关系）。如无特殊说明，本章所讲的相关是指直线相关（见图 6 - 8）。

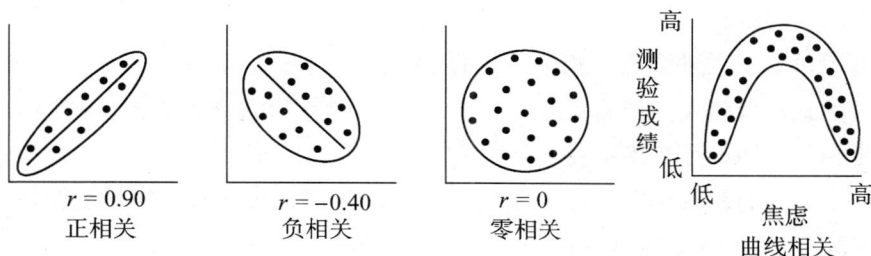

| $r = 0.90$ | $r = -0.40$ | $r = 0$ | |
| 正相关 | 负相关 | 零相关 | 焦虑 曲线相关 |

图 6 - 8   相关散布图

（二）相关系数

相关系数是描述两个变量之间线性相关程度和方向的系数，一般用 r 表示。

1. 计算公式与适用条件

最常用的计算公式是英国统计学家皮尔逊（K. Pearson）提出的直线积差相关方法。该公式的适用条件为：两个变量均是连续变量，且总体至少是单峰对称分布，样本容量最好在 30 个以上。

$$r = \frac{\sum(X - \bar{X})(Y - \bar{Y})}{N\sigma_x\sigma_y},$$

式中，X、Y 分别为两列变量的观测值，$\bar{X}$、$\bar{Y}$ 分别为两列变量的平均数，σ_x、σ_y 分别为两数列的标准差，N 为两数列的数对个数。

在某中学数学教改实验的一例中，我们已列出了实验班学生的数学成绩（X）与学习兴趣调查的得分（Y）。由于这两列变量都是连续的等距变量，可以采用积差相关方法来计算两者的相关。计算的结果为：$r = 0.95$，表明实验班学生的数学成绩与学习兴趣之间有着极其密切的相关。

2. 相关系数的解释

相关系数表示两个变量之间的直线关系。相关系数的解释通常要考虑两个因素。

（1）相关的强度。相关系数的取值范围是 ± 1，常用小数表示。数值的绝对值越大，相关性越高。当 $r = \pm 1$ 时称为完全相关，$r = 0$ 时为零相关，即不存在相关或两个变量的变化无一定规律。

一般而言，$r > 0.8$ 称为强相关；$r = 0.4 \sim 0.79$ 称为中等相关；$r = 0.2 \sim 0.39$ 称为弱相关；$r < 0.2$ 称为极弱相关。

（2）相关的方向。相关的方向用正负号表示。$r > 0$ 说明两列变量的变化方向是一致的，即同时增大或同时减小，称为正相关。$r < 0$ 说明两列变量的变化方向是相反的，一列变量增大时另一列变量反而减小，称为负相关。

3. 确定系数

在教育评价中，评价者有时希望了解某一变量变异受到另一变量的制约的程度。此时，应当计算确定系数。

其计算公式为：确定系数 $= r^2 \times 100\%$，式中，r 为相关系数。

上例中实验班学生数学成绩与学习兴趣的相关系数 $r = 0.95$，确定系数则为 90.25%。说明数学成绩的变化在很大程度上受到学习兴趣的制约。

（三）相关关系并不等于因果关系

相关系数在教育评价中有着广泛的应用。但是必须指出，相关关系并不等于因果关系。对于具有相关关系的两组变量（X 与 Y），可能有三种解释：X 是 Y 的因或部分因；Y 是 X 的因或部分因；X 和 Y 是第三个变量 Z 的因（或果）或部分因（或果）。评价者在解释相关系数时，应当持十分谨慎的态度，不可作无根据的推广。

九、评价信息的统计推断

统计推断是运用样本信息来推断总体情况的有效方法，它包括两个基本部分，即参数估计和假设检验。

（一）统计推断的基本概念

1. 总体、个体和样本

总体是所研究的全体对象的总和。总体中的每个单位称为个体。由总体中抽取的部分个体称为样本。

2. 统计量和参数

样本的数字特征称为统计量。通常用英文字母表示，如 X、S 等。总体的数字特征称为参数。通常用希腊字母表示，如 μ、σ 等。

（二）参数估计

为了使统计推断正确可靠，应当使样本具有较大的代表性。要使样本具有代表性，必须要选择适当的抽样方法、样本容量。

1. 抽样方法与样本容量

（1）抽样方式：分为简单随机抽样、机械（等距）抽样、分层抽样、整群抽样、多阶段抽样等。

（2）样本容量：指抽取样本的数量。一般说来，样本数少于 30（或 50）时，称为小样本；样本数多于 30（或 50）时，称为大样本。

2. 抽样分布与抽样误差

抽样分布是理论的概率分布，它是统计推断的理论依据。抽样误差是指样本指标与总体指标的差异数。影响抽样误差的主要因素有样本容量的大小，对象的变异程度，不同的抽样方式。抽样误差越小，表明样本统计量与总体参数的值越接近，样本对总体越有代表性，用样本统计量推断总体参数的可靠性越大。一般说来，加大样本容量可使标准误减小。

3. 参数估计

参数估计是指用样本统计量来推测总体参数。可分为点估计和区间估计两类。

（1）点估计。点估计是指用一个样本统计量作为总体参数的估计值。良好的点估计量应当具有无偏性（即所有可能的观察值与参数真值 θ 的偏差的平均为零）、一致性（当样本量无限增大时，估计值越来越接近总体参数）、有效性（无偏估计变异性越小，有效性越高）、充分性（样本的统计量是否充分反映了总体的信息）。样本平均数 $\overline{X}$ 是总体均值 μ 的无偏、一致、有效而充分的点估计。然而点估计总存在着一定的误差，且不能提供正确估计的概率。区间估计则能弥补这个缺点。

（2）区间估计与置信区间。区间估计是指按一定的概率要求，用样本统计量估计总体参数的所在范围。置信区间是指在某一置信度（水平）时，总体参数所在的区域距离或长度。置信度又称显著性水平，是指估计的总体参数落在某一区间时，可能犯错误的概率，用 α 表示。常用的置信区间有两种：0.95 置信区间 = 0.05 显著性水平，即估计正确的概率为 95%，出现错误的概率为 5%；0.99 置信区间 = 0.01 显著性水平，即估计正确的概率为 99%，出现错误的概率为 1%。一般来说，总体平均数的区间估计最为常用，计算方法为：

当样本 >30 时，总体平均数的下限和上限分别为：

$\overline{X} - 1.96S/\sqrt{n}$ 和 $\overline{X} + 1.96S/\sqrt{n}$（估计的可靠要求为 95%）；或者

$\overline{X} - 2.58S/\sqrt{n}$ 和 $\overline{X} + 2.58S/\sqrt{n}$ （估计的可靠要求为99%）。

式中，$\overline{X}$、S 分别为样本的平均分和标准差；n 为样本的容量。

    例如，教育局从某校初三年级中随机抽取 40 名学生进行数学测试，这些样本学生测验的平均分为 85 分，标准差为 10 分；请估计该校初三年级学生数学的平均分。

    如确定置信度为95%，则置信区间为：

$$85 \pm 1.96 \times (10/\sqrt{40}) = 85 \pm 1.96 \times 1.58 = 85 \pm 3.1 = 81.9 \sim 88.1;$$

    如确定置信度为99%，则置信区间为：

$$85 \pm 2.58 \times (10/\sqrt{40}) = 85 \pm 2.58 \times 1.58 = 85 \pm 4.1 = 80.9 \sim 89.1。$$

    即该校初三年级学生数学的平均分落在 81.9 ~ 88.1 分区间的可靠性为95%；落在 80.9 ~ 89.1 分区间的可靠性为99%。

（三）参数的假设检验

    参数的假设检验是指利用样本信息，根据一定概率，对于某一总体参数的假设做出拒绝或保留的决断。它的基本原理是采用概率论中的"小概率事件实际上的不可能性"原理，进行反证。人们通常把出现概率不超过 0.05 或 0.01 的事件当做小概率事件。

    假设检验的基本步骤如下所示。

1. 先提出两个对立的假设

    （1）零假设。即假设两组数据的参数（如平均数）无本质差异。用表达式表示则为：

$$H_0: \mu_1 = \mu_2.$$

    （2）备择/研究假设。即假设两组数据的参数（如平均数）有本质差异。用表达式表示则为：

$$H_0: \mu_1 \neq \mu_2.$$

    评价者从零假设开始，希望用样本数据显示零假设是假的，从而证实备择假设是真的。

2. 选择一个适当的检验统计量，计算其数值

学科测验分数的总体一般呈正态或接近正态分布。评价者可根据样本大小选择适当的检验统计量，当两个样本为独立大样本（$N \geqslant 30$）时，采用 Z 检验；当两个样本为独立小样本（$N < 30$）时，采用 t 检验。

3. 确定检验的形式

如评价者只关心两个平均数之间是否存在显著差异，而不关心差异的方向，可采用双侧检验法。

如评价者根据理论或经验可预测某一平均数应大于（或小于）另一平均数，则可采用单侧（尾）检验法。如样本的平均数如大于总体的平均数，可采用左侧检验；如样本的平均数如小于总体的平均数，可采用右侧检验。

4. 确定一定的显著性水平，将该值与相应的临界值作比较，做出统计决断

为节省篇幅，此处只列出双侧 Z 检验统计决断规则（见表 6–3），单侧 Z 检验统计决断规则可参阅各种教育统计学的教材。

表 6–3 双侧 Z 检验统计决断规则

$|Z|$ 与临界值的比较	P 值	检验结果
$|Z| < 1.96$	$P > 0.05$	保留 H_0，拒绝 H_1
$1.96 \leqslant |Z| < 2.58$	$0.01 < P \leqslant 0.05$	在 0.05 显著性水平上拒绝 H_0，接受 H_1
$|Z| \geqslant 2.58$	$P \leqslant 0.01$	在 0.01 显著性水平上拒绝 H_0，接受 H_1

（四）平均分差异显著性检验示例

例 1. 如何检验样本平均分与总体平均分差异的显著性？

某区高中入学英语考试的成绩为 90 分，标准差为 10 分。某所初中参加该考试的 50 名学生的平均分为 88 分，问该校学生的平均分与该区总体平均分的差异是否显著？

检验步骤：

（1）提出假设。$H_0: \mu = 90$，$\qquad\qquad$ $H_1: \mu \neq 90$.

（2）选择 Z 检验统计量并计算其值。

$$Z = \frac{\overline{X} - \mu}{\frac{o}{\sqrt{n}}} = (88 - 90) / (10/\sqrt{50}) = -2/1.41 = -1.42.$$

（3）确定检验的形式。采用双侧检验。

（4）统计决断。由于 $|Z| < 1.96$，保留 H_0 假设，拒绝 H_1 假设。即该校学生的平均分与该区总体平均分的差异无显著性。

例 2. 如何进行两个样本平均分差异的显著性检验？

如果样本 $N \geqslant 30$，为大样本，采用 Z 检验；如果样本 $N < 30$，为小样本，采用 t 检验。

（1）两个独立大样本平均数差异的显著性检验的公式为：

$$Z = \frac{\overline{X}_1 - \overline{X}_2}{\sqrt{\dfrac{S_1^2}{n_1} + \dfrac{S_2^2}{n_2}}},$$

式中，$\overline{X}_1$、$\overline{X}_2$ 分别为两组测验分数的平均分，S_1^2、S_2^2 分别为两组测验分数的标准差，n_1、n_2 分别为两组测验的样本容量。判断准则见表 6-3。

（2）两个独立小样本平均数差异的显著性检验的公式为：

$$t = \frac{\overline{X}_1 - \overline{X}_2}{\sqrt{\dfrac{(n_1 - 1) S_1^2 + (n_2 - 1) S_2^2}{n_1 + n_2 - 2} \cdot \dfrac{n_1 + n_2}{n_1 n_2}}}.$$

判断的准则：先计算自由度 $df = n_1 + n_2 - 2$ 的值，再查 t 值表中的

相应栏目。如果 $|t| < t(\mathrm{d}f)_{0.05}$，无显著差异；如果 $t(\mathrm{d}f)_{0.05} \leqslant |t| \leqslant t(\mathrm{d}f)_{0.01}$，有显著差异（0.05 水平）；如果 $|t| > t(\mathrm{d}f)_{0.01}$，有极其显著差异（0.01 水平）。

需要指出的是，统计检验的显著性与教育的显著性并不是一回事。影响教学效果的因素是十分复杂的。在对群体成绩进行比较时，应当根据具体情况正确地使用统计检验的结论。群体成绩的差异虽未达到统计的显著性，也具有一定的教育意义。当然，如果具有显著性，则说明成效更大。

第四节　定性与定量相结合的处理方法

一、定性分析和定量分析的关系

综上所述，定性分析与定量分析这两种方法各有所长，两者是优势互补的。因此，评价者决不能根据自己的偏好，盲目地信奉、赞赏某一种方法，而排斥、贬低另一种方法。

在处理评价信息时，评价者应当选择最适当的方法。在选择方法时，评价信息的特性是应当考虑的重要因素，但并不是唯一因素。同时，还应当考虑采用何种方法处理信息能更好地为评价目的服务。经验表明，如果评价信息主要用于帮助被评者改进工作时，定性的分析比定量分析更有价值。当评价主要目的是比较、评比时，定量分析的价值才能充分体现。因此，评价者应当尽可能结合使用两种方法，从质和量两个侧面把握被评价者的本质特性，在此基础上做出符合实际的综合判断。

此外，任何事物都是质和量的统一体，在实际运用中，定性与定量分析方法并不能截然分开。一方面，量的差异在一定程度上反映了质的不同；同时由于量的分析结果比较简洁、抽象，通常还要借助于定性的描述，说明其具体的含义。另一方面，定性分析又是定量分析的基础，因为定量分析的量必须是同质的——在数量分析前先要判断数据的同质性；在需要时，有些定性信息也可进行二次量化，作为定量信息来处理，以提高其精确性。例如，观察教师或学生课堂行为及互动作用的观察量表，既可作质的评鉴，又可再通过赋值（等级）进行量化统计。又如对教师各种素质的评判，对学校各方面工作的评判，一般都采用带有语言描述的等级量表。评判的结果常用概括性的等级评语表示：好、较好、一般、较差等。这些等级评语也可通过赋值，如分别赋予4、3、2、1数值，进行量化处理。

二、定性与定量相结合分析、处理方法的示例

下面是某区地理教研员采用课堂实录的方法，综合多种手段（课堂教学录像、课堂观察记录、课后深度访谈、问卷调查）对一堂初中地理课的分析与思考。

对一堂初中地理课的分析与思考

1. 背景情况概述

（1）听课时间：1999 年 5 月 18 日上午第三节课（10：05～10：50）

（2）听课学校及班级情况。一所普通初级中学，听课班级初中预备 x 班在平行级中属中等层次。

（3）科目：地理（必修课）。

（4）课的类型：新授课。

（5）教学目标：知道河流上、中、下游各段的一般特征。学会在图上判读干流、支流、河源、河口。学会在图上识别水系、流域、运河、外流河、内流河。

（6）教学内容：河流的基本概念、一般特征；河流的利用和保护。

（7）学生情况：全班共43人，男生24人，女生19人。学生中学业水平属A等的有7人、B等的14人、C等18人、D等4人。大部分学生属中间层次。

（8）执教教师情况：执教者（女）是一位具有20多年教龄的中年教师，受过地理专业大学本科师范教育。教学水平属中上层次。在学校中不担任其他职务。

（9）收集资料时所采用的技术手段：运用录像、录音技术对本节课进行了实录（运用一台录像机记录教师行为，学生行为没有录像）。还运用了选择性行为的观察技术，教师访谈和学生问卷调查等多项技术，对本节课进行了记录。

2. 对本节课的分析和思考

（1）以"边讲边问"为主的课堂教学方式。在本节课教学中，教师主要以提问方式展开教学，并以教师问、学生答来控制整个教学过程，其提问情况见表6-4。

表6-4　教学各环节所提问题分析

	复习提问	讲授新课和例题讲解	巩固练习	讲授新课和例题讲解	巩固练习	课堂小结	合计
教学时间	55秒	12分15秒	3分43秒	20分12秒	5分4秒	0	42分4秒
问题数量	5个	20个	12个	38个	13个	0个	88个
每个问题平均占时	11秒	36秒	18秒	32秒	23秒	—	28秒

从表6-4可看出，课堂提问密度较高（整堂课提问88个），尤其是在两段"讲授新课和例题讲解"环节中（教师在讲授新课时穿插例题讲解，故无法将这两个环节分开）提问更多（共提问58个，占整堂课提问总数的65%）。"边讲边问"是本堂课的主要教学方式。

（2）以低认知水平为主的教学要求。由于教学中提问的密度较高，教师势必把每一个问题分解成一个个细小的部分，请学生回答。这样，本来有一定难度、需要学生进行一番思考才能解决的问题，便成了由教师问上句，学生答下句的简单的应答式问答。使学生始终在较低的认知要求中学习。

　　例如，教师在讲述了"内流河和外流河"以后，设计了一个问题：黄浦江是内流河还是外流河？这是一个具有一定思维含量的问题。要回答这个问题需要具备两方面的知识，即内流河和外流河的本质区别和黄浦江最终流到哪里。然而教师将这个问题进行了分解（见表6-5）。

表6-5　按课堂记录制作的教学程序（片段）

教学环节　时间	主要教学过程	板书　板图　投影
复习提问55秒（共提问5次，平均每次提问11秒）	复习"地球水的主体"（提问5次）	
讲授新课和例题讲解12分5秒（共提问20次，平均每次提问36秒）	讲授"河水的来源"（提问6次） 讲授"河流上、中、下游的分段及主要特征"（提问13次）（教师边画边提问；边出示投影片边提问，并指导学生观察投影片中显示的教学内容。） 讲授"水系和流域"（提问1次）	板书：§20 河流及其利用河流　河水的来源　雨水（主要） 冰川融水 地下水 可分成上游、中游、下游 板图："河流示意图" 投影片："虎跳峡景观图" "河流下游景观图" "河口三角洲景观图" 水系 干流、支流、水系、分水岭、流域

师:(擦黑板,写板书)那么请同学们想一想,我们上海经常见到的是什么河?刚才已经有同学讲过了。

生:苏州河。(部分学生)

师:苏州河,还有呢?

生:黄浦江。(部分学生)

师:它们能不能直接流到海洋?

生:不能。(齐)

师:它们先流到哪里啊?

生:长江。

师:长江。黄浦江和苏州河汇合以后流到长江,然后注入什么,注入海洋。这个黄浦江是什么河呢?是外流河还是内流河啊?

生:外流河。(全班同学异口同声)

由于教师在这个问题和答案之间搭起了一小格一小格的台阶,学生只需顺着这个台阶往上走,他们的思维空间变小,无须作更多的努力便能到达目的地(这种情况在整堂课中多次出现)。这样的教学虽然有利于扫除教学障碍,但不利于学生主动性的发挥和探索精神的培养。我们认为教师在备课时应根据教材的知识结构,精心设计和组织多层次问题的组合,以适应不同学业水平学生的要求,注意他们思维能力的培养。

(3)教师提问技巧。根据对《各种提问行为类别频次表》和按课堂记录制作的提问技巧水平检核表(片段)的统计,可以看出在教师的提问中记忆性问题占绝对优势(占93.2%),推理性问题很少(仅占6.8%),创造性问题和批判性问题完全没有,提问的认知要求较低。在提问后基本不停顿(没有停顿或停顿不足3秒的占96.5%,适当停顿3~5秒的仅占3.5%),不利于学生的思考。对学生的回答能给予鼓励和称赞(占50.6%),但多次重复自己的问题或学生的答案(占25.3%)。

(4)教师期望。从上课提问情况看,在整堂课上被教师请到发言的学生共15人,发言的总次数为63次,其中有5人每人发言超过7

次，最多的一人发言 16 次，占发言总次数的 25.3%。由此可以看出，学生在课堂上发言的机会差别极大（见表 6-6）。

表 6-6　不同学业水平学生发言的次数统计

学生学业水平等第	总人数	发言人数	发言次数
A　（优良）	7	5	35（55.6%）
B　（中上）	14	5	18（28.6%）
C　（中下）	18	5	10（15.6%）
D　（较差）	4	0	0
合　计	43	15	63（100%）

首先，学生发言机会的差异与他们平时的学业水平差异有极大的相关。整堂课学生个别发言共 63 次，其中学业水平 A 等的学生发言 35 次、B 等学生 18 次、C 等学生 10 次、D 等学生 0 次。按全班 43 人计算，平均每人有 1.47 次发言机会，如按同等级学业水平学生数进行计算，平均每位 A 等学生有 5 次发言机会、B 等学生有 1.24 次机会、C 等学生只有 0.56 次机会、而 D 等学生一次机会都没有。发言次数多达 16 次的学生即为一位 A 等男同学。

其次，学生发言的机会还和学生性别有极大的关系。全班 24 名男同学中有 13 人发言，共发言 61 次；而 19 名女同学仅 2 人发言，共发言 2 次。如按同性别学生平均计算，每位男同学有 2.54 次发言机会，而每位女同学仅有 0.11 次机会。男同学的发言机会是女同学的 23.1 倍，差异极大。

那么，是否学业较差的学生或女同学没有举手或不想举手发言呢，问卷结果表明，并非如此。在问卷中"在这堂课中，你是否存在下述情况？"（可多选）全班学生的选择是：

	男	女
a. 多次想回答问题，但不敢或不好意思举手	5 人（20.83%）	10 人（52.63%）
b. 多次举手想发言，但老师没有叫到	13 人（54.17%）	11 人（57.89%）
c. 有问题，但没有机会向老师提出	8 人（33.33%）	8 人（42.11%）
d. 有不同见解，很想提出来，但没有机会	8 人（33.33%）	6 人（31.58%）
e. 本不想发言，老师点到我，只好说几句	2 人（8.33%）	1 人（5.26%）
f. 不存在上述情况	12 人（25%）	6 人（31.58%）

上述数据表明，相当一部分学生能积极参与学习，且交流的愿望比较强，但没有发表意见的机会。对于这个问题，我们推断有这样几种可能：①教师对于学业优良的学生或男同学比对学业较差的学生或女同学具有更高的期望，因而给予的关注更多，上课时为他们创造的机会也就更多。②教师很关心预定教学计划的完成，而学业优良的学生和男同学的回答能很快地达到教师预定的教学目标，保证教学进度的完成。③学业优良的学生和男同学希望发言的热情对教师有一定的影响（在进行教师访谈时谈到）。

"皮格马利翁效应"是大部分教师了解的，研究表明，某人对他人的期望最终能充当自我实现的预言。教师的期望会通过自己的教学行为和非教学行为表现出来，进而影响学生的学习结果。课堂上教师对不同学生期望的差异与课堂上和课后学生的表现有关。如果本节课的任课教师长时期地把关注只给予学业水平较高的学生和男同学，那么，班级中学业水平处于中低层次的学生和女同学的学习热情将难以持久，他们的学习行为可能会趋向消极，他们的发展也会受到影响。

（5）媒体辅助教学在地理教学中的重要性极为突出。执教教师是一位富有教学经验的中年教师。由于地理学科特点，她在教学中使用了大量投影片、板图、挂图（除了计算机课件）等教学媒体。我们对多种媒体使用过程中提问数量进行了统计（见表 6-7）。

表 6–7 课堂提问在多种媒体使用过程中数量及百分比分析

	课堂提问总问题数	使用多种媒体时提问数	使用各种媒体提问数			
			投影片	板 图	插 图	挂 图
数 量	88	59	36	13	6	4
百分比	100	67	41	14.8	6.8	4.4

从表 6–7 可以看出，在教学过程中运用媒体提问共 59 次，占总提问数的 67%，其中以投影片占的比重最大。本节课所用投影片以景观图和示意图为主，有单片和复片。地理教学涉及自然现象颇多，仅仅依靠教师的语言描述很难使学生真正理解。投影片辅助教学直观、形象，在教学中起到了很重要的作用。但自然界中有大量现象是动态的，如本节课的教学难点：分水岭，即是在动态的现象中形成的静态的地理事物，如果能用录像或计算机小课件演示，教学难点就容易突破。执教者大量运用除了计算机课件外的多种媒体进行教学，既反映了执教教师的教学优势，也反映了我们亟待解决的问题——计算机辅助教学软件的开发。

从本例来看，采用定性与定量相结合的方法来评价课堂教学的情况，能够揭示出一般听课所忽视的内容，使分析更深入、细致，具有较强的针对性和说服力，特别适用于对教师课堂教学进行终结性评价的场合。

小　结

评价信息的分析与处理是教育评价工作中的最重要环节之一。信息分析、处理的质量高低将直接影响到评价结论的有效性和可靠性；因此，评价者必须十分重视评价信息的分析与处理。在处理信息时，人们通常采用定性和定量分析的方法。两者各有所长，相互补充和验证。在选择分析方法时，不但要考虑信息的特性，更要考虑评价的目的。目前，定量方法在评价中已得到广泛的应用，评价者应当熟悉并掌握一些基本的定量描述和推断的技术，以便增强信息处理的科学性和效率，提高分析的水平。

信息的描述、解释和推断是信息处理不断深化的过程。描述是说明被评价对象"是什么"的一种方法。人们常用集中量、差异量以及数据的分布情况等简要统计量来对定量资料进行描述。在对数据进行综合时，采用标准分比较适当。解释是对影响被评价对象特征的各种原因做出说明的一种方法，回答"为什么是这样的"问题。相关分析既是一种描述程序，也是一种解释程序。统计推断是运用样本信息来推断总体的情况的有效方法，它包括两个基本部分，即参数估计和假设检验。

教育现象的复杂性要求评价者处理好定性与定量的关系、分项与综合的关系、静态与动态等关系，能多角度、多方位地把握被评价者的特性，使评价判断建立在科学、可靠的信息基础上。

思考题

1. 比较定性方法与定量方法的特点及适用范围。
2. 熟练计算给定数据的简要统计量。
3. 如何判断数据的分布是正态还是正偏态或负偏态。
4. 举例说明标准分的基本用途。
5. 举例说明各种测量水平（称名、等级、等距）的数据最适当的统计方法。
6. 联系当前实际，谈谈信息处理过程中应当重视的问题。

进一步阅读的相关文献

1. 侯光文. 教育评价概论 ［M］. 石家庄：河北教育出版社，1996.
2. 王孝玲. 教育评价的理论与技术 ［M］. 上海：上海教育出版社，1999.
3. 王钢. 定量分析与评价方法 ［M］. 上海：华东师范大学出版社，2003.
4. 吴钢. 现代教育评价基础（修订版）［M］. 上海：学林出版社，2004.
5. 黄光扬. 教育测量与评价 ［M］. 上海：华东师范大学出版社，2002.

7

教育评价的再评价

　　与其他专业活动一样，教育评价在其实施过程中不可避免地会出现一些偏差：如提出不适当的评价问题、对评价的结论解释不当、得出不明确或有争议的结论、评价的信息得不到充分的利用等。这些偏差的存在不仅使评价所花费的资源（时间、人力、物力等）不能收到应有的成效，更为严重的是，低劣的评价还可能提供错误的信息，产生误导作用。因此，教育评价自身也应成为评价的对象，以保证教育评价工作的质量，提高评价的效用。这种对教育评价进行的评价被称为再评价，也称为元评价。

第一节 教育评价再评价的标准

一、再评价的产生背景

随着评价在教育的各个领域得到广泛运用，并产生了不同的影响，人们在实践中深切地认识到，评价的成效在很大程度上取决于评价自身的质量。评价是一把双刃宝剑：科学的评价能对教育产生良好的促进作用；而低劣的评价不仅耗费了宝贵的教育资源，还会导致种种不良的后果。因此，对评价工作本身进行再评价，确保实施高质量的评价，成为教育界日益关注的问题。在这种背景下，再评价便应运而生。

再评价的概念与实践最早出现在美国。1965 年美国颁布了《中小学教育法案》（ESEA），联邦政府加强对补偿教育项目的资助，并要求对这些项目的执行情况进行法定的评价。因此，美国学术界开始关注评价活动的质量。许多评价者提出应当从研究搞得好的评价及不好的评价的主要特征着手，对教育评价的程序与标准进行再评价。不少专业评价工作者还提出了判断评价计划或报告的再评价标准。

为了制定一套被各方认可的再评价准则，从 1974 年起，以斯塔弗尔比姆为主席的美国教育评价标准联合委员会，在美国西密执安大学的评价研究中心开始对教育评价的专业标准进行研究。其主要意图有三个：第一，把分散在有关文献中的观点收集、编辑起来。第二，总结有关建议、告诫和经验。第三，对成功评价实践做出权威性规定，使评价的委托人和评价者有共同的参照点。

经过多年的努力，1981 年和 1988 年美国教育评价标准联合委员会先后公布了《教育方案、计划、材料评价的专业标准》和《人事评价标准》。从 20 世纪 90 年代初起，美国又开始研究学生需求与表现的评价标准。1991 年由美国教育统计局资助的合作性教育数据收集与报告

（CEDCAR）标准项目工作小组也公布《教育数据收集与报告标准》。

在我国，学术界对教育评价的质量也十分重视。从 20 世纪 80 年代中期起，在教育评价的蓬勃兴起的同时，教育评价的理论工作者和实践工作者就开始对评价自身的质量问题进行研究，并提出了指导评价工作的基本原则。到 20 世纪 90 年代初、中期，国内一些学者在有关教育评价的专著中开始列出专章论述再评价，如陈玉琨所著的《中国高等教育评价论》（1993 年 6 月）、吴刚所著的《现代教育评价基础》（1996 年 11 月）、侯光文所著的《教育评价概论》（1996 年 12 月）。当然，各家对再评价的观点不尽一致。

国外对再评价比较权威的解释是："再评价一般是指对评价技术的质量及其结论进行评价的各种活动。再评价就是评价的评价，其目的是向原来的评价者提出他们工作中存在的问题和片面观点。"①

从评价的实际情况看，这一界定所涉及的再评价范围过于狭窄，只涉及评价的技术质量和结论。本章试图把再评价的领域加以拓宽，扩展到评价工作流程的各个重要环节。

再评价是指按照一定的标准或原则对教育评价工作本身进行评价的活动。其目的是对评价工作的质量进行判断，规范与完善教育评价，充分发挥评价的积极功能。

对再评价的重视是教育评价理论与实践走向成熟的重要标志。

二、再评价的标准

要进行再评价，首先必须制定出判断教育评价质量的标准，这些标准是良好的教育评价必须满足的条件或特征。然后才能在实施评价时，

---

① 中央教育科学研究所比较教育研究室．简明国际教育百科全书·教育测量与评价［M］．北京：教育科学出版社，1999：65.

对照这些标准，规范评价工作，提高评价的质量。下面以美国为例，对再评价的标准作一简要的介绍。

在美国，教育评价已成为一种专业，学术界十分重视评价工作质量标准规范化。迄今为止，比较著名的评价专业标准有两个：《教育方案、计划、材料评价的专业标准》（1981）和《人事评价标准》（1988）。现以前者为例，加以简要介绍，供有关人员在进行再评价时参考（1988 年的《人事评价标准》则以本章附录的形式进行呈现）。

该标准是在美国教育评价标准制定委员会（包括 12 个美国著名的教育学术机构）和 200 多名其他人员（统计学家、管理人员、心理学家、教师、研究人员、咨询人员、心理计量学家、课程编制者、评价者和校董会等）的共同努力下，历时五年才制定并公布的。该标准充分听取了教育界有关各方的意见，反映了集体的经验和智慧。

教育评价的专业标准是由从事评价工作及与评价有关的专业团体，在总结评价的理论研究成果和成功的实践经验的基础上所制定的评价专业的基本规范，用于指导评价工作的研究和发展，并提高公众对评价的可信度。

（一）《教育方案、计划、材料评价的专业标准》的具体内容

该专业标准共分为 4 大类，30 条，详述如下。

1. 实效性标准（8 条）

实效性标准旨在保证评价能增进了解、及时并具有影响力。该标准强调了美国自 20 世纪 60 年代后期以来教育评价发展的新趋势：进行方案评价应当满足评价报告接受者的实际信息需求，而不仅仅从评价者的兴趣出发。

实效性标准是要确定一项评价是否满足评价对象对信息的需求，具体包括：

（1）评价报告接受者的确认：评价应当了解评价报告接受者的需要。

（2）评价人员的可信赖性程度：这是对评价人员所提出的基本素质要求。

（3）信息的范围和选择：评价信息收集应当以评价报告接受者的信息需要为依据。

（4）评价性的解释：对评价观点、程序和理论应当做出清晰的阐述。

（5）报告的清晰性：评价报告应当完整、明确。

（6）报告的传播：评价报告应广泛传播给各种用户。

（7）报告的及时性：评价报告应当及时。

（8）评价的影响：评价应具有激励性。

2. 可行性标准（3条）

由于教育评价通常是在自然（非实验室）状态下实施的，因此不应当收集不必要的材料，花费不必要的人力和时间。可行性标准反映了人们日益认识到成本效益的重要性，评价应当在社会现实的背景下具有可操作性，使教育评价从理想状态的研究走向现实背景中的实践。

可行性标准是要确定一项评价是否实际、审慎、富于策略和节俭，具体包括：

（1）实际的程序：评价应实际可行、尽量减少对被评价者的干扰。

（2）政治的可行性：评价应能协调不同立场，防止偏差的产生。

（3）成本——效益：评价应讲究效益。

3. 适当性标准（8条）

教育评价会以不同方式影响人们，应当保护人们的权利免受评价的影响。评价者要了解并遵守法律，如个人隐私权、信息的自由、不同利益冲突等。该标准反映了对评价中的法律和伦理问题、被评价者权利的关注。

适当性标准是要确定一项评价是否合法地、合乎伦理地实施，是否尊重并考虑评价所涉及对象（包括受评价结果影响的其他人）的福利。具体包括：

（1）正式的义务：评价应遵守事先签订的协议，有关各方均应履行自己的义务。

（2）利益的冲突：评价应处理好利益冲突。

（3）充分和坦诚的揭示：评价所提供的信息应当具有充分性和诚实性。

（4）公众知道实情的权利：在保证公共安全和隐私权的前提下，评价应具有公开性。

（5）人类主体的权利：在规划和实施评价时，应尊重和保护人类主体的权利和福利。

（6）人际交互作用：在评价者和被评价者相互作用时，应当尊重和保护人类的权利和福利。

（7）平衡的报告：评价报告应当指明被评价对象的优缺点，全面而公正。

（8）财务的责任：对评价资源的分配和支出应具有完善的责任程序。

4. 准确性标准（11条）

准确性标准旨在保证评价技术上的完善性，以便产生充分的、有效的、可靠的、客观的信息，使评价结论与资料具有逻辑的联系。

该标准反映了评价的"真实性"价值，用来判断其内在品质和外部功效。具体包括：

（1）对象的确认：评价应确认被评价对象（方案、计划、资料等）的状况。

（2）背景的分析：评价应作背景分析，确认评价对被评价对象可能产生的各种影响。

（3）目的与程序的描述：评价的目的与程序应充分详细地描述，以便能进行监控和确认。

（4）可靠的资料来源：评价应甄别各种资料的妥当性。

（5）有效的测量：应确保评价的解释对于特定的用途是有效的。

（6）可信的测量：应确保所获得的资料对于预期的用途，是能够充分信赖的。

（7）系统的资料控制：应对评价资料不断进行审查和修正，保证评价结果的正确性。

（8）定量信息的分析：对评价信息进行定量分析。

（9）定性信息的分析：对评价信息进行定性分析。

（10）合理的结论：评价应提供证据，使评价报告接受者能够接受这些结论。

（11）客观的报告：评价报告不应受任何团体以及个人的情感和偏见的歪曲。

（二）专业标准的协调及安排的次序

上述30条标准覆盖极广，过分重视其中一些标准可能会影响其他标准的达到。如为了追求获得有效、可靠的信息，以便产生有依据的结论可能会影响报告的及时性；强调节省评价的经费会对评价所获得信息的范围、评价报告的广泛传播等产生影响。因此，在不同评价场合、评价的不同阶段，评价者应充分考虑各种标准之间的协调性。

在宏观水平上，上述四组标准是按其重要性顺序排列的，呈现出递进关系。"评价是否值得进行"同"评价搞得好不好"，两者不是一回事。因此，在运用标准时，应按上述顺序对评价工作做出判断。

第一步，在决定是否进行评价时，应当首先运用实效性标准，评定评价能否产生实效。如不能产生实效，则没有必要花工夫制定能产生完善信息的评价设计。

第二步，如果确认评价能产生实效，再考虑其可行性。评价者、评价的委托者是否有足够的资源获得并报告所需的信息？能否获得有关各方的合作和政治方面的支持？评价信息的使用者是否认为值得投入时间与资源去获取信息？如评价不可行，就应当中止评价设计，不再考虑其他标准。

第三步，如确认评价是可行的，再进一步考虑其适当性。是否存在难以克服的利益冲突问题？或对个人的权利造成侵犯？

第四步，上述三个条件都满足后再考虑准确性标准。

总之，评价资源的分配应先用于确定是否值得进行评价，然后再考虑使评价建立在完善的证据基础上。

（三）专业标准的作用

美国教育评价标准联合委员会认为，专业标准可供评价者、心理学家、教师、管理人员、政府官员以及与评价有关的人员作参考。具体说来，标准具有如下一些作用。

（1）标准提供了评价质量的操作性定义，便于有关人员对评价的意义以及适当的程序达成共识。

（2）标准提供了处理各种评价问题的一般原则，也可用来判断评价设计与报告的质量。

（3）标准可以作为评价培训人员的内容，因为它全面而充分地体现了良好评价的基本特征。

美国教育评价标准联合委员会所制定的《教育方案、计划、材料评价的专业标准》为规范美国教育评价和再评价提出了可操作的程序，对提高评价的质量起到了积极的促进作用。

第二节　教育评价再评价的方法

如上所述，再评价是按照一定的指导原则或标准，对评价工作自身的质量做出评判。在实践中，对标准达成程度的判断大多采用定性的方法。

例如，美国学者沃森（Blaine R. Worthen，1974）曾总结了良好评价所应当具备的 11 条特性，并建议用这些特性来判断评价的质量。

第一，概念明确——评价应能明确阐述评价的中心问题、目的、作用和一般方法。

第二，突出被评价对象的特性——评价应全面、详尽地描述被评价对象的特性。

第三，确认并表达合法评价报告接受者的观点——所有合法的评价报告接受者应具有发言权并有机会审查评价结果。

第四，对评价中涉及的政治性问题具有敏感性——评价应能满意地处理好产生分歧的政治、人际和伦理问题。

第五，详细说明信息需求和来源——评价应当详细说明所需的信息及其来源。

第六，全面性——评价应收集所有重要变量和问题的信息，但无相互矛盾的数据。

第七，技术的充分性——评价的设计、程序和所产生的信息应当满足效度、信度和客观性的科学准则。

第八，成本考虑——评价应考虑到成本因素。

第九，明确的基准/准则——评价应明确列出并讨论判断被评价对象的准则和基准。

第十，判断或者建议——评价除了报告结果外，还应当提供判断和建议。

第十一，面向评价报告接受者的报告——评价应适时地向已确认的评价报告接受者提供形式适当的评价信息。[①]

除了利用概括性问题对评价的质量进行定性判断外，对其中的某些质量指标还可以进行定量判断。

---

① Worthen B S, A Look at the Mosaic of Educational Evaluation and Accountability. Portland, OR: Northwest Regional Educational Laboratory. 1974.

一、效度鉴定

评价的效度是判断评价质量的最重要的技术指标。它是指评价结果的有效性或准确性，即评价对其所要评判的特性准确评价的程度。换言之，评价的效度要求评价的结果应当符合评价的目的。如果一个评价效度很低，其实际效果必然不佳。因此，再评价者必须十分重视对评价的效度进行鉴定。

（一）评价指标体系的效度鉴定方法

评价指标体系（及工具）的有效性主要表现在两个方面：能够充分覆盖所要评价的内容，能够准确地提供被评价对象特性的信息；评价的结果能够反映制定指标体系时的理论构想。前者是指指标体系的内容效度，后者是指指标体系的结构效度。

内容效度鉴定一般采用逻辑分析的方法。人们通常采用专家判断的方式来确定评价指标的内容效度。如对学生学业成就进行评价时，评价者一般都以学科测验作为评价的指标。学科测验是否能真正体现大纲所规定的培养目标，需要进行效度检验。最常用的做法是由评价者先提出命题的双向细目表，并编制相应的试题。然后，请若干学科专家（作为再评价者）根据试卷，判断各道试题所实际测量的学科内容及认知水平，列出评判的双向细目表。把两张双向细目表进行对照，两者的一致性程度越高，评价的效度也就越高。

通过专家判断确定指标或工具的内容效度，是最常用的方法，简便易行。其优点是可在评价实施前进行，根据判断结论及时进行修订，使评价的指标或工具具有较高的内容效度。其缺点是容易受专家主观经验的影响，且缺乏可靠的数量指标，妨碍了各种指标或工具之间的相互比较。

指标或工具的结构效度分析一般采用因素分析的方法。因素分析是一种常用的多元统计分析方法，其主要用途是从众多变量的交互相关中找出起决定作用的少数几个基本因素。下面以华东师范大学学能测验课题组编制的我国高中生学能测验（美国 SAT 模式）为例，对结构效度分析的过程作简要的阐述：首先提出学能测验的能力理论构想框架，如把语言能力分为系统化知识，接受、理解能力，处理信息能力与表达能力 4 种子能力，每种子能力又细分为若干测量要素（共 16 个）。然后根据预定的能力结构框架编制试题，经抽样（样本学生为上海市 235 名高三在校生）实测后，对测量结果进行因素分析。具体过程如下所示。

（1）计算代表各测量要素的试题（组）得分之间的相关，求出各测量要素的相关矩阵。

（2）用特征值法计算初始因素负荷矩阵，并进行方差极大正交旋转方法（保留全部因素），得到方差极大正交旋转因素负荷矩阵（见表 7 - 1）。

表 7 - 1　学能测验语言分测验的因素负荷矩阵表（$N = 235$）

能力层次	要素	因素 1	因素 2	因素 3	因素 4	公共因素方差
系统化知识	1	0.08	- 0.43*	0.11	- 0.11	0.27
接受、处理信息能力	2	- 0.03	- 0.45*	0.06	- 0.12	0.22
	3	0.12	- 0.29	0.02	0.31*	0.20
	4	0.10	- 0.56*	0.08	0.10	0.34
	5	0.11	- 0.71*	- 0.07	- 0.05	0.52
	6	- 0.07	- 0.65*	- 0.02	0.02	0.42
	7	- 0.02	- 0.48*	- 0.12	- 0.43	0.43
处理信息能力	8	0.11	- 0.38	0.21	- 0.41*	0.37
	9	0.05	0.02	0.08	- 0.66*	0.45
	10	0.10	- 0.15	0.01	- 0.67*	0.48
	11	0.07	- 0.09	0.88*	- 0.04	0.79
	12	0.07	- 0.05	0.87*	- 0.06	0.76

续表

能力层次	要素	因素 1	因素 2	因素 3	因素 4	公共因素方差
表达能力	13	0.80*	−0.07	0.08	0.04	0.65
	14	0.88*	−0.03	0.03	−0.09	0.78
	15	0.88*	−0.03	0.07	0.06	0.78
	16	0.86*	−0.10	0.03	−0.18	0.78
公共因素方差贡献		2.99	2.14	1.63	1.43	
贡献率		18.7%	13.4%	10.2%	8.9%	51.2%

注：带 * 的数据表明可归入该因素。

从表 7−1 可见，因素 1 即表达能力。因素 2 由系统化知识及接受、理解能力构成。因素 3 由信息处理能力中的选择与中心相关的句子、选定句群的结构排序两个测量要素构成。因素 4 由信息处理能力中的类比、审改句子、审改段落三个测量要素以及接受、理解能力中整体把握主题或逻辑关系这一测量要素构成。

公共因素方差的累计贡献率为 51.2%，表明这四个因素可解释测验方差的程度。其中表达与接受、理解能力两种能力的贡献较大，表明语言能力中表达与阅读理解居于重要地位。

综上所述，对实测数据的因素分析基本上验证了预定的语言学能的结构设计。不同之处是：系统化知识与接受、理解能力合并为一个因素，而处理信息能力则分解为两个因素。因此，因素分析能验证或深化人们对指标体系或工具结构效度的认识。

（二）评价结论的效度鉴定方法

评价结论的效度检验既可以采用定性的方法，也可以采用定量的方法。两者都属于效标关联效度，即根据效标来判断评价结论的有效性。

1. 最常用的定性方法是三角互证法，即用不同来源的定性材料来证实同一结论

例如，在评价教师时，不少学校采用教师自评、同事评价、领导评价相结合的方式，有些学校还参照学生评价的意见。这些针对特定教师的、不同来源的评价信息之间的一致程度越高，评价结论的效度就越高。同样，也可以通过搜集信息的不同方法（如查阅学校档案、与教师面谈、观察学生）进行效度互证，寻找信息的会聚点，来评价资料（或结论）的真实性。①

2. 在评价结论采用定量方式时，则可用相关法计算评价结论的效标关联效度

计算相关的具体方法应当依评价结论及效标的量化水平而定，可采用积差相关法等方法。一般说来，效标关联的相关系数越高，评价结论的有效性也越高。

上述两种效度鉴定是相互联系的。一方面，评价的指标和工具的有效性是评价结论有效性的基本前提，另一方面，前者又是为后者服务的。因此，从根本上看，判断评价的有效性要以考评结果与被评价者实际表现的一致性为最终依据。这不仅是因为评价结论对被评价者具有重要的影响，而且还由于评价结论的有效性应当具有坚实的实证基础。

总之，有效的评价应当正确地揭示被评价者的实际，并做出相应的价值判断。

（三）影响评价效度的因素

实践表明，对评价效度产生较大影响的因素包括：

---

① 威廉·维尔斯曼. 教育研究方法导论［M］. 袁振国，译. 北京：教育科学出版社，1997：316.

1. 评价指标和工具的科学性

评价指标体系的科学、合理、针对性，评价工具能充分体现评价指标的核心内容，搜集到所需的信息，是有效评价的基本前提。为此，评价指标和工具在正式使用前，须进行多次试用和修订。

2. 评价实施的质量

评价实施的质量包括评价是否严格按照预定的程序进行，是否选择了适当的时间和场合进行，是否排除了各种人为因素（或偏差）的影响和干扰等方面。要科学、规范、客观地实施评价，再评价的组织者应采取有效的培训和监控措施，提高评价者的自身素质，鼓励被评价者的积极参与。

3. 效标特征

选择适当的效标是保证评价效度的关键因素。再评价者应当十分慎重地选择效标，效标应当可靠，而且要尽量避免出现效标污染情况，即效标包含了与评价目的无关或关系不大的内容。

4. 被评价者的特性和样本的代表性

被评价者的兴趣、动机、情绪、态度和身体状况，对评价项目的反应性等对效度也有重要影响，应当予以充分的重视。在进行抽样评价时，还应当注意样本的代表性。一般说来，在其他条件相同的情况下，样本的异质性有助于提高评价的效度。

二、信度鉴定

评价的信度也是判断评价质量的最重要的技术指标。它是指评价指标（或工具、结果）的可靠性、一致性和稳定性程度。评价如果信度很低，其结果就缺乏可靠性。因此，再评价者必须十分重视对评价的信度进行鉴定。

（一）评价信度鉴定的方法

1. 评价指标的信度鉴定方法

评价指标信度的鉴定方法主要采用内在一致性信度。一般说来，同组各分指标的内在一致性程度越高，该组指标的信度也就越高。对指标系统而言，由于各个一级指标大多是异质的，如第一个一级指标与办学条件有关，第二个一级指标与办学过程有关，第三个一级指标与办学成果有关，此时应当用复本法或再测法来估计指标系统的信度。

2. 评价工具的信度鉴定方法

评价工具的信度的鉴定也主要考查工具的内在一致性信度、稳定性信度和等值信度。

3. 评分者信度鉴定方法

在教育评价中，评价者对被评价对象评判的稳定和可靠程度，对整个评价的可靠性具有重要的影响。研究表明，不同主评者在评价同一对象时，评价的结论会产生重大的差异。

1983 年，北京师范大学课题组曾对高考的评分误差进行过研究。他们从北京市随机抽取了语文、政治、数学、物理 4 科各 5 份试卷，复印后分发给全国 28 个省、市、自治区的高考阅卷组评阅。同时又请某省高考阅卷组从 9 门考试科目中各随机抽取 5 份试卷，复印后由同一科目的各阅卷组分头评阅。结果如下：就全国而言，各地对 5 份试卷评分的最大差异为：语文 19～32 分；政治 12～23 分；数学 8～15 分；物理 6～13 分。就一省而言，不同阅卷组对同一份试卷评分的最大差异为：语文 23 分；政治 7 分；数学 11 分；物理 2 分；化学 7 分；生物 10.4

分；地理 4 分；历史 6.7 分；英语 1.5 分。[①]

这些评分误差都是在采用相同的评分标准的情况下出现的。一般来说，学生的学科成绩因评判标准较为明确，还相对容易评定。如对较抽象的行为特征，如进取性、合作精神等进行判断，标准就更难把握，误差更难避免。因此，在一个以上的评价者进行评判时，应当分析评价者的评分信度，对评分误差做出估计。如果评分误差过大，很难得出综合结论。

计算评分信度一般采用相关分析。当计算两个评价者的评分一致性时，可采用皮尔逊积差相关法（评分为连续性分数）或斯皮尔曼等级相关法（评分为等级或名次）；当计算两个以上评价者的评分一致性时，可采用 α 系数法（评分为连续性分数）或肯德尔和谐系数法（评分为等级）。下面各举一例加以说明。

例 1. 两位评价者分别对 10 名学生的学习态度进行评价，并以名次来表示评价的结果。评价结果如表 7－2 所示。问这两位评价者的评分是否一致（即评分者信度如何）？

表 7－2　两位评价者的评分信度计算表

学生 N	1	2	3	4	5	6	7	8	9	10
评价者 A	7	2	5	8	1	9	10	6	4	3
评价者 B	4	2	1	6	8	7	10	9	5	3
$D = R_A - R_B$	3	0	4	2	－7	2	0	－3	－1	0
D^2	9	0	16	4	49	4	0	9	1	0

注：表 7－2 的最后两行是为便于说明计算过程而列出的。

由于评价的结果用名次表示，因此可用斯皮尔曼等级相关法计算评

[①]　国家教育委员会学生司．标准化考试简介［M］．北京：高等教育出版社，1985：83－90.

分者信度。

斯皮尔曼等级相关的计算公式为：

$$r_s = 1 - \frac{6\sum D^2}{N(N^2-1)},$$

式中，D 为各对偶等级（名次）之差，N 为被评者人数。

具体计算如下：

$$r_s = 1 - \frac{6\sum D^2}{N(N^2-1)} = 1 - \frac{6\times(9+0+16+4+49+4+0+9+1+0)}{10(10^2-1)}$$

$$= 0.44.$$

可见，这两位评价者的评分信度不高。

等级相关的优点是适用范围比积差相关大，又对数据的总体分布无特定要求，在小样本情况下，计算十分简单。缺点是在能够用积差相关的场合改用等级相关计算，精度稍差。

在评价结果用等级表示时，常会出现几名学生的等级相同，此时，计算方式要复杂些，有兴趣的读者可参阅有关的教育与心理统计书籍，在此不再详述。

例2. 三位评价者对7名教师的工作业绩进行评价，并以名次来表示评价的结果。评价结果如表7－3所示。问这三位评价者的评分是否一致？

表7－3　三位评价者的评分信度计算表

教师 N	1	2	3	4	5	6	7
评价者 1	3	6	5	1	4	2	7
评价者 2	5	6	4	1	3	2	7
评价者 3	2	7	5	1	4	3	6
R_i	10	19	14	3	11	7	20
R_i^2	100	361	196	9	121	49	400

注：表7－3的最后两行是为便于说明计算过程而列出的。$\sum R_i = 84$，$\sum R_i^2 = 1236$.

由于评价的结果用名次表示，且评价者超过两人，因此，可用肯德尔和谐系数法计算评分者信度。

肯德尔和谐系数的计算公式为：

$$W = \frac{\sum R_i^2 - \frac{(\sum R_i)^2}{N}}{\frac{1}{12}K^2(N^3 - N)},$$

式中，K 为评价者的人数，N 为被评价者的人数，R_i 为 K 个评价者对同一被评者所给予的秩次之和。

具体计算如下：

$$W = \frac{1236 - \frac{84^2}{7}}{\frac{1}{12} \times 3^2 \times (7^3 - 7)} = 228/252 \approx 0.90.$$

可见，这三位评价者的评分信度（一致性程度）相当高。

（二）信度的数值范围

由于信度是用相关系数来表示的，其数值范围为 0.0～1.0，通常是一个小数。信度系数越接近 1，表明评价的信度越高。

国外的学者对众多标准化测验的信度进行研究后，发现学业成就考试、能力测验的信度较高，一般可达到 0.9 以上；而兴趣、性格、态度等人格测验的信度稍低些，大多为 0.80～0.85 之间。评价认知发展的指标或工具可靠性较高的原因可归结为认知水平相对稳定、容易外显、被评价对象乐于合作、编制技术成熟完善等；而人格测验所测量的特性更加复杂、不太稳定，在一些敏感问题上，被评价对象不愿暴露其真实想法、测量技术不够完善等因素导致了信度较低。他们建议，当评价工具的信度系数≥0.85 时，进行个人比较较为适当；而信度系数≥0.70 时，适宜进行团体比较。

尽管全面评价学生、教师或学校，要比进行单项评价更加复杂，面临的困难更多，但上述这些经验性的结论，是可供我们参考的。

（三） 影响信度的因素

从总体看，被评价者与评价者状态、评价工具（指标）、评价过程与评分等因素均能引起随机误差，导致评价结论的不一致，降低评价的信度。了解影响信度的主要因素可帮助评价者采取相应的措施，提高评价的可靠性，并对评价的信度做出合理的解释。影响评价信度的因素可简要归纳如下。

1. 被评价对象的情况

就被评价者情况来说，被评价对象团体的异质性越大，分数的分布范围越大，信度系数就越高；此外，信度还受被评价对象团体平均水平的影响，对于不同水平的团体，相同的评价项目会具有不同的难度，项目难度的变化累积起来便会影响信度。

2. 评价指标和评价工具

一般来说，随着评价指标或工具项目的增多，信度值也会有所提高。首先，项目的增加提高了取样的代表性，有助于反映被评对象的真实水平，从而提高了评价的信度；其次，项目增加后，每个项目的随机误差可相互抵消。需要指出的是项目的增加与信度的提高遵守报酬递减的规律，当项目达到一定数量后，再增加许多项目，对信度提高的作用微乎其微。

在学业评价中，测验的难度对其信度也会产生间接的影响：当试题过易时，会导致学生得分的范围缩小，从而降低信度；当试题过难时，学生可能凭猜测作答，也同样会降低信度。而难度适中的试题，有利于扩大分数的分布范围，考核出各种层次学生的实际水平。

3. 实施评价过程中的各种因素

在评价实施过程中，也会有一些导致误差出现的因素。如评价的环境与氛围；主评者的素质、主评者与被评价对象的关系；被评价对象的动机、态度、情绪、身体状况；意外的干扰等。评价者应当注意创设良好的评价环境，对可能产生评价误差的各个环节要密切监控，出现问题，及时纠正。

4. 评分误差

减少评分误差是提高评价信度的有效措施。减少评分误差，首先要提高评价人员的自身素质，包括高度责任感、敬业精神、理论与技术素养等；在多人进行判断时，要加强对评判者的培训，学习、领会和把握好基准，严格按照统一的基准进行评分；同时采取有效的监控措施，如相互核查、抽样检查等。努力消除评分中主观随意性或因疏忽而引起的登录、加总的误差，为评价提供可靠的信息。

三、信度与效度的关系

信度与效度具有密切的关系。从理论上讲，提高信度是提高效度的必要条件，效度受到信度的制约；但信度是效度的必要条件而非充分条件，信度高并不一定保证效度高。

我们可以用射击的靶形图来形象而粗略地说明信度与效度的区别和联系。在靶形图中，以射击打中靶心作为效度高（即准确性高）的标志；而以射击的着弹点集中作为信度高（即稳定性高）。在评价中，信度与效度的关系可能会出现如下 4 个示意图中的一种情况（见图 7 - 1）。

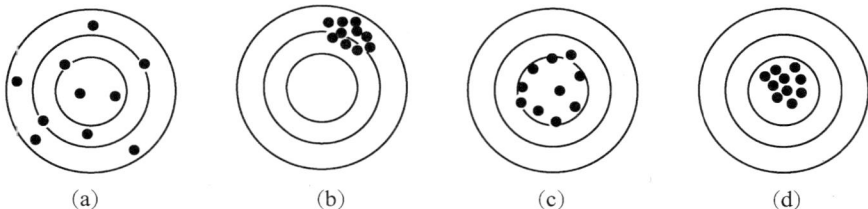

(a)　　　　　(b)　　　　　(c)　　　　　(d)

图 7 - 1　信度与效度的关系

　　从图 7-1 中可以看出，图（a）中的着弹点散布于靶子各处，说明效度、信度均不高；图（b）中的着弹点集中，但远离靶心，说明效度较低，信度高；图（c）中的着弹点分散在靶心的周围，说明具有较高的效度与中等的信度；图（d）中的着弹点均集中靶心，说明效度、信度均很高。

　　一次评价如果具有很高的效度和信度，这是十分理想的。但由于教育评价对象的特性十分复杂，在实践中，提高评价的效度和保证其信度有时会发生一些冲突，两者不容易兼顾。我们认为，在评价的效度与信度发生冲突时，首先应当保证评价的效度，在此基础上再努力提高评价的信度。

　　近年来，教育部有关部门为了提高各地的中考（初中升高中的考试）的质量，已开始进行试验性研究，并准备在试点的基础上逐步推广。例如，教育部要求各地在语文中考中增加了非客观题的比重，以便更有效地考核学生的阅读理解和书面表达能力，即提高中考的效度。但非客观题的增加，会导致评分误差的增大。因此，必须采取相应的措施加强对评分误差的控制。1998 年 4 月教育部在《关于中考语文考试改革试点工作的指导意见》中，要求各地最大限度地减少作文的评分误差，同一篇作文，要有三人以上独立评阅，同时要加强对阅卷过程的监控和阅卷质量的监督。可见，教育部关于提高中考质量的措施是十分科学、正确的。

第三节　教育评价再评价的实施

　　本节从再评价的内容和形式、再评价的实施者、实施再评价的基本步骤、实施再评价的方法这四个方面对再评价作一简述。

一、再评价的内容和形式

（一）再评价的实施时间与内容

如前所述，评价准备、实施和报告结果三个阶段是教育评价流程的重要环节，环环相扣，缺一不可。这三个阶段的工作好坏，对评价的总体质量都具有直接的影响。

从系统的观点看，仅仅在评价报告完成后再进行再评价的做法是不充分的。当然，事后进行的再评价也有其积极作用，总结经验教训有利于提高今后评价工作的质量。但亡羊补牢不如未雨绸缪。评价者应当在评价的各个关键阶段经常进行内部或外部的检查，以便及时解决评价中可能出现的种种偏差。因此，完整的再评价应当包括：对评价的设计审核、对评价进展的监控、对评价工具的审核、对评价报告的审核以及对评价的效果的总体评价。

1. 在评价设计完成后进行的再评价

对评价设计进行再评价的目的是以确保评价设计的科学性、可行性和完备性。具体要求为：评价对象明确；评价目的正确；评价准则合理，权重得当；评价基准符合评价目的；评价实施计划周密等。

2. 在评价实施过程中进行的再评价

对评价实施过程进行再评价的目的是核查并监控评价工作进展，及时处理所发现的问题；确保在规定的时限与预算内完成各项评价任务；必要时，还可以对评价计划作相应的调整。具体要求为：评价的组织机构健全（包括领导机构、实施机构和信息反馈机构）；评价者按计划要求实施评价，并能根据实际情况及时修正计划；被评价者能积极参与等。

3. 在评价工具和程序的开发过程中进行的再评价

对评价工具和程序进行再评价的目的是核查其科学性和可行性，以便能搜集到评价所需的各种信息。具体要求为：评价工具设计合理；收集和处理评价信息的程序选用得当，具有可操作性等。

4. 在评价报告完成时进行的再评价

对评价结论和报告的质量进行再评价的目的是确保评价结论的可靠性和报告的规范性。具体要求为：评价结果客观、有效、可靠；结论有充分依据、解释合理；评价报告规范；能指明被评价者的主要优缺点，并提出改进建议；报告公布及时等。

5. 在评价总结阶段进行的再评价。

对评价工作进行总体再评价的目的是检查评价工作的效果和效率。具体要求为：评价实现了预定的目的，资源（人力、物力、时间）安排和使用得当，效率高；被评价者认可并接受评价结论；评价能发挥积极的功能——推动和促进被评价者的工作。必要时，还可以通过调查，了解各环节再评价对评价产生的影响。

（二）再评价的形式

再评价的形式主要包括内部审核和外部审核两种，与常规评价中的自评和他评相类似。

内部审核式的再评价是由评价者或评价指导小组实施。在评价各重要环节，评价者可以采用开会（论证会、座谈会、讨论会等）、问卷调查或个别访谈的形式，向评价工作人员和其他与评价有关者征求意见，及时了解他们对评价设计、实施、评价的工具和程序、评价结果及报告的准确性和及时性、评价的效率、评价的效果等问题的看法和建议。每次内部的审核都应做好详细的记录，整理归档。内部审核式的再评价结论，不仅可用于改进评价工作，也可为外部审核提供良好的基础。

外部审核式的再评价是由局外的小组实施的。再评价小组的成员需具有从事类似评价的经验，且与该评价无直接的利害关系。外部再评价者在评价的各重要环节都能起到积极的作用。例如，他们可以审核评价的计划、评价的工具和程序、评价的结论与报告等，他们还可以在评价过程中提供技术性帮助和咨询性意见。在每个审核阶段，外部再评价者可通过现场访问，充分了解有关评价的档案、评价的工具、评价的资料、报告并同参评者以及评价的使用者面谈。在获得足够信息的基础上，外部再评价者对评价工作的质量做出独立的判断，并提出相应的、有针对性地改进建议。

一般而言，内部审核的针对性较强，而外部审核的权威性较强。因此，在再评价中，应当结合使用，以便发挥综合的整体效应，提高评价工作的质量，使评价收到实效。

二、再评价的实施者

从理论上说，原来的评价者、被评价者、评价信息的使用者以及外部的专业评价者都可以实施再评价。但应当指出，由于上述人员存在着能力与利益上的差异，不同的再评价实施者所做出的判断的准确性、客观性以及精致程度会各不相同。

（一）由原评价者实施再评价

客观地说，由原评价者实施再评价是利弊并存的。原评价者的优势在于熟悉和了解评价的背景、评价的开发及发展过程，能直接进入再评价，而局外评价者一般都需要相当的准备时间。但原评价者实施再评价的最大缺点是缺乏充分的客观性及必要的旁证。原评价者难免存在个人认知偏差、思维定式，也大多带有"敝帚自珍"的感情色彩，这些因素可能导致在再评价中出现主观的倾向，从而降低了再评价的可信程度。

一般说来，公众不太认可仅由原评价者实施的再评价。在条件许可的情况下，原评价者至少应当请一些友好而坦率的同事进行再评价，以增强再评价的客观性。如果由于时间和经费的限制，连这点也做不到，那么，原评价者只能通过对照评价的专业标准，来审核自己所进行的评价的质量，对可能出现的主观偏差进行适当的制约。

总体来说，由原评价者实施再评价，对于提高自我监控意识和能力，改进评价工作具有一定的作用。但为了增强再评价的可信性，应当邀请局外评价者实施再评价。

（二）由被评价者、评价资助者或评价报告接受者实施再评价

被评价者是评价工作不可缺少的一方，他们参与评价的许多重要过程，对评价有亲身的体验，对评价的优缺点有自己的独特看法，也可以成为再评价的实施者。但由于评价对被评价者的利益具有重要影响，获得不同评价结论的被评价者对评价的看法差异极大。强烈的个人情绪和感情色彩会严重影响到再评价的客观性。此外，由于被评价者缺乏必要的评价理论与技术，他们所进行的再评价也往往显得不太科学。

评价的资助者、评价报告接受者虽然角色不同，但都十分关注评价的质量，也可以进行再评价。一般来说，与被评价者实施的再评价相比，两者并非评价的参与者，具有一定的独立性，态度较为中立、客观。但两者的主要不足是缺乏必要的评价理论与技术。为了更好把握评价的专业标准，最好聘请一位技术专家来澄清或解决专业性较强的评价标准。

总体来说，被评价者、评价资助者或评价报告接受者都可以为再评价提供必要的补充信息，但由他们独立进行再评价并不十分妥当。

（三）由外部的专业评价者实施再评价

在其他条件相同的情况下，由外部的专业评价者实施再评价是一种最佳的安排。布林克霍夫等人认为：与内部再评价者相比，公众通常更

信任外部的再评价者，因为他们与评价本身无直接的利害关系；能保证再评价的公正和客观。专业评价者具有坚实的评价理论和技术功底，丰富的评价实践经验，能就评价的关键问题和环节提出中肯的判断意见，再评价的效率较高，科学性较强。此外，采用由专长不同的人员组成的小组实施再评价，其效果会更佳。当然，与此同时，再评价所花费的资源也更多。

综上所述，在选择再评价的实施者时，要考虑各方面的因素，根据再评价的具体要求，选择最适当的实施者。在条件许可的情况下，采用不同背景的再评价实施者，有利于搜集到多种信息，使再评价更加科学、公正，促进评价水平和质量的提高。

三、实施再评价的基本步骤

实施再评价要遵循一些基本步骤，这些基本步骤是保证再评价科学、规范进行的必要途径。现以对评价方案的设计进行再评价为例，说明再评价的一般步骤。

（一）明确再评价的对象和内容

在本例中再评价的对象和内容是指获得一份评价方案设计的复本，以便对方案设计的充分性进行再评价。

（二）确定再评价的实施者

再评价的组织者应当根据需要和可能，选择最适当的再评价实施者。实施者既可以是内部成员——原设计者或原设计者的同事等，也可以是外部成员——评价的发起者、评价结论的用户、专业评价人员等。

（三）获得实施再评价的授权

再评价实施者应当以协议或合同的方式获得再评价组织者的授权，

以便合法地实施再评价。再评价的组织者应当向再评价的被评价者公开宣布这一授权，并要求被评价者进行合作，共同搞好再评价工作。

（四）　制定或选择再评价的原则或标准

如果再评价由评价的发起者（资助者）或评价报告接受者实施，他们可以自行选择或制定所需的再评价的原则或标准。如果聘用评价专家实施再评价，那么，再评价者应就原则或标准问题与评价的发起者或用户达成一致，体现他们的特定需求。一般而言，如未经过充分论证，自定标准不如公认标准那么可靠。

（五）　把评价方案设计与再评价的原则或标准相对照

对照再评价的原则或标准，对评价方案的设计进行详尽的分析。

（六）　判断评价方案设计的充分性

根据所认可的原则或标准对评价方案设计的充分性（包括科学、合理、可行、完备等方面）进行判断。应当指出，评价方案设计不可能是完美无缺的。因此，判断应着眼于方案设计的总体质量是否达到可接受的水平。在分析、判断的基础上，写出再评价的报告。

（七）　提出改进的建议

对于形成性再评价而言，改进建议可供评价方案的原设计者在修订方案设计时作参考；对于终结性再评价而言，建议可为改进今后的评价方案设计服务。

四、再评价的方法

再评价的方法除了运用信度鉴定和效度鉴定外。在收集再评价信息时，常常采用访谈、问卷、文献等方法；在对再评价的信息进行分析、判断时，经常采用定性、定量的分析方法。

五、再评价的现状亟待改进

尽管近年来各国评价界都十分重视再评价，但严格实施的再评价却不多见。从总体看，多数教育评价尚未进行再评价，评价者所作的结论便成为定论。即使对有些评价进行了再评价，但大多数是由原评价者实施的，采用的是内部审核的形式。因此，再评价在理论上得到重视，实践中推行不力的脱节现象普遍存在。产生这些现象的主要原因大致可归结如下：

从观念上看，再评价工作未能广泛推行的原因在于评价者和被评价者对再评价的重要性缺乏足够的认识。尽管评价会对被评价者产生重要的影响，但由于评价者的地位和身份一般较高，被评价者大多被动地接受了评价的结论，很少对评价工作的质量提出质疑。而另一方面，评价者大多认为自己是专业人员，所进行的评价是经过充分准备的、正确的，有敝帚自珍的感觉，不太愿意再让别人来评价自己的工作。这两种态度都影响着再评价的正常开展。

正确的做法是评价者和被评价者都应该从义务和权利两方面明确自己的责任。就被评价者而言，他们不仅有配合评价的义务，也有得到高质量评价的权利；因此，被评价者应当增强自我保护的意识，要求进行再评价，以提高评价的质量，从而保证得到客观而公正的评价结论。就评价者而言，他们有实施评价的权利，也有公正、客观进行评价的义务；因此，评价者应当抱着对评价委托者和被评价对象负责的态度，不断检查、反思自己的工作，自觉、主动地进行再评价，以纠正各种偏差，提高评价的质量、声誉和实效。

从外部条件看，再评价工作未能广泛推行的原因主要有两条。首先，缺乏必要的监控制度，即对评价进行再评价尚未真正形成制度。根据系统论的观点，任何工作都可能会出现偏差，只有进行及时而有效的监控，才能纠正偏差，使工作有序、正常地进行。评价也不例外。只有通过再评价对评价进行监控，才能提高评价的质量，使评价真正发挥积极的作用。在建立评价的监控制度时，除了把再评价作为评价工作必不可少的有机组成部分外，还应当建立对评价内容、过程及结论持不同看法者的申诉制度和仲裁制度等，以防止评价权力的滥用，造成不良的影响。其次，缺乏再评价的资源。评价与再评价都需要充分的资源才能进行。再评价的资源同样包括人力和物力两个方面。在人力方面，存在的主要问题是缺乏合格的再评价专业工作者；在物力方面，存在的主要问题是大多数评价者在设计评价方案和计划时，常常只考虑评价工作所需的各种资源，未把再评价所需的资源列入评价的预算。就人力和物力两者而言，后者似乎更加重要。因为没有专业外部再评价者，还可以由非专业的、内部的人员实施再评价；而如果在评价设计时就把再评价置于脑后，再评价是根本不可能进行的。

综上所述，尽管我们可以理解完善的再评价很难进行这一现象，但决不能忘记，不进行再评价将使得低劣的评价实践招摇过市，长此以往，必然会严重影响评价的声誉。因此，当务之急是先使再评价能从理论意识变为实际行动，再逐步提高再评价的质量。

小　结

本章主要论述了对教育评价进行再评价时所涉及的一些重要问题。

随着教育评价的深入开展，人们日益认识到教育评价所具有的重要影响，要求对教育评价工作本身进行评价，以保证教育评价工作的质量，提高评价的效用。

再评价是指按照一定的标准或原则对教育评价工作本身进行评价的活动，其目的是对评价工作的质量进行判断，规范与完善教育评价，充分发挥评价的积极功能。对再评价的重视是教育评价理论与实践走向成熟的重要标志。

国内外对评价所依据的标准和基本的指导原则进行了较为深入的研

究，这些标准和原则对提高评价工作的质量起到了重要的促进和保证作用。

近年来，国内外的再评价的领域有所扩展，但仍需进一步完善。首先应当建立起健全的再评价制度，其次应当规范再评价的程序。此外，还要保证再评价获得必要的人力和物力的资源，使再评价从理论探讨走向实际运用。

不同类型的效度与信度，有不同的鉴定方法。在对评价的效度与信度进行鉴定时，要充分考虑到有关的影响因素，尽可能减少各种误差，提高评价的效度和信度。在效度与信度发生冲突时，正确的策略是首先保证评价的效度，在此基础上再努力提高评价的信度。

思考题

1. 为什么要对评价进行再评价？由谁来实施再评价？何时进行再评价？
2. 良好的评价应具备哪些特征？
3. 实施再评价应遵循哪些要点和步骤？
4. 如何进行评价的效度鉴定？
5. 如何进行评价的信度鉴定？

附录：《人事评价标准——如何评定评价教育工作者的制度》

1988 年美国教育评价标准制定委员会颁布了《人事评价标准》，旨在为教育机构提供评定的准则和指南，改善其对教育工作者资格及表现所进行的评价。

该标准与正文中介绍的《方案评价专业标准》的结构与思路大致相同，但结合人事评价的特点，增加了一些标准（用 * 号标明），对类似的标准也进行了相应的修改。

《人事评价标准》分 4 大类，21 条，简述如下。

1. 适当性标准

要求评价应当合法、合乎伦理地进行，尊重被评价者和评价报告接受者的利益。

（1）服务定向*：对教育工作者的评价应当促进完善的教育原理、实现机构的宗旨、工作职责的有效表现，以便满足学生、社区与社会的需要。

（2）正式的评价指导纲要*：人事评价的指导纲要应当陈述政策、经协商达成的共识，并遵守有关的法律与伦理守则。

（3）利益的冲突：应当确认冲突的利益，并公开而真诚地加以处理，使这些冲突不至于危及评价的过程与结果。

（4）人事评价报告的使用权*：人事评价报告的使用权应当只限于有合法审查和使用的有关人员，以确保信息的适当使用。

（5）与被评价者的相互作用：应当以专业的、审慎的、合乎礼仪的方式向被评价者传达评价（结果），使之有助于提高被评价者的自尊、动机、专业声誉、表现以及对人事评价持有积极的态度。

2. 实效性标准

指导评价，使之增进了解、及时、具有影响力。

（1）建设性定向*：评价应当是建设性的，以便帮助机构开发人力资源，鼓励并帮助被评价者提供优良的服务。

（2）明确的用途*：应当确认人事评价的使用者和预期的用途，使评价能够表达适当的问题。

（3）评价人员的可信赖程度：评价系统应当由具有必要资格、技能和权威的人士管理和实施，评价者应当体现专业的行为，从而使评价报告得到尊重和使用。

（4）有功效的报告：报告应当明晰、及时、准确及切题，对被评价者与评价报告的其他接受者具有实际价值。

（5）追踪与影响*：对评价应进行追踪，以帮助用户和被评价者理解评价结果并采取适当的行动。

3. 可行性标准

评价系统应当尽可能便于实施，有效地使用时间与资源、得到充分的经费、从其他各种立场看来也是可行的。

（1）实用的程序：人事评价程序的规划和实施，应当在提供所需信息的同时尽量减少干扰和成本。

（2）政治可行性：应当合作开发和监控人事评价系统，使有关各方能建设性地参与，使系统正常运行。

（3）资源可行性：应当为人事评价活动提供充分的时间和资源，使评价计划得以有效的实施。

4. 准确性标准

要求所获得的信息在技术上是准确的，结论与数据有逻辑联系。

（1）明确的角色：应当明确界定被评价者的角色、职责、表现目标及所需的资格，以便使评价者能确定有效的评定准则。

（2）工作环境：应当确认、描述、记录被评价者的工作背景，以便在评价时考虑环境对表现的影响和限制。

（3）程序的记录：应当记录评价所经历的实际程序，以便被评价者与其他使用者能对照预定程序对实际程序进行评定。

（4）有效的测量：应当依据所描述的角色及预期的用途，选择、开发和实施测量程序，以便使对被评价者做出的推断有效而准确。

（5）可靠的测量：选择、开发的测量程序应当确保其信度，以便使所获得的信息能为被评价者的表现提供一致的指标。

（6）系统的资料控制：评价中所用的信息应当安全保管，细致地处理和保持，确保保持和分析的数据与所收集的数据的一致性。

（7）偏差控制：评价过程应当有防止偏差的安全措施，以便公正地评定被评价者的表现或资格。

（8）监控评价系统：应当对人事评价系统进行定期而系统的审查，以便做出适当的修正。

《人事评价标准》的主要特点为：适当性标准放在首位，其中第一条是"服务定向"；其理由是：就人事评价而言，不存在要不要评价的问题，应主要考虑通过评价使教育工作者的教育过程更加专业化，更好地为学生服务。同时，为了起平衡作用，在实效性标准中第一条是"建设性定向"；强调人事评价必须帮助教育工作者评定并改进他们的表现。

美国教育评价标准制定委员会认为：该《标准》可供从事人事评价的管理人员制定政策、监控过程、提高实效时使用，也可供人事评价的研究者、培训者使用。

资料来源：The Joint Committee on Standards for Educational Evaluation, Daniel L. Stufflebeam Chair, The Personnel Evaluation Standards: How to Assess Systems for Evaluating Educators. Sage Publications, Inc. 1988.

进一步阅读的相关文献

1. 陈玉琨. 教育评价学 [M]. 北京：人民教育出版社，1999.

2. 中央教育科学研究所比较教育研究室. 简明国际教育百科全书·教育测量与评价 [M]. 北京：教育科学出版社，1992.

3. 吴钢. 现代教育评价基础（修订版）[M]. 上海：学林出版社，2004.

4. 侯光文. 教育评价概论 [M]. 石家庄：河北教育出版社，1996.

5. 王钢. 定量分析与评价方法 [M]. 上海：华东师范大学出版社，2003.

6. 戴海崎，等. 心理与教育测量 [M]. 广州：暨南大学出版社，1999.

7. 黄光扬. 教育测量与评价 [M]. 上海：华东师范大学出版社，2002.

8

学 力 测 验

从 20 世纪 80 年代起，世界各国都纷纷进行教育改革，把建设高质量教育作为迎接 21 世纪的基本国策。在以高新技术为核心的知识经济日益临近的新形势下，人力资源在社会发展中起着越来越重要的作用。基础教育作为提高全民族素质的奠基工程，应当主动迎接新的挑战。学校应当培养中小学学生具备哪些基本的学力，如何科学地测量与评价，这是广大教育工作者所十分关注的问题。

第一节　学力的概念

一、学力的定义

学力是指通过学习获得的能力，是人的能力的基础部分。学力是在有意识、有计划、有组织的学校教育中，通过师生的相互作用形成的。学力体现了客体与主体的统一、外化与内化的统一、适应和创造的统一。①

二、学力的结构

对学力结构的研究已有较长的历史。在此，对 20 世纪下半叶以来国外学者的学力结构研究成果做以简要的回顾。

1956 年，美国教育学家布卢姆发表了《教育目标分类学——认知领域》，把学力结构分为：认知、情感、动作技能三大领域。②

1965 年，美国心理学家 R. M. 加涅发表其名著《学习的条件》，并不断修订与完善其关于学习结果的研究。1985 年，加涅在《学习的条件和教学论》中提出五种学习的结果：智慧技能、言语信息、认知策略、动作技能和态度。③

1983 年，美国哈佛大学教授 H. 加德纳提出了多元智能的理论，认为每个人都至少有七种智能，即语言、逻辑——数学、空间、身体——运动、音乐、人际关系、自我认识智能等。随着研究的深入，他于

---

① 钟启泉. 现代课程论 [M]. 上海：上海教育出版社，1989：206 – 209.

② B. S. 布卢姆. 教育目标分类学——认知领域 [M]. 上海：华东师范大学出版社，1986：8.

③ R. M. 加涅. 学习的条件和教学论 [M]. 上海：华东师范大学出版社，1999：54 – 55.

1996 年又提出了第八种智能——自然观察者智能。

上述八种智能又可以归入三个更一般的领域：与"物体相关"的智能（逻辑——数学、空间、身体——运动和自然观察者智能）；与"物体无关"的智能（语言、音乐智能）以及"与人相关"的智能（人际关系、自我认识智能）。①

1996 年，美国耶鲁大学心理学家 R. J. 斯腾伯格在其《成功智力》一书中提出：成功智力包括分析性智力、创造性智力和实践性智力三个方面。分析性智力用来解决问题和判定思维成果的质量；创造性智力帮助形成好的问题和想法；实践性智力用来解决实际工作中的问题。②

1996 年，国际 21 世纪教育委员会向联合国教科文组织提交了历时 3 年的研究报告《教育——财富蕴藏其中》。报告指出：面向未来社会发展，教育必须围绕四种基本的学习能力来重新设计、重新组织。这四种基本学习能力被称为是教育的四大支柱。

（1）学会认知，即掌握认识世界的工具。

（2）学会做事，即学会在一定的环境中工作。不仅是实际的动手能力，而且包括处理人际关系、社会行为、主观能动性、处理信息、解决矛盾、敢于承担风险等多种能力。

（3）学会共同生活，即通过增进对他人以及历史、传统和精神价值的了解，培养在人类活动中的参与和合作精神。

（4）学会发展，即对自己有更深入的了解，能够适应和改造自己的环境。这是前三种学习成果的主要表现。③

随着知识经济对人的基本素质要求的不断提高，学者们对学力结构的研究也不断深化、拓展。学力已不再局限于传统教育所特别重视的语言与数理逻辑能力，而更强调能力的多元性，重视知行统一，重视实践

① L. 坎贝尔，B. 坎贝尔，D. 狄瑾逊. 多元智能教与学的策略 [M]. 王成全，译. 北京：中国轻工业出版社，2001：2-4.
② R. J. 斯腾伯格. 成功智力 [M]. 上海：华东师范大学出版社，1999：115-137.
③ 国际 21 世纪教育委员会. 教育——财富蕴藏其中 [M]. 北京：教育科学出版社，1996：75-88.

与创造，以应对飞速变化的新环境的挑战。

关于学力测验，本章重点介绍学业成就测验和技能操作测验。

第二节　学业成就测验

在学生认知发展的评价中，学业成就测验是学校与教师最常用的手段。因此，搞好学生学业成就测验是提高学力评价质量的重要因素。

一、学业成就测验编制的基本程序

（一）确定测验的目的（为什么测）和对象（测什么人）

测验可以具有不同的目的。测验目的不同，其编制的侧重与技术也应有所不同。同样，测验对象的特征也影响到测验的编制。被试的年龄、智力水平和受教育程度不同，所采用的编制技术也应有所不同。

（二）规定测验的内容和形式

在学业成就测验中，本步骤涉及确定考核学科内容范围及书面、操作、口试等测试方式。

（三）编制、设计测验蓝图

在编制测验前，首先要设计好测验的蓝图，即命题双向细目表。这一环节极为重要，关系到测验能否体现评价的要求，是否有效、可靠，评价者应当认真对待。命题双向细目表具有两个维度：一维是考核的学科知识内容要点，另一维是考核的能力层次（认知水平）。这两个维度体现了考核的整体要求。表 8-1 是一份高一年级化学学年测验的双向细目表的示例。

表 8 - 1　高一年级化学学年测验的双向细目表

	识记	理解	应用	分析	综合	评价	分数/题量
物质与物质的量	3	5	5	3	2	2	20/8
卤素	2	5	5	3			15/6
硫、硫酸	2	2	4	2			10/4
碱金属	2	2	4	2			10/4
原子结构、元素周期表	2	5	6	3	6	3	25/10
化学实验	4	6	6	2	2		20/8
分数/题量	15/6	25/10	30/12	15/6	10/4	5/2	100/40

注：表中数字为分值。

设计双向细目表一般包括以下几个基本步骤。

1. 考核的内容抽样与考核认知水平的确定

由于一次测验的容量有限，因此评价者不可能对学生已学习的全部内容、已发展的各种认知水平进行全面考核，必须科学地进行抽样。

在大规模的校外考试中，抽样方案一般由学科专家和有教育经验的教师经集体讨论后确定。抽样的基本原则为：保持综合平衡。具体来说，测验的内容分布，既要有较宽的覆盖面（如重要章节），又要突出基本或重点部分，做到点面结合；各部分内容的比重，应大致与该部分的教学时数比重相当。测验所考核的认知水平分布也要合理，覆盖各种认知水平（如记忆、理解、应用、综合应用等）。同时，还应当尽量减少单纯记忆的考核，注重理解能力，并适当加强高层次能力（如应用能力）的考核，发挥评价的良好导向作用。

校内的测验和考试，常常由任课教师或学校的教导处教师进行命题。上述的抽样策略也同样适用于校内的测验。一般说来，由于教师对学生的实际情况更加了解，校内测验应具有更大的灵活性和针对性，如教师可根据教学的具体要求或发现的问题，有意识地加强对学生未充分掌握的内容或着重培养的认知水平进行考核，使评价为改进教学服务。

从表 8 - 1 示例中，可以清楚地看出该份化学测验试卷考核的重点：
（1）在内容上，以原子结构、物质与物质的量、化学实验为重点；
（2）在认知水平上，以应用、理解为重点。

2. 题型和题量的确定

选择题型时，应当主要考虑所要测量的学习结果的特性。最适当的题型是由考核目标与学科特点所决定的。

在通盘考虑整个测验的题型时，还要做到主观题、客观题相结合；选答题、供答题相结合。一般说来，校内的形成性测验应适当提高供答题的比重，以便了解学生解题的过程和思路，为改进教与学提供充分的信息。

测验总题量的确定受很多因素的制约，主要包括测验的时间长短、题型、阅读、计算以及文字书写量、试题难度、内容与认知水平的覆盖面等因素。鉴于大部分学业成就测验都不是速度测验，因此应当让学生有充分的时间解题并进行必要的核查，发挥其实际水平。国外的一些负责大规模的校外测验编制的机构，十分重视对题量的研究。他们通过统计在规定时间内考生来不及完成的试题数量及比例，来评价测验的题量是否适当。

3. 试题的平均难度和难度分布的确定

在编制测验时，一定要考虑试题的平均难度，测验过难或过易，都不利于学生发挥正常的水平。确定试题的平均难度，可采用经验估计的方法，也可通过预测，再计算出试题的难度。试题难度受到多种因素的制约，有些与内容本身的难度有关，如原理、规律通常比事实、术语更难掌握；另一些则与考核的认知水平有关，如单纯考记忆的试题最容易，考理解的试题稍难些，考应用，尤其是考创造性应用的试题难度最大。此外，难度与题型也有一定的关系，如果考查的内容与认知水平相同，选择题一般比要求学生写出答案的题型容易些，因为选择题提供了各种备择答案，学生可从中选出正确答案。

不同性质的考试所需的试题平均难度是不同的。例如，我国高考的试题平均难度一般定在 0.5～0.6 之间，以提高高考的选拔性；而高中毕业会考的试题平均难度一般定在 0.7～0.8 之间，以保证会考的合格率。

在编制测验时，除了考虑试题的平均难度之外，还要考虑不同难度试题分布情况。一般说来，大部分试题的难度应当在 0.2～0.8 之间，中等难度的试题数量较多，同时又有一些较容易的试题以及一些较难的试题。在实践中，人们提出了各种难度试题在整个测验中所占的大致比例。如在高考中，容易题、中等难度题和难题的比例大致可定为 6：2：2；而会考各种难度试题的比例则大致可定为 7：2：1。

4. 试题赋分与测验期望分的预估

试题赋分问题是指每道试题应给予多大的满分值。在一定意义上，不同的分值代表了不同的权重，即试题越重要，其分值也越大。因此，试题的赋分会直接影响到测验各部分在试卷中的地位与比重，同时试题的分值也会影响考生的作答时间和精力的分配。测验编制者应当努力使试题的赋分体现命题双向细目表的意图。

主观评分试题的赋分问题比较复杂。在赋分时通常要考虑考核内容在知识技能体系中的地位、认知水平的要求、试题难度和容量、解题所需的技巧与时间等因素。选择题（包括其他可客观评分的题型）的赋分则比较简单。人们一般都赋以选择题相同的分值，而不过多考虑其他的因素。因为选择题的题量较大，赋以相同的分值，可以方便地把试题得分组合成总分。

有了试题的预估难度及试题的分值，便可估算出测验的期望平均得分。人们可根据这一预估的测验期望分，对试题的难度和赋分进行微调，使测验既体现其预定的意图，又较好地符合学生的实际。

双向细目表是编制测验的蓝图，它由两个维度组成：一维是考核的学科知识内容要点，另一维是考核的能力层次（认知水平），这两个维度体现了考核的整体要求。

（四）命题

试卷的质量取决于试题的质量，因此，命制良好的试题是测验编制中最核心的环节。编制高质量的试题要花费大量的资源，对命题者的素质要求也很高，如能熟练把握命题的基本规范与技巧等。有些试题的命制，还需要命题者发挥其创造性思维。

目前，我国大规模的校外考试（如高考及高中毕业会考）已开始采用征题与命题相结合的方式进行命题组卷，即按照测验的双向细目表的意图，制定出命题的范围和要求，向有关人士广泛征集试题，形成初步的试题素材库；然后，再由专业的命题人员选择、修改，并命制一些新题，组合成试卷。国外大规模考试的命题周期大多很长。如美国两大高校入学考试——学术评定测验（SAT，由教育测试服务社编制）、教育发展组试（ACT，由美国高校测试中心编制）的命题周期长达一年半至两年。严格的命题程序和持续的监控、修订有效地保证了测验编制的质量。

校内的测验编制一般都采用有关教师在考前临时命制的方式。由于各种因素（如时间、经验、专业素质等）的制约，命题的质量与大规模的校外考试存在较大的差距。下面的命题技术部分，将介绍一些不同题型以及不同认知水平的命题规范。了解并掌握这些规范，将有助于教师提高自己的命题水平。

（五）试测和试题统计分析

试测是指将命制好的试题在具有代表性的样本中进行预先的测试。这是国外大规模考试命制试卷时，对试题进行进一步筛选的常用措施。根据试测样本的反应，可以计算出试题的各种性能指标（如难度、区分度、选择题备择答案的选择情况等）。测验编制者可利用这些指标对试题进行修改、筛选、更换，以确保正式试卷中每道试题都具有较高的质量。

（六）组卷

组卷是指把命制好的试题按一定的标准组合成试卷。可采用许多不同的标准进行组卷，如按考核内容组卷、按考核的认知水平组卷等。但国内外最常用的组卷方式是按题型组卷，即把相同题型的试题编在一起。这样做的好处是每种题型只要写一次指示语，十分简明、醒目。

组卷时还有一些基本的规则，如试题应当尽可能按由易到难的顺序排列；指示语要准确，使学生了解解答的要求；排版要方便学生阅读和回答，并有利于评分统计等。

目前，许多校外大规模考试，均采用客观题与主观题相结合的形式。通常对选择题部分提供单独答卷纸，以便机器阅卷，提高效率。国外一些考试（如 TOEFL）为了防止作弊，在组卷时采用调整题序印制试卷的策略，使相邻考生相同题号的试题内容不同，有效地排除了考生相互抄袭而获益的可能性，从而提高了考试的效度。

（七）制定评分细则

评分细则的制定是测验编制的最后环节。命题者应当较详尽地列出评分的要点，给分的原则。评分细则应当具有较强的规范性和可操作性，以便为阅卷、评分者提供统一的标准，尽量减少评分误差。事实上，不管事先制定的评分细则多么详尽，在阅卷过程中，还会出现各种预料不到的现象。必要时，命题者应根据实际情况再制定补充细则。

二、命题技术

如前所述，试卷的质量取决于每个题目的质量。要命制出高质量的试题，命题者掌握各种基本题型的编制技术，以及不同认知水平的命题技巧是必要的。下面从这两个方面展开进一步的论述。

（一）基本题型的编制技术

1. 题型的分类

测验所采用的基本题型有不同的分类方法。简述如下：

（1）按学生作答的方式分类。按学生作答的方式分，题型可分为选答题和供答题两类。选答题要求学生从给定的几个备择答案中选出正确的或最佳的答案；供答题则要求学生自己提供并书写答案。一般而言，选答题均能客观地评分；而供答题的评分相对主观些，即存在着程度不等的评分误差。当然，两种分类也会有个别的交叉，例如填空题需要学生写出答案，属于供答题；但由于只需填写少量的词（或词组）或数值，评分误差很小，又属于客观题。

（2）按评分误差大小分类。按评分误差大小分类，题型可分为客观题和主观题两类。客观题是指无评分误差或评分误差很小的题型；主观题是指评分误差较大的题型。

按学生作答的方式分，题型可分为选答题和供答题两类。选答题要求学生从给定的几个备择答案中选出正确的或最佳的答案；供答题则要求学生自己提供并书写答案。

本节采用选答题与供答题这一分类，介绍一些相应的命题原则。

2. 选答题的特点、种类和命题原则

（1）选答题的种类和特点。选答题是目前各种测验中最常用的题型。选答题的主要优点是：覆盖面大，效率高，能考核多种能力，答案唯一、评分客观；主要缺点是：编制困难、命题需要较高的技巧、费时，较难测量组织材料过程、思维过程、表达能力和独创性。

选答题有多种表现形式。最典型的是多项选一的选择题，即给出一个题干和 3~5 个备择答案，要求考生从中选出一个正确或最佳的答案。近年来，为了减少猜测，不少学科推出了多项选多的选择题，即备择答案中所包含的正确答案数量不确定，可以是一个，也可以是多个，考生必须从备择项中选出所有正确的答案。一般来说，多项选多的选择题（比多项选一的选择题）的难度更大，区分度也有所提高。

选答题还有几种变式。如是非题（或正误判断题）、组配题等。

是非题实际上是只有两个备择答案的选择题。因其猜测答对的成功率较高，目前使用范围日益缩小。

组配题是选择题的复合形式。一般有两个栏目组成，其中一个栏目是需要组配的题干，另一个栏目是备择项目。组配题的最大优点是能在较短的时间内测量大量相关的内容。在多数情况下，一个备择项目只能组配一次。如规定同一备择项目可组配多次，将有助于提高组配题的难度与区分度，因为考生无法用排除法猜出答案。

（2）选答题的猜测校正。由于选答题普遍存在着猜对的可能性。因此，国外的学者提出应当对选择题进行猜测校正。校正的方法主要有两种。其一为根据答对与答错的题量进行调整。计算公式为：

$$CP = R - \frac{W}{K-1},$$

式中，R 为答对题数，W 为答错题数，K 为备择答案的数量。

例如，一次测验共有 50 题四项选一的选择（每题 2 分），某生答对 38 题，答错 12 题。如不进行猜测校正，该生的得分应为 76 分。如进行猜测校正，则该生的校正分则为：

$$CP = R - \frac{W}{K-1} = 38 - \frac{12}{4-1} = 38 - 4 = 34 \text{（题）}。$$

因每题分值为 2 分，则学生的校正分为 68 分。两者相差 8 分，所扣除的分数便是对猜测的校正。

其二为惩罚猜测法，即对答错的试题实行倒扣分。这种方法过于严厉，不利于学生尝试完成所有试题，对无把握的试题采取放弃的态度。

因此，在实践中并不常用。

我国目前的做法是鼓励学生对无把握的试题进行猜测，不进行猜测校正，更不对答错试题的考生实行惩罚。这是较为合理的做法。

（3）选答题的命题原则。编写良好的选答题时，应该做到：

● 题干的设问要明确，尽量使用肯定式题干。

● 尽可能压缩备择项的字数，所有备择项都要用到的相同词语，应设法放在题干中。

● 避免任何形式和内容上的暗示，应选项（正确答案）与干扰项（错误选项）的长短与句式要大体相仿。

● 应选项应确保"正确"或"最佳"，不应引起歧义或争执；干扰项应有似真性，并尽可能使其在错误类型上具有典型性。

● 备择项数以 4～6 个为宜，各备择项应相互独立，无交叉或重复。应选项在各题中的位置，应随机排列，无规律可循。

● 尽可能少用"是非题"，如必须采用，最好每题只出现一个概念或事实，以免造成模棱两可的情况。要谨慎使用特殊的限定词。如"通常""一般"等常意味着命题是正确的；而"总是""从不"等常意味着命题是错误的。

● 组配题的题干项数量与备择项数量不应相等，防止通过排除法可做出正确回答。

（4）选答题的备择项分析。就选答题而言，还应当对备择项选择情况进行分析。

最简单的方法是统计各备择项的选择人数比例。编制良好的选择题，其各个备择项都会有一定比例的学生选择。如果所有学生都选择了正确答案，说明该题太容易，或可能提供了某种暗示。如果某个（或更多）的错误答案无人选择，则说明这个（些）错误答案不具有迷惑性，错得过于明显。在规模较大的考试中，选择题每个备择项的选择人数比例应当高于 2%～5%，如低于该比例就说明此备择项命制得不好，应当修改。

比较深入的分析是计算选择每个备择项的学生群体各自的测验平均总分，即分别计算选择 A、B、C、D 项 4 组学生的测验平均总分。这种分析可以提供更为详尽的信息：平均能力（以测验总分为指标）最高的学生组选择了哪个备择项（理论上说，应当选择正确答案）？中等能力的学生组选择哪个答案？能力较差（或最差）的学生组选择哪个答案？从而进一步了解不同能力学生的反应倾向或典型错误，并可总结出特定能力学生具有迷惑力的备择项的特征。

3. 供答题的特点、种类及命题原则

（1）供答题的特点。供答题也是测验中最常用的题型。供答题的主要优点是：考核有一定深度、容量较大，可了解过程，考查综合能力、表达能力和独创性，容易编制，排除了猜测因素；主要缺点是：覆盖面较小，评分费时、客观性较差。

（2）供答题的种类及命题原则。根据对所提供答案的限制程度的不同，供答题一般可分为三种形式。

①填空题。填空题是一种最简单的供答题，也称为完形题。填空题包括填图、填表等变式。填空题对所提供的答案有严格的限制，一般只需填写一个词、式子或数值，因此，评分基本客观。填空题主要考查结论。

编写填空题时要做到：

• 确保只有一个正确答案。待填的内容应当具有重要或关键意义。

• 不应从教材上抄录原文作为题目。

• 每题以填 1~2 个空为宜，切忌过多留空，使句子支离破碎。

• 如要求填写经计算得到的数值时，应当规定预期的精确度。

②简答题。简答题是一种半限制的供答题，即提供较简短的答案，如简要的陈述、含几个步骤的计算题、制作图形或表格等。简答题还包括名词解释、列举题等变式。其中列举题最为简单，结构性强，主要考查结论，评分相对客观。名词解释是结论的简单展开，简答题是过程和

结论的结合。随着简答题陈述量的增大，评分的主观性也逐渐增加。

编写简答题时要做到：

● 考查重要的内容和较高的认知水平，不宜只考查记忆。

● 问题措辞明确简洁，指出所期望的要求（如范围、容量和精度等）。

③论述题。论述题是允许学生自由作答的非限制性供答题，包括文科测验中的作文题、问答题，理科测验中的计算题、证明题、解答题等。论述题适用于考查高层次的认知水平，如选择材料，组织材料，逻辑论证，分析与综合，评价、表达与写作等综合应用知识解决问题的能力。由于是自由作答，有利于学生发挥其主动性与创造性。学生解答所提供的信息比较丰富，这不仅可了解学生对问题理解的深度与广度，还可了解其解答的过程、思路、风格、策略等情况。当然，论述题也有一些明显的缺点：由于容量大，分值高，不利于增加题量，扩大测验的覆盖面。此外论述题的评分误差较大；考前猜题、押题的可能性也较大，这在文科中尤其突出。

编写论述题时应当做到：

● 题意明确，不产生歧义。

● 设置新的问题情境，考查高层次的认知水平。

● 设问应富有启发性，使学生有发挥余地；问题不宜过于空泛或烦琐，应突出重点。

● 解答要求与评分规则要明确。

（二）不同认知水平的评价技术

命题者除了要掌握基本题型的一般编制原则外，还应当了解不同认知水平的评价原则，才能对学生的认知发展进行全面的评价。下面我们按布卢姆的认知目标的分类水平（详细的定义和分类请参见本书的第4章有关内容），简要论述不同认知水平的评价原则。

1. 知识水平的评价原则

知识水平是指学生能够回忆或识别已经学习过的内容要素。知识是学生进一步学习和发展的基础，各种技能和能力正是在广泛的知识基础上发展起来的。因此，知识水平应当成为学业评价的组成部分。

知识水平也有难易之分，如事实性的知识一般最为具体、简单，较容易回忆；而方法的知识、原理的知识则相对抽象、复杂，记忆会困难些。

在考查学生的知识水平时，应当注意把握如下一些要点。

（1）在选材上，应当尽可能选择重要的知识内容，即对重要的、基础性的、反映学科核心本质的概念、事实、方法、原理进行考核。决不能为了提高试题的难度，出偏题、怪题，偏离了评价的本意。学生不应当、也不可能记住所有学过的内容。在记忆上耗费过多的时间和精力，会给学生发展更高级的认知水平带来不利的影响。

（2）考核知识水平的方式有两种。一种是要求学生提供答案，即能够回忆并再现已学过的知识。另一种是要求学生从给定的答案中识别出正确的答案，即能够再认已学过的知识。两者相比，再现（回忆）要比再认难度高些。

（3）命题时，对知识试题答案所要求的准确程度应当与教学时基本相似；而且问题中不应出现新的术语或问题情境。如果采用新的术语，便可能成为对词汇的测试。

由于知识水平的考核注重的是记忆和再认的能力，因此，在学业评价中，知识水平考核的比重不应过大，否则可能会产生不良的导向作用，使学生形成靠死记硬背也能得高分的错误想法和习惯。

2. 理解水平的评价原则

理解水平是指学生能把握已学过知识的本质含义，并能用自己的语言进行阐述。理解是在知识的基础上发展起来的，比知识水平更为高级的认知水平。理解是对知识的加工、内化和改组，也为知识的应用奠定了基础。

在考查学生的理解水平时，应当注意把握如下一些要点。

（1）考核理解水平所用的材料应与教学时有所不同，但使用的语言、符号、内容的复杂性要与教学相似。

（2）考核理解水平的方式有三种。第一种方式是转换，即将一种符号系统转换成另一种符号系统（如将语言形式转换为图表、符号形式等）。转换注重对材料要素作基本对应的变换，强调忠实和准确性。典型的考核实例是阅读各种图表，获取有关信息，根据上下文领会词汇与句子的含义等。第二种方式是解释，即除了进行要素转换外，还要求学生能把握总体信息中各要素的内在联系，能区分出关键的内涵，并进行说明与解释。典型的考核实例是对一种重要概念、原理进行说明、解释等。第三种方式是推断，即学生能够超越信息本身的字面含义，对其发展趋势或倾向做出推论，如在时间、范围、样本或主题等方面进行拓展和延伸。这是一种最高层次的理解，体现了对知识的实质性把握。

发展学生的理解能力是学校教育的最重要目标之一。因此，在学业评价中，对理解水平的考核应占较大的比重。

3. 应用水平的评价原则

应用水平是指学生能把学过的抽象概念运用于某些特定而具体的情境中去。从根本上说，学习的目的在于应用，因此，应用成为检验教学是否有效的重要标志之一。

在评价学生的应用水平时，应当注意把握如下一些要点。

（1）必须提供新的、学生不太熟悉的问题情境；否则所考核的只是知识或理解水平。新的问题情境可以是虚构的，但最好是真实的。问题情境可以根据社会生活和科学研究中的实例加以裁剪和改编，也可以通过变换提问的角度，为熟悉的情境赋予新意。

（2）解决问题所需的概念或原理是学过的，但解决问题的模式并未具体说明，需要学生自己选择确定。

美国学者奥苏伯尔和鲁滨孙（D. P. Ausubel，F. G. Robinson，1969）提出的解决问题的模式，揭示了应用原理的思维过程。学生在解题前，首先要理解题意——明确问题的目标和条件，找出已知的条件及缺少的条件。然后选择适合问题类型的抽象概念（原理）及具体材料，逐步填补从已知条件（或前提）到要达到目标之间的认知空隙，通过演算、论证或阐述解决问题。最后再对结论进行必要的检验。

应用是一种重要的迁移能力。发展学生的应用能力，有助于培养其智力的独立性，能够对复杂多变的情境和问题做出适当的反应。因此，在学业评价中，应当加强对应用能力的考查。

4. 分析、综合、评价水平的评价原则

在布卢姆的认知目标分类中，分析、综合、评价属于比应用更加高级的复合能力，我们把它们统称为高级认知水平。

分析是指将有关信息进行分解，能区别事实与假设、结论与证据，把握各种观念之间的关系及组织原则。

综合是指对各种信息进行加工，并改组成一个新的整体。综合十分强调独特性和创造性。

评价是指根据内在的证据或外部的准则对信息材料或方法的价值进行判断。

在评价学生的上述高级认知水平时，应当注意把握如下一些要点。

（1）应当提供新的问题、情境和材料。就评价综合水平而言，还可以允许学生自定问题或任务。

（2）高级认知水平的考核方式，可采用常规的书面闭卷测试的形式。在需要时，也可采用开卷考核，学生可利用各种参考资料，解决问题。有时，还可以采用小论文、小课题研究、小实验的方式，放宽时间、工作条件等规定，让学生利用课余时间，进行深入研究，完成课题。

（3）高级认知水平的表现形式是多种多样的。如分析包括分析某

种社会或自然现象的原因和结果，找出若干现象之间存在的联系；综合包括表达自己的观点、体验，进行叙述或说明，制定研究或调查计划，设计一个实验方案，提出一种假说和命题、理论、模型等；评价则包括评价特定作品、原理、方法、方案的客观性、可靠性、准确性、自治性、艺术性、感染力、社会与经济效果及价值，比较各种作品、原理、方法、方案的特点和优劣等。

高级认知水平的培养和评价，对学生终身的持续发展具有深远的影响。因此，在学业评价中，评价者应注意加强对这些高级认知水平的考核。当然，考核的深度、广度等要求应当符合学生的年龄、心理发展的具体水平。

第三节　操作技能测验

学生的操作技能是学校教育的一个重要的目标，也是目前我国学校教育中比较薄弱的环节。因此，重视对学生的操作能力的评价，加强对操作能力评价理论与技术的研究，对全面落实素质教育具有重要的意义。

国外十分注重学生操作技能的评价，称之为操作或表现评价。操作一词的含义较广，大致有三层意义。首先，最狭义的操作概念是指实验操作技能，如学生是否能独立而安全地使用实验的器具，完成实验。其次，操作概念还指学生的表演或非书面的表达技能，如学生的体育与艺术（音乐、美术）才能，学生的演讲（母语和外语）才能等。最后，最广义的操作概念是指学生的实践能力，如解决实际问题的能力、组织能力等。本节主要论述最狭义的操作技能测验。

一、操作技能测验的重要性

操作技能是学生的实际操作技能，而不是阅读与书写等基本的认知技能。在学校教育中，操作过程和程序的技能是许多学术性课程的成果，如理科中的实验操作技能，母语和外语的交流技能，社会学科中的绘制地图和图表，有效地组织小组活动等。在艺术和音乐课程、工业教育、商务教育、农业教育、家政课程及体育中，操作技能更加重要。在大多数教学领域，操作测验为书面测量提供了有用的补充。

20 世纪 70 年代以来，随着准则参照测验的出现，人们日益重视对学生能做什么，不能做什么进行具体而直接的描述。对操作技能的评价进行了较为深入的研究。

操作技能测验具有许多重要的价值，主要体现如下。

（1）注重实际的应用，使学与用更加紧密地联系起来；

（2）促进学生手脑并用，既有利于知识的掌握与巩固，对提高学生观察力、培养主动探究与质疑的精神、养成规范的操作习惯以及严谨的科学态度也具有重要的影响；

（3）情境比较直观、生动，有利于激发学生积极参与的兴趣和动机等。

此外，操作技能测验的实施对教学具有良好的反拨作用，促进学生知与行的结合，得到更全面的发展。在艺术（音乐、美术）学科中，操作技能测验有利于学生创造力的充分发挥；在体育学科中，对运动技能进行测验，不但能促进学生获得这些技能，对学生意志和毅力的培养也具有重要作用。

操作技能测验存在着一些困难之处：如把一项操作任务分解为若干测量项目比较困难，实施测验也比较费时，观察、记录、判断都存在着一定的误差，测验信度较难保证等。

然而，良好的评价方案，必须采用各种评定工具，以检验不同教学目标的实现程度。因此，教育工作者应当重视对操作技能的测验，把它作为促进学生全面发展的重要途径之一。

二、操作技能测验是我国学业测验中的薄弱环节

在学校教育中，操作技能的测验常常被忽视，主要有两个原因。首先，操作测验不如认知测验方便，准备和实施时间较长，评分主观、烦琐。其次，长期以来重视常模参照测验的传统使得人们广泛接受了非直接测量观念。如果人们可以证明"知道"一种活动与该活动的实际操作技能有一定相关的话，常常会用认知测验来代替操作测验，因为两者成绩的排序比较接近。这种非直接测量的观念造成了学校教育过分重视"知道"的认知能力，而忽视"做的技能"。

在学业测验中，如果只要判断学生对操作"知道"的情况，便可采用认知测验；但如果要描述学生"实际操作的技能"，就必须使用操作测验。不管两种测验的结果相关有多高，认知测验的分数是不能用来描述学生的操作技能的。由于测验具有强有力的导向作用，长期用书面测验的方式来考核学生的实验能力（甚至是实验操作技能），会使学生越来越不重视动手能力，造成了能说不能做、动口不动手的现象。

近年来，华南师范大学课题组对物理学科的实验能力的笔试和操作考试的相关性进行了研究。他们先把中学物理实验能力的构成进行了归纳。然后，从全日制高中物理的 19 个实验中挑选了 5 个较有代表性的实验分别编制笔试题和操作题。以某市 3 所中学 4 个班共 212 个学生为样本进行对比研究。研究表明：笔试题和操作题得分的相关为 -0.1251、-0.2513，在 0.05 水平上其绝对值无显著意义。因此，不能用实验笔试代替实验操作考试。[①]

尽管操作技能测验的信度和区分度存在一定的不足之处，但其效度较高。在校内外普遍开展操作技能测验，必然会对教学产生良好的导向作用，促进学校的实验教学，提高学生的实验与操作能力。

---

① 林木欣，熊钰庆，梁华南，许铿泉，何宝鹏．考测物理实验能力的研究，第 22 届 IAEA 年会．北京，1996．

三、操作测验的性质

就其性质而言，操作测验处在书面认知测验和自然情境下操作考核的中间位置。与书面认知测验相比，操作测验更重视实际的情境，使学生通过动手或交往，增强其解决实际问题的能力。与实际生活情境中的操作相比，操作测验又是一种在特定情境中模拟或简化的操作。

美国学者菲茨帕特里克和莫里森（R. Fitzpatrick，E. J. Morrison，1971）指出，操作测验的情境对"现实生活情境"的模拟程度是不同的。

例如，让小学生应用算术技能解决实际问题——用现金购买一些文化用品，其测试情境可以是解一道应用题，也可以是实际购物。前者是低现实性的书面测验，后者则是高现实性的实际操作。介于两者之间还可以设置现实程度不同的若干情境，如进行角色扮演的模拟购物等。

在中学的理科、劳动技术课中，操作测验也可采用不同的情境和形式。要考查学生安装日光灯的技能，可要求学生画出有关的电路图，写出安装的步骤；也可要求学生在实验室里将日光灯的各部件安装起来；最真实的情境是让学生在现场（如教室、家庭）安装日光灯。

操作的情境符合现实的程度取决于各种制约因素，如教学的目的、教学中操作的地位、实施条件（时间、经费与设施等）、所要测量的特定任务的性质等因素。一般说来，应当在各种限制条件下尽可能获得较高的现实性。

四、操作测验的侧重点

各种操作测验的侧重可以有所不同。有些操作测验关注操作的过程（如讲演），有些则更关注成果（如具体的作品），也可以是过程与成果两者某种程度的结合（如用工具制作产品）。这是由各种操作的特有性质所决定的。

有些操作并不导致有形的成果，如使用仪器设备、表演、体育技艺等。这些活动要求在过程中评价操作，特别注重动作的要素及适当的顺序。

另一些操作则主要关心成果，如评价学生的作品。教师们一般不评价其操作过程，其原因在于不同的过程可产生同样好的成果，或成果是课外完成的，无法观察其过程。

在许多场合，过程和成果都是操作的重要方面。例如，要求学生找出并排除某些常用设备或仪器的故障，既要遵循一定的程序找出故障，又要排除故障。

通常，在学习的早期阶段重视过程和程序的正确性，后期则注重成果的质量。例如，在评定打字技能时，开始注重评定正确的指法，以后的评定则注重打字材料的整洁、准确及打字的速度。因此，操作评定的重点取决于所测的技能以及任务在教学过程中所处的位置。

五、操作测验的类型

根据不同的分类标准，操作测验可分为不同的类型。

首先，按测验编制者来分，操作测验的类型可分两类。

由专门机构编制的标准化操作测验，以及教师自编的操作测验。国外已编制出许多标准化的操作测验，如美国劳工部编制的一般能力倾向组试（General Aptitude Tests Battery，GATB）中测量手指及手部灵活性的四个分测验，明尼苏达空间关系测验（Minnesota Spatial Relation Test），以及测量音乐与美术能力倾向的多种特殊能力测验等。而教师自编的操作测验则更为常见。

按操作测验情境的现实性程度来分类，操作测验可分为以下四种。

（一）书面操作测验

书面操作测验与传统的书面测验是不同的。前者特别重视在模拟情境下应用知识和技能，而后者则偏重知识的一般了解与掌握。

在许多场合，书面应用（如绘图、设计等）的成果，本身就是有价值的学习成果。在另一些场合，书面测验只是"动手操作"的第一步，如对量具读数的考核。尽管读出图示的量具读数并不是精确测量使用量具技能的充分条件，但是一个必要条件。

书面的操作测验还适用于需要昂贵设备和复杂操作的场合，以避免出现重大事故或导致损坏设备的现象。例如在医学院校，有时采用为假设的病人诊断及开处方的方式进行考核，从而避免对真实病人可能造成的各种伤害。

（二）辨认（别）测验

辨认测验也是对学生操作技能的非直接测量，包括了不同的复杂程度。最简单的辨认测验可考核学生对工具、设备与程序方面知识的了解；较复杂的辨认测验可让学生找出电路中的短路之处；更加复杂的辨认测验是让学生根据设备运行的情况，如倾听机器运行的声音，找出故障，并发现产生故障的大致原因及适当的排除程序。

（三）模拟操作测验

模拟操作测验强调适当的操作程序。通常要求学生在模拟的条件，完成实际任务所需的动作。模拟操作测验的应用范围十分广泛，除了理科和劳动技术课中常用的实验室模拟操作以外，在文科中也能采用，如采用角色扮演的方式，进行模拟的法庭辩论、模拟的教学试讲等。在学习或培训的初期，模拟操作测验可采用计算机模拟或其他特别设计的仿真设备进行，以避免个体受到意外的伤害或损坏昂贵的设备。

在一些场合，模拟操作可以是操作技能的最终评定，如理科的实验操作技能。在另一些场合，模拟操作则是实际操作的准备，如操作机床等。

（四）工作样本

在所有的操作评价中，实际完成作业或设计的真实性最强。工作样本通常包括作业中的最关键要素，并在有控制的条件下完成。在商务与职业技术课程中操作测验，主要采用工作样本的形式，如速记、撰写并打印各种文件、处理数据、操纵设备、完成实验等。这些工作样本测验包括了完成作业的关键要素，如设计、准备材料、实际操作。

六、编制操作测验的步骤

与传统的书面成就测验相比，操作测验的情境一般更难控制和标准化，准备与实施更费时间，评分更困难。一般说来，测验情境越接近实际操作条件，评定中面临的问题就越多。下面以劳动技术课为例，简要阐述编制操作测验的基本步骤。

（一）详细界定要测量的内容

操作测验所要测量的内容一般由三部分组成。

（1）进行工作任务分析，确认并准备完成作业所需的适当的材料、工具、设备、程序等。

（2）按规定的程序实施操作，如使用工具、操纵设备、进行测量、实验、修理、制作等。

（3）设计或制作出一种成果，如制图、设计、配置实验设备、制作实物等。

（二）选择适当的操作情境

在确定操作情境时要考虑多方面的因素。第一，要考虑教学目标的性质，有些理论性较强的导论课程，也许只需进行书面操作测验。第二，要考虑教学顺序的安排，如对排除机械故障进行评价，可以先进行书面测试，找出可能的故障，再进行实际操作。第三，要考虑实际条件的限制，如时间、费用、设备、实施、评分等因素。第四，要考虑测验情境中特定任务的限制，如对急救技能进行测试，就不可能用伤病人员为对象，以免出现不可控制的现象。因此，在准备操作测验时，常常要就这些因素进行权衡，力图获得最真实的情境。

（三）　明确描述测验的情境及要求

在确定操作的内容、操作的情境后，下一步工作便是撰写操作测验的指示语。指示语应当明确说明要求完成什么任务、在什么条件下实施、判断的依据等。以工作样本测验为例，指示语应当包括下列要点。

（1）　测验的目的。

（2）　设备与材料。

（3）　测试程序，如设备条件、所需的表现、时间限制等。

（4）　评分方法。

指示语可以用书面或口头的方式呈现给学生，这取决于指示语的复杂程度。提供指示语的目的是使测试条件尽可能保持统一和标准化。

（四）　准备评价操作的观察与记录量表

操作过程与结果的评价都需要进行仔细的观察和公正的判断。因此，准备操作评价的工具是指事先编制好观察与评价所需的量表。

常用的量表是核查表或评定量表。这些量表通常包括一组规定的程序、步骤或行为及评等的基准，评价者根据观察，记录下规定行为是否出现，并对操作的质量做出相应的判断。

操作成果的评价还可以采用工作样本比较的方法。研究表明，人们作绝对评价时不如相对评价那么准确。但如果提供具体样本作为判断的参照标准，可做出精细得多的区分。工作样本比较方法的基本程序如下。

（1）　先选出一系列（20个或更多）好坏不一的实际工作样本。

（2）请几位教师按整体质量排列这些工作样本，从中选出几位评分者信度高的教师。

（3）计算出各工作样本的平均秩次，从中选出（5～7 种）质量不同的样本作为实物量表。这些样本应具有较高的评分者信度（即评分者的意见较为一致）。

（4）对教师使用量表进行必要的培训。把学生的作品与这些质量水平基准作比较，评分者便可做出比较可靠的评价。

（五）确定评价操作技能优劣的基准，根据基准进行评判

国外对操作基准的研究比较深入，常用的基准包括：速度（时间要求）、准确性（允许的误差大小）、操作顺序与步骤的规范性、成果的数量、成果的质量、材料的合理使用（是否节约、不浪费）、注意安全操作等。在学习与培训前期的评价一般更加强调准确性、规范性、安全等要素，能熟练操作时的评价则比较强调速度、数量、质量等元素。评判的等级一般采用不合格、合格、良好、优秀等。

我国对操作评价的研究尚属起步阶段。评价的基准比较简单，主要针对操作的过程，一般按照熟练程度来分等。如学生的实验操作技能的水平通常分为：能够识别（看演示，能判别操作程序的正确与否）、初步学会（在教师指导下进行操作）、学会（能独立、正确地进行操作）、熟练（独立、正确、有条理、迅速地进行操作）。

七、操作技能测验中的特殊问题

操作技能测验存在着一些特殊的问题，评价者对这些应给予充分的重视。

（一）标准化条件

成功的操作测验依赖于提供标准化的测试条件。测试条件包括许多

方面。首先，测试的程序与指示语必须规范、统一。研究表明：在测量操作技能时，程序与指示语的微小差异会引起学生表现的巨大差异。国外常采用制定主考手册的方式，严格规定了测试的详细程序以及主考应当宣读的指示语。主考应按照手册的规定实施测试，并原原本本宣读指示语，不能有任何增删。其次，所提供的材料、工具或设备应当一致。最后，操作测试经常采用个别或小组测试的方式，持续时间较长，评价者应当尽力保持测试环境因素的一致性。标准化的测试条件有助于提高操作测试的可靠性和有效性。

（二）人—机系统中的误差积累

在操作技能测验中，学生与工具（设备）构成了制作作品的人—机系统。一般说来，作品的变异性越大，其标准差也越大。这些误差可与人、机两者的变异（误差）分别结合，造成误差的积累。因此，在测验时，测验者要充分考虑到这些因素，正确估计可能产生的误差，使测验尽可能公正、客观。

八、学生理科实验能力的整体评价

学生的理科实验能力是一种复合的能力，实验操作技能仅是其中的一部分。近年来，不少学校在加强对学生实验操作技能进行评价的基础上，积极探索对学生实验能力的整体评价有效方法，把认知、操作与解决实际问题（验证或探究）有机地联系起来，体现了素质教育评价发展的方向。

下面列举某校化学教研组制定的学生实验能力整体评价的指标体系和评价方法（作者做了部分修改），供参考。

（一）学生实验能力评价的指标体系

1. 实验程序的设计
（1）运用已掌握的科学知识和原理，将某种设想（或预测）转变成可以验证的形式，提出实验的假设。

（2）进行实验的设计：包括从多种因素中确定主要因素、确定改变和控制主要变量的技术、确定观察与测量的次数和范围等。

（3）选择实验所需的仪器装置和材料，并考虑安全与成本方面的要求。

2. 获取实验证据

（1）安全、熟练地使用仪器装置。

（2）按规定的精确度要求进行观察和测量。

（3）进行充分的观察和测量以保证获得可靠的证据，必要时可重复观察和测量。

（4）客观、清楚、适当地记录证据。

3. 分析证据、得出结论

（1）清晰地呈现定性、定量的证据，按规定的精确度表示数字结果。

（2）用适当的图表直观而形象地突出重要的证据。

（3）分析、核查证据与结论的一致性程度。

（4）解释结果支持（或否定）假设的原因。

（5）运用科学知识和原理解释结论。

4. 评价证据

（1）考虑得出结论的证据是否充分。

（2）考虑异常结果的原因，适当时可舍弃这样的结果。

（3）从观察和测量的不确定性方面考虑结果的可靠性。

（4）对已采用的方法与技术提出改进建议。

（5）提出进一步的探究以检验结论。

5. 报告的规范性

（1）语言表述的规范性。

（2）科学用语的准确性。

（二）评价方法

（1）采用实验或探究作业（每学期布置 2～3 次）的方法，在平时教学中进行。

（2）学生独立完成作业，教师进行有效的监控。

（三）评分标准

（1）前三个指标的评分分为 2、4、6、8 分四个等级；第四个指标的评分分为 2、4、6 分三个等级；第五个指标的评分分为 1、2、3 分三个等级。

（2）学生的最后得分是各次评价每个指标的最高分之和。

（3）评定记录与相关的证据放入学生成绩档案，交学校实验考试中心。实验考试中心对学生的成绩评定进行检查，必要时可要求学生在实验中心接受重新考查或评价。

小 结

本章主要论述学力测验，包括学业成就测验和操作技能测验。

学力是指通过学习获得的能力，是人的能力的基础部分。国内外学者经过多年的研究，对学力结构的认识不断深化、拓展。比较有代表性的观点有加德纳的多元智能理论、R. J. 斯腾伯格的成功智力以及国际 21 世纪教育委员会四种基本学习能力。学力已不再局限于传统教育所特别重视的语言与数理逻辑能力，而更强调能力的多元性，重视知行统一，重视实践与创造，以应对飞速变化的新环境的挑战。学力结构的研究对教育评价的启示是：要建立正确的质量观与发展的评价观、学力评价的标准和方式应当多元化。

　　在学生认知发展的评价中，编制良好的评价工具是提高评价质量的最重要的因素。测验是评价学生认知发展的主要工具，它是对行为样组进行客观、科学和标准化测量的系统程序。编制测验时，首先要制定测验的蓝图——命题的双向细目表。双向细目表由两个维度组成：学科知识内容要点以及考核的能力层次（认知水平），这两个维度体现了考核的整体要求。命制良好的试题是测验编制中最核心的环节。评价者应当掌握基本题型、不同认知水平考核的命题原则，对学生的认知发展进行全面的考核。

　　操作技能评价注重学习与实际应用的联系，有利于激发学生积极参与的兴趣和动机，对提高学生观察力、培养主动探究与质疑的精神、养成规范的操作习惯以及严谨的科学态度也具有重要的影响。

　　操作技能评价的侧重可以不同，或注重过程，或注重成果，也可两者并重。操作技能评价的形式可分为书面操作测验、辨认测验、模拟操作、工作样本。评价者应当尽可能选择真实程度最高的评价形式，处理好操作技能评价的特殊问题，努力提高评价的有效性和可靠性。但操作技能的评价是我国评价中较为薄弱的环节，应当大力加强研究和实践。

思考题

　　1. 简述学力的结构及其对评价的启示。

　　2. 掌握测验编制的基本步骤，并设计一份命题的双向细目表。

　　3. 根据不同题型的命题原则，选择几种常见题型，各命制出一道规范的试题。

　　4. 根据不同认知水平的命题原则，命制出考核记忆、理解、应用以及高级认知水平的试题。

　　5. 对一次学业成就测验，进行试题分析，并写出分析报告。

　　6. 谈谈你对实施操作技能考核的设想。

进一步阅读的相关文献

1. 中央教育科学研究所比较教育研究室. 简明国际教育百科全书·教育测量与评价 [M]. 北京：教育科学出版社，1992.

2. 侯光文. 教育评价概论 [M]. 石家庄：河北教育出版社，1996.

3. 黄光扬. 教育测量与评价 [M]. 上海：华东师范大学出版社，2002.

4. 吴钢. 现代教育评价基础（修订版）[M]. 上海：学林出版社，2004.

5. 戴海崎，等. 心理与教育测量 [M]. 广州：暨南大学出版社，1999.

9

学 生 评 价

　　促进学生素质的全面发展，是学校教育的根本出发点和最终的归宿。学校的一切工作，无论是学校的管理工作、教育与教学工作还是后勤工作，都是围绕着培养学生这一中心任务展开的。学校工作的质量最终应当反映在受教育者的身上。学校办学水平评价、教师的综合考评以及课堂教学的评价，无不把学生评价作为一个重要的组成部分。因此，学生评价在学校各种教育评价中处于核心地位，具有十分重要的意义。

第一节　学生评价的概述

一、学生评价的定义

学生评价是在系统地、科学地和全面地搜集、整理、处理和分析学生信息的基础上，对学生发展和变化的价值做出判断的过程，目的在于促进教育与教学改革，使学生全面发展。学生评价包括学业成绩的评定（认知的发展）、思想品德和行为规范的评价（品德的发展）、体格和体能的评定（动作技能的发展）、学生态度、兴趣和个性心理特征的评价（个性的发展）等多方面。

学生评价是在系统地、科学地和全面地搜集、整理、处理和分析学生信息的基础上，对学生发展和变化的价值做出判断的过程，目的在于促进教育与教学改革，使学生全面发展。

二、学生综合素质评价的基本内容

20世纪90年代以来，随着素质教育的推行，我国学生评价的范围也日益拓宽，注重学生的全面发展。在具体的实施中，各地的做法略有不同。有些地区按德、智、体、美、劳进行分类，另一些地区则按照学生素质分类。下面各举一例加以阐述。

例1. 北京市的《学生质量综合评价指标体系》①

北京教育科学研究所提出的《学生质量综合评价指标体系》是按德、智、体、美、劳等几方面界定的。他们把学生的质量分成6个一级

---

① 北京市教育科学研究所普通教育评价课题组. 中小学教育评价 [M]. 北京：北京师范大学出版社，1988：26－29.

指标和 13 个二级指标。

（1）思想政治水平有 2 个二级指标：思想政治观念；思想道德行为。

（2）知识能力水平有 2 个二级指标：知识技能；基本能力。

（3）体质健康水平有 3 个二级指标：体质；体育知识、技能和习惯；卫生保健知识、习惯。

（4）审美意识水平有 2 个二级指标：美育知识、技能；审美能力。

（5）劳动技能水平有 2 个二级指标：劳动态度；劳动技能和习惯。

（6）个性发展水平有 2 个二级指标：兴趣、才能；意志性格。

例 2. 上海市的《学生评价手册》①

上海市教委则根据贯彻素质教育的要求，在中小学中试行学生评价手册。其中高中学生素质评价项目分为 4 个一级指标和 16 个二级指标。

（1）思想品德素质有 4 个二级指标：国家意识；集体观念；文明习惯；遵纪守法。

（2）文化科学素质有 5 个二级指标：学习态度；学习习惯；知识技能；思维能力；兴趣爱好。

（3）身体心理素质有 3 个二级指标：体质体能；卫生习惯；心理品质。

（4）劳动技术素质有 4 个二级指标：劳动观点；劳动习惯；劳动技能；职业基础。

从上述两个例子来看，两地的学生综合评价覆盖面基本相同。北京的指标更突出审美意识和个性发展，把它们列为专项；上海的指标则突出社会的适应性，如遵纪守法、职业基础等。两地的指标中，都把态度、习惯、能力等作为重要的评价内容，以体现学生的全面素质。

为了进一步贯彻落实《中共中央国务院关于深化教育改革全面推进素质教育的决定》（中发［1999］9 号）的要求，教育部于 2002 年

---

① 上海市教育委员会基础教育办公室．上海市中学生评价手册，1996．

12 月印发了《关于积极推进中小学评价与考试制度改革的通知》（教基〔2002〕26 号），《通知》明确提出了要建立以学生发展为目标的评价体系；建立每个学生的成长记录，改革普通高中会考制度。各地基础教育界按照教育部《通知》的精神，努力探索，推进学生综合素质评价的理论研究和实践。

　　北京市教委于 2006 年 5 月推出了《北京市初中学生综合素质评价方案（试行）》①（以下简称《评价方案》），其指标体系见表 9-1。与以前的指标相比，该指标体系的评价要素更完整地体现了基础教育课程改革与素质教育的要求，并具有鲜明的地域特色和时代特征。

表 9-1　北京市初中学生综合素质评价指标体系

一级指标	二级指标		评价要素	评价方法与工具
基础指标	一、思想道德	J1. 道德品质	●爱祖国、爱人民、爱劳动、爱科学、爱社会主义 ●遵纪守法、诚实守信、维护公德、关心集体	●情境测验 ●日常观察记录 ●人物推选卡
		J2. 公民素养	●自信、自尊、自强、自律、勤奋 ●对个人的行为负责 ●积极参加公益活动 ●具有社会责任感 ●保护环境 ●具备奥林匹克基本常识 ●理解奥林匹克基本精神	

---

　　①　北京市教育委员会关于印发《初中学生综合素质评价方案（试行）》的通知（京教基〔2006〕9 号）及附件，2006-5-21.

续表

一级指标	二级指标		评价要素	评价方法与工具
基础指标	二、学业成就	J3. 知识技能	• 基础知识和基本技能水平 • 在相关学科和实际生活中的应用水平	• 纸笔测验 • 情境测验 • 问卷调查 • 人物推选卡
		J4. 学习能力	• 发现、解决问题的能力 • 合作学习的能力 • 独立探究的能力 • 搜集、识别、管理、使用信息的能力 • 对学习过程和结果的反思能力	
		J5. 学业情感	• 学习态度 • 学习兴趣 • 学习意志 • 学业价值观	
	三、身体健康	J6. 体育锻炼、个人健康技能	• 体育锻炼习惯和方法 • 卫生习惯 • 保健习惯和方法 • 健康意识 • 健康的生活方式	• 问卷调查 • 身体形态测量 • 身体机能测量 • 身体素质测量
		J7. 身体形态	• 符合《学生体质健康标准》要求	
		J8. 身体机能	• 符合《学生体质健康标准》要求	
		J9. 身体素质	• 符合《学生体质健康标准》要求	

续表

一级指标	二级指标	评价要素	评价方法与工具
基础指标	四、心理健康	J10. 自我认识 • 了解自我 • 调控自我	• 情境测验 • 调查问卷 • 日常观察记录 • 人物推选卡
		J11. 人际关系 • 关心、尊重他人 • 明辨是非，正常交往	
		J12. 适应环境的能力 • 适应学习环境的能力 • 适应社会环境的能力	
发展指标	五、个性发展	F1. 特长 • 学科特长 • 体育运动特长 • 艺术特长	• 事实描述
		F2. 有新意的劳动和活动成果	
		F3. 其他（自己选择）	

上海市也在多年试用中小学《学生评价手册》的基础上，汲取了各区县对学生综合素质评价的经验，由市教委基教处组织有关专家编制了《上海市中小学生成长记录册》（以下简称《记录册》），并于2004学年起开始实施。

其中《上海市中学生成长记录册》（8~9年级）[①] 记录内容分学业成绩、学业行为、学业特长和学业综合素质四大模块，包括上海市初中学生培养目标；思想品德与行为规范情况记录；校、班工作及社团工作情况记载；社会实践情况记录；各学科（课程）学习情况记录；拓展型课程学习情况；探究型课程学习评价；健身锻炼情况记录；艺术活动情况记录；收获园、课外阅读情况记录；学习小档案；家校、师生沟通

---

① 上海市教育委员会基础教育办公室. 上海市中学生成长记录册，2004.

留言；中国少年雏鹰行动获奖记录；学生体质健康状况；公示栏等十几个栏目。

《记录册》从德、智、体、美、劳诸方面，全面反映学生综合素质的要求出发，分别从小学低年级（1~2 年级）、小学高年级（3~5 年级）、初中低年级（6~7 年级）、初中高年级（8~9 年级）和高中（10~12 年级）五个学段提出了具体的目标要求。在思想品德方面，进行爱国主义、集体主义和社会主义教育，树立科学的价值观、世界观和人生观以及行为规范教育，按不同学段学生的心理特点提出了目标要求；在文化科学素质方面，加强了科学素养的目标要求；在身体心理素质方面，强调了自觉体育锻炼，增强身体素质、环保意识以及竞争、合作、毅力、意志等目标要求；在劳动技能素质方面，强调了养成良好的劳动习惯，热爱劳动人民的思想感情及生活自理能力培养的目标要求。

三、学生综合素质评价的原则和方式

北京市在《评价方案》中提出了学生综合素质评价的五大原则：发展性原则、过程性原则、激励性原则、自主性原则、共同建构原则。

上海市则在评价实施中强调了三个方面的要求：一是学业评价不但要看结果，更要看学习的过程。二是注重学生自我发展的评价，即强调学生在学习过程中的自我体验、自我诊断、自我反思。三是体现多元化的评价，体现个性化的差异评价。

从评价的方式看，北京市与上海市教育部门均强调评价主体的多元化、评价方式的多样化，根据所评价素质的特征和表现场合，从多种渠道获得比较完整、生动的信息，创设了多维度、全方位的评价，记录学生成长的轨迹，提供导向和反馈，引导学生实现自我认识、自我教育，明确发展方向，促进每个学生在原有基础上的全面、和谐、可持续发展。

如上海市的《记录册》，在评价方式上采取了在教师指导下学生自评与互评相结合，教师评定与家长、社会参与评定相结合的方式，以及学生素质发展状况纵向比较的评定形式。评价结果用等第制与定性描述相结合的方式表示。《记录册》还设置了学生素质综合评语，主要由教师填写，教师通过描述性语言概述学生素质的个性特点和发展状况，它与《记录册》对学生其他各要素的评价相结合，形成了比较完整的对学生素质发展的全面评价。

尽管学生综合素质的评价涉及面广，十分复杂，在理论与实践的结合、统一性与多样性的处理、实施的具体操作性等方面尚有待于在实践中进一步完善，但北京市与上海市在学生综合素质的评价方面所进行的可贵探索，对其他省市无疑具有积极的启示作用。

这里将重点介绍对学生思想品德以及实践能力和创新精神的评价。

第二节　学生思想品德的评价

对学生的思想品德进行评价，是德育大纲的重要组成部分，是德育过程的重要环节。思想品德评价是以德育目标为准绳，对学生思想品德发展状况做出价值判断，揭示其优缺点，促使学生健康地发展，并为改进学校德育工作提供信息。所以，科学地评价学生的思想品德是德育工作者需要进行探讨的重要问题。

一、思想品德评价的概念及意义

（一）思想品德评价的概念

思想品德是一定社会关系所要求的社会规范个体化的产物，是人的政治品质、思想品质、道德品质等方面的统一体。德育则是把一定的思想观点、政治立场和态度以及道德规范转化为受教育者个体品德的教育。我们的学校，就是要通过德育把党和国家对年轻一代在道德、政治和思想素质方面的要求，转化为受教育者个体的思想品德，实现个体思想品德的社会化。

思想品德评价，就是以德育大纲和德育目标为主要依据，运用一切科学可行的方法和技术，系统地搜集有关的资料信息，对学生的思想品德诸因素做出事实分析和价值判断，促进学生的发展，并为德育决策提供依据。因此，思想品德评价对学生个体的全面发展，对学校德育管理的科学化，以及对社会精神文明建设都具有重要的意义和作用。

思想品德评价，就是以德育大纲和德育目标为主要依据，运用一切科学可行的方法和技术，系统地搜集有关的资料信息，对学生的思想品德诸因素做出事实分析和价值判断，促进学生的发展，并为德育决策提供依据。

（二）思想品德评价的意义

学生思想品德评价的意义主要有以下几个方面：

第一，实施学生思想品德评价，是提高学生思想道德水平，促进向素质教育转轨的重要措施。

《中国教育改革和发展纲要》明确指出："中小学要由'应试教育'转向全面提高国民素质的轨道，面向全体学生，全面提高学生的思想道德、文化科学、劳动技能和身心素质，促进学生生动活泼地发展……"全面提高学生素质的关键和难点，在于提高学生的思想品德素质。学生思想品德水平是关系到学生政治方向、世界观、道德品质等发展方向的问题，在素质教育中处于核心地位。学生品德水平的提高将有力地促进其文化科学、身体素质的全面提高，促进由"应试教育"向"素质教育"转轨。

第二，实施学生品德评价，是促进德育管理科学化的重要手段。

长期以来，我国学校德育不能适应社会发展需要和学生身心发展需要的原因之一，就是对德育管理不够健全、思想品德评价机制不尽完善，缺乏全面科学的评价标准和有效的评价方法。因此，根据德育目标，建立系统的、科学的、可行的思想品德评价指标体系，运用科学方法广泛搜集信息，并采取定性和定量相结合的方法处理评价信息，做出全面的、客观的判断，通过评价信息的反馈，不但可以引导发扬优点，克服缺点，自觉调控行为，同时也能改进和完善德育工作，提高学校德育工作的质量与效益。

第三，实施思想品德评价，有利于激励先进，鞭策后进。

长期以来，在德育管理工作中，树立典型，表彰先进，虽然并非全由教师或行政领导决定，但由于缺乏科学的评价方法，因而难以克服形式主义和脱离实际的弊端。科学的品德评价，为德育管理工作提供了客观依据，使教师或学校领导能切实了解学生品德状况，并依据评价结果对学生做出奖惩决定，使学生得到鼓励和鞭策，促使学生"见贤思齐"，在学生中形成一种奋发向上的良好风气。

二、思想品德评价的方法

在我国，自 20 世纪 80 年代以来，各地在思想品德的测量与评价方面做了大量有益的探索。据有关学者总结，目前学校对学生思想品德测评的具体方法有十多种，经常用的有以下几种。

（一）操行评语法

这种方法是品德测评者根据自己对学生某个时期有关表现的观察和了解，参照有关标准，以简短的陈述句的形式，概括地总结出学生在该时期的品德表现状况和发展水平。评语要求：全面，对学生思想品德方面的优缺点给予全面的评价；真实，以平时记载的事实材料为依据，写出真实客观的评语；具体，观点鲜明，事实清楚，不用模棱两可、似是而非的文字；鼓励，评语充满对学生的期望，激励学生积极向上。操行评语的方式可由班主任写出，也可经学生自我总结、小组评议、班委会审核而产生。

操行评语法是目前学校应用最为广泛的方法。由于这种方法是以总体印象为基础，因而主观随意因素较重，而且常常出现千人一面的情况。

（二）等第法

这种方法是按照一定标准对被评价者的品德水平和状况予以总结性的等第评定，以显示品德发展水平的差异。测评标准可以是被评价者外部标准，也可以是内部相对标准。操作步骤为先确定测评内容和标准，然后让学生自评自报，学生小组进行评论，再由班主任征求科任教师意见，结合小组评议结果及平时观察评出等第，最后由学校审定。所评等第从 3 级到 10 级不等。各等级的人数有的学校规定具体比数进行控制，有的学校则采用绝对评价方法。等第法对学生品德发展虽能分出发展层次和等级，促进学生之间的比学赶超，但也存在过于高度概括化的问题，难以反映品德发展中方方面面的情况。在实际工作中，学校或教师常常将等第法与评语法结合使用。

（三）评等评分测评法

这种方法是先拟定一定数量的测评标准，测评时按个人、小组、教师分别逐项对照标准进行评定。先判断等级，然后按规定转为分值，并将分值填在相应的栏目中，最后综合为一个总分并转为等第。在具体使用中又有不同的变化，如有的只分项目评等不综合，有的则把各项目分为只评等不评分的项目和评分不评等的项目，进行分别处理，等等。

（四）操作加减评分法

在这种方法中，测评者根据教育行政部门颁布的德育大纲、学生守则、行为规范以及学校的具体要求，列出评分项目，制定加分减分标准，对于应该提倡的良好行为确定加分数值，对不良行为确定减分数值。学期开始，全体学生有共同的基础分数，例如 100 分，学期结束评价时，根据每个学生的具体行为表现，对照标准分别评出加分和减分的数值，在基础分数上进行加减，得出最后成绩。这种方法客观、具体，结果具有可比性，但多偏重于对言行的评定，对道德意识等不易反映。

（五）加权综合测评法

这种方法首先应建立思想品德评价的项目或指标体系，建立指标体系时一般是将德育目标逐层分解，直到末级项目可以测评为止。为了使评价的要求更加明确，还应进一步制定评价标准，并根据各个指标在整个指标体系中所占的重要程度的不同确定相应的权重。评价时根据学生的具体表现，采用自评与他评相结合的方式进行，先确定单项分值或等级，然后进行加权求和，得出综合值。这种方法能够较为合理地体现各因素的作用，但它对标准化和权重的确定要求较高，这在方案的准备时应予以重视。

（六）模糊综合测评法

此法的操作与加权综合测评法基本相同，只是在最后综合处理时采用了模糊综合评判的方法。该法能精确地反映出学生属于的层次水平，但体现不出某一具体学生的具体情况。

（七）评等评分评语综合测评法

这是对上述各种测评方法兼容综合的方法。是在得出分数、等第之后，再加评语，以解释等级分数的意义，定性说明被评价者的品德个性与特点。具体操作是先按标准逐项分等评分，再综合得到总分及等第，最后依据分项及综合评定提供的信息写出评语。这种方法由于比较客观、具体，而且能较全面地反映被评价者品德情况，因而应用较广。

三、学生思想品德评价指标的举例

近年来，不少学校在评价学生的思想品德方面做了有益的探索，注重把学生的理论认识与实践表现结合起来，力图全面地把握学生的发展水平。表9－2是某学校根据德育学分制的要求而制定的学生思想品德综合评价表。

表9－2　学生思想品德综合评价表

姓名＿＿＿＿＿＿＿＿　　　　　学生证编号＿＿＿＿＿＿＿＿＿＿＿＿

项目	内　容	等第评定				学期应得学分	学期实得学分
		优秀	良好	合格	待提高		
德育课程	政治课、德育选修课					0.5	
	时事、行为规范认知					0.5	
	马列主义、党章学习					0.5	
	学工、学农、学军实践					1.0	
德育实践	日常出勤（早自习）					0.5	
	校园文明岗值周					0.5	
	校园包干区保洁					0.5	
	寝室内务卫生					0.5	
	文明住宿					1.0	
	早锻炼参加情况					0.5	
	支部组织生活					0.5	
	社团活动					1.0	
	文明就餐					0.5	
	个人志愿服务					5.0	
	自主学习					0.5	
	参加社会实践					0.5	
	假期挂职锻炼					1.0	

续表

项目	内　　容	等第评定				学期应得学分	学期实得学分
		优秀	良好	合格	待提高		
德育能力附加	各类竞赛获奖，校级加0.1学分、区级加0.2学分、市级加0.5学分						
	学生自主管理委员会干部，由指导教师考核认定工作卓有成效的，加0.5~1学分；班级学生干部，由年级组认定班级管理卓有成效的，加0.2~0.5学分						
	本学期被评为星级寝室，室长加0.5学分、室员加0.2学分 被评为仍需努力的寝室，室长扣0.5学分、室员扣0.2学分						
	在维护校园秩序和校园环境及精神文明建设中与不良现象作斗争，成绩显著者加0.5学分						
	志愿者服务、校园包干区劳动或值勤等工作极为出色，酌情加0.1学分						
学期实得学分 （15 + 4.5）	+		学期总等第				

四、当前思想品德评价中存在的主要问题

众所周知，学生品德测评是教育评价的难点之一，那么，当前品德测评的困难和问题有哪些呢？

（一）品德测评指标的设计问题

科学的品德测评很大程度上依赖于指标体系的科学化。从目前的品德测评工作的实践来看，指标体系的设计质量依然存在许多不尽如人意之处，其中问题较为突出的便是指标体系的可操作性问题。为了保证品德测评的有效性和可靠性，品德测评目标体系的制定，一般要求其规定的内涵非常准确，使评价者对它们都能有一个客观公正的认识。在现实中，人们为了求得指标的可操作性，将指标体系设置的过分细致和具体，甚至出现了包含几十条指标的庞大指标体系。但其效果却适得其

反，由于其过大过重的工作量而不被人们所欢迎和接受。但如果指标过于笼统，抽象，人们无法通过指标去获得有关应测评对象的思想品德特征的信息，那么，测评的有效性就会受到影响。因此，如何兼顾品德测评指标体系的客观性和可操作性是品德测评研究中人们关注的重点。

（二）品德测评的量化问题

目前，全国各地的中小学品德测评，普遍喜欢实行量化，从品德测评的角度来看量化是必要的，也是可能的。科学而合理的量化，有助于克服品德测评过程的许多主观臆断性，有助于提高学生品德测评的效率与效果，有助于德育管理与德育研究，有助于强化德育工作。但目前人们在品德测评过程中存在着随意"量化"与简单"量化"的现象，甚至把"量化"加以滥用乱用，远远超出"量化"本身的功能范围，使人们对此提出了不少批评。

如何来鉴别某种量化方法是否科学合理，目前尚无什么好方法。因此人们对品德量化提出了一些质疑。

质疑之一："量化"是否能全面、真实、精确地反映学生的真实水平。"量化"实际上只重视对学生行为结果的评分，并不注意行为过程，因此有些学生的行为不是出于对品德测评目标的自觉遵守，而是为了躲避扣分，争取高分，是一种表面行为。这样就导致学生品德得分的多少与他们的实际水平挂不上钩。此外，尽管量化测评所获得的资料可靠且重要，但它只是测评者对感性认识的量表赋值，还需要在此基础上进行定性分析。人的思想信念与品德素质往往是众多行为特征的抽象综合。必须使品德的多侧面、多因素有机统一才能得出带有整体性和综合性特征的理性评定，才能由此测评出学生品德的真实水平。

质疑之二：品德所有的特征成分是否都可以量化。品德测评总要求以可观察的外显行为为依据，重视现实的表现，而测评的重点却是深层的思想动机，测评的对象学生（特别是小学生）正处于不断变化和发展的时期。学生品德评定的这种特殊性决定了品德测评有的内容可以量化，如"完成作业""参加劳动"等，有的内容难以量化，例如"尊老爱幼""诚实勇敢"等。更多的内容无法量化，例如"热爱祖国""热爱人民"。因此，品德评定应以定性为主。

（三）思想品德测评方法实践可行性的问题

在思想品德测评中，人们总是刻意追求它在理论上的完善性和方法上的先进性。如目前有关研究人员提出采用模糊数学或其他先进计量手段的测评方法。虽然它们在技术上都有一定的先进性和科学性，但中小学教师却不愿接受或难以接受，主要是计算操作烦琐，不便人们使用。

因此，如何使思想品德的评价更具针对性，能科学而准确地确定学生发展的水平，仍需要广大教育工作者在实践中继续进行探索。

第三节　学生实践能力与创新精神的评价

当前，我国素质教育的实施已进入关键阶段。《中共中央国务院关于深化教育改革全面推进素质教育的决定》中指出："实施素质教育，就是全面贯彻党的教育方针，以提高国民素质为根本宗旨，以培养学生的创新精神和实践能力为重点，造就'有理想、有道德、有文化、有纪律'的、德智体美等全面发展的社会主义事业的建设者和接班人。"

根据中央的决定，各地教育部门在培养学生的实践能力与创新精神方面进行了大胆的探索，并取得了初步的成效。教育部及时总结了各地的成功经验，在2001年6月颁发的《基础教育课程改革纲要（试行）》中把综合实践活动列为从小学至高中的必修课程，并明确规定综合实践活动的内容主要包括：信息技术教育、研究性学习、社区服务与社会实践以及劳动与技术教育。综合实践活动列入课程，使培养学生的实践能力与创造精神有了切实的保证。

如何对学生的实践能力与创新精神进行评价，从而推进素质教育的不断深化，已成为教育工作者关注的重要主题。本节将对这一主题展开初步的论述。

一、实践能力与创新精神的含义

实践能力是指学生在社会与生活实践中解决实际问题的能力。实践能力是一种复合性能力，具有综合性和实践性两大特点。从能力结构层面来看，综合性表现为认知、情感（态度）、操作（动手能力）等多种智能的综合；从内容来看，综合性涉及跨学科知识、技能等应用。实践性是指学生解决的是来自社会、生活的实际问题，而非人为设置的问题，问题是在实践中得到解决的。

实践能力是指学生在社会与生活实践中解决实际问题的能力。

创新精神则要求学生具有强烈的求知欲、好奇心、不满足于现成的结论，有质疑精神；善于观察，勤于思考，能够发现问题和提出问题；在解决问题时具有想象力和灵活性，能多视角进行深入探究，提出不落俗套的独特方案。

创新精神则要求学生具有强烈的求知欲、好奇心、不满足于现成的结论，有质疑精神；善于观察，勤于思考，能够发现问题和提出问题；在解决问题时具有想象力和灵活性，能多视角进行深入探究，提出不落俗套的独特方案。

二、评价实践能力与创新精神的基本方法

近年来，各地教育部门在培养学生实践能力与创新精神时，主要采用了探究性、研究性学习的形式。

　　研究性学习有广义与狭义两种解释。广义的研究性学习是指学生探究问题的学习，贯穿于各科和各类学习活动中。狭义的研究性学习是指学生在教师的指导下，从实际生活中（包括社会现象与自然现象）选择和确定研究专题，并在研究中主动地获取知识、应用知识、解决问题的学习活动。①

　　在此，我们以评价狭义的研究性学习为例，展开论述。

　　参与社会实践和进行研究性学习，使学生的学习活动从学校、课堂延伸到社会的大环境中，学习的内容与侧重点都发生了重大的变化。因此，单纯采用以书面测试、实验室操作考评为代表的传统学力评价手段，已显得力不从心，开发或借鉴新的评价方法成为当务之急。

　　表现性评价是近十多年来国外流行的、新型的评价方法，目前国内的一些地区的学校也已经采用。我们认为它比较适用于评价学生研究性学习中所表现出来的实践能力和创新精神。

　　所谓表现性评价，就是通过观察学生在生活和学习情境中完成各种任务的表现来评价学生。这种评价通常是在学生进行社会调查、从事专题研究、参与感兴趣的作品创作等学习情境下进行的；采用非测试型的评价工具（如观察记录表、评价表、轶事记录本等）和音像设备记录学生解决问题、创作产品、完成作业的过程的表现（如同伴的互动、实验过程、讨论情形等）以及结果的质量。

　　表现性评价的基本特点如下。

（一）评价的问题情境具有开放性、真实性、综合性

　　问题情境具有开放性，可以充分调动学生主动探究的积极性，发现问题并依照自己的兴趣和特长选择研究的主题，在研究中提出自己独特的见解或解决问题的途径。

　　问题情境具有真实性，可以使学生密切联系社会的实际，了解并关

---

　　① 钟启泉，崔允漷，张华. 为了中华民族的复兴　为了每位学生的发展［M］. 上海：华东师范大学出版社，2001：130.

心社会，通过亲身体验，激发探索和创新的意愿、增强社会的责任感和使命感。

问题情境具有综合性，可以使学生拓宽解决问题的视角，既要综合应用已有的相关知识，又要获取解决问题所需的新知识、新技能，在研究中不断完善自己的智能结构和解决问题的能力。

（二）评价的方案具有灵活性

由于研究性学习的主题是学生在教师的指导下自习选择的。课题涉及的领域、成果形式、研究的方式均各不相同，因此，评价的方案应当具有灵活性。应当让学生参与评价方案的制订工作。

（三）评价主体具有多元性

研究性学习的评价主体可以由各种人员承担，如学生本人、研究小组成员、指导教师、社区或有关单位、专家等。

（四）评价的结论以质的描述为主，辅以必要的等级

学生的研究性学习成果可以通过作品展示（制作、社会调查报告、科学实验、计算机程序设计等）、报告会、答辩的方式进行评价。评价的结论可以质的描述为主，必要时，也可评定等级。

（五）评价具有持续性，并鼓励学生通过合作解决问题

建立学生学习发展的档案是表现性评价的一种有效方法。档案袋评价是一种过程评价，它揭示了学生发展的完整过程，通过汇集一段时间内学生的作品与各种表现来评价学生。档案袋可以是单项的（如某项课题研究的初始构思与最后完成的作品），也可以是综合的（包括学生各方面学习表现的日志、文章、作品、相片等多种资料）。档案袋汇集了学生学习和成长的过程，呈现出学生的努力与成就，是评价学生学习最好的依据，它是一部活生生的学习成长史。档案袋评价有助于教师了解学生在学习过程中所付出的努力。进步情形及学习目标的达成度，同时也使学生有机会反省自己的学习，成为积极主动的自我评价者。

对于容量比较大的研究课题，应当鼓励学生组成小组，进行合作性研究，提高参与面。小组成员要有明确的分工与职责，并根据分工职责评定每个成员的实际表现。

三、评价学生研究性学习的指标举例

某高级中学提出了以下的研究性学习评价指标（见表 9 – 3）可供参考。

表 9 – 3　研究性学习评价指标

编号	评价指标	等第评价	描述性评价
1	创新精神和研究意识		自评：
2	克服困难的勇气和毅力		
3	团队协作精神		
4	提出课题、提炼课题的能力		
5	课题设计的能力		
6	收集信息和加工信息的能力		指导教师评价：
7	知识、信息的应用能力		
8	使用科研方法、手段的能力		
9	课题研究的组织能力		
10	课题研究的质量		
备注	评价等第为：优、良、合格、不合格 他评可以由课题组成员或指导教师进行		

四、研究性学习评价的价值取向

与传统的测试型评价方式相比，研究性学习评价的价值取向有以下一些特点。

（一）更重视过程

研究与探究活动是一种实践过程。中小学生开展研究性学习，其主要目的并不在于要求学生能产生具有理论价值或社会效益的成果，而在于培养学生的主动探究问题意识、了解研究的基本过程、养成实事求是的科学态度。因此，评价应当侧重学生参与活动的全部过程，不能仅以最终的成果的质量论成败。同时，学生根据自己的爱好与特长选择研究的课题，有利于充分展示其学习的潜能，从而使评价可以发现传统课堂教学评价中容易忽视的方面。

（二）更重视实际的应用

在学科学习中，学生要应用所学的知识、技能完成教材中的习题，但这些习题通常经过了抽象或简化，大多为单科性的问题，与现实生活中的问题有一定的距离，会解题并不一定意味着能解决实际问题。而研究性学习的课题是直接来自社会，学生首先要能发现问题、提炼问题，然后才能综合运用所学的相关知识着手解决问题，因此对研究性学习的评价更能真实地反映学生的应用能力。

（三）更重视体验

学生在研究性学习的实践中既发展了观察、思维、操作和表达等基本能力，同时又获得大量的感性认识，增强了对社会问题的关注意识。评价应当强调在学生探究过程中的体验，包括使命感、责任感、自信心、进取心、意志、毅力、气质等非智力因素。

需要指出的是，采用表现性评价、建立档案袋以了解学生发展的过程等非测试型的方法，并不是简单否定传统的测试型方法，而是一种反思、补充和改进，目的是为了更全面地反映学生的发展状况。传统的测试型评价方式，在许多评价内容或场景下仍然适用。以"环境污染"这一熟知的主题为例，我们既可以用传统书面测验来评价学生对污染的原因与造成影响的了解；也可以运用表现评价，让学生根据实际的观察与了解，设计并组织一次环境保护公益活动；还可以让学生搜集资料，就污染问题写出心得感想或提出解决的若干建议，归入档案袋。因此，教师在评价学生的发展时，要灵活而创造性地整合多种评价方式，以期对学生的学习有一个真实、全面地反映。更重要的是，我们应树立一种更具人性化及发展观的评价理念，真正认识到学生具有多元的学习方式与能力，以促进学生各项智能的全面发展及个性才能的充分展示。我们应努力实现教育部 2001 年 6 月颁发的《基础教育课程改革纲要（试行）》中提出的具体目标："倡导学生主动参与、乐于探究、勤于动手，培养学生搜集和处理信息的能力、获取新知识的能力、分析和解决问题的能力以及交流与合作的能力。"

第四节　学生评价的发展趋势

20 世纪 80 年代中期以来，我国对学生的学业评价进行了较为充分的研究，评价的理论和技术不断提高。进入 20 世纪 90 年代后，我国开始全面推进素质教育，以培养适应 21 世纪现代化建设需要的社会主义新人。

《中共中央国务院关于深化教育改革全面推进素质教育的决定》中明确指出："实施素质教育，就是全面贯彻党的教育方针，以提高国民素质为根本宗旨，以培养学生的创新精神和实践能力为重点，造就'有理想、有道德、有文化、有纪律'的、德智体美等全面发展的社会主义事业建设者和接班人。"并对学校教育中的智育工作提出具体的要求，要"激发学生独立思考和创新的意识，……要让学生感受、理解知识产生和发展的过程，培养学生的科学精神和创新思维习惯，重视培养学生收集处理信息的能力、获取新知识的能力、分析和解决问题的能力、语言文字表达能力以及团结协作和社会活动的能力。"

教育评价的改革是全面推进素质教育的重要环节。学生的评价应当努力体现素质教育要求，以迎接新世纪科学技术发展和知识经济的挑战。可以预期，今后我国的学生评价（主要是学业评价）将出现如下一些新的改革与发展趋势。

一、重视联系实际，重视跨学科知识和能力的考核

长期以来，我国的教学和学业评价一直有偏重纯学术性的倾向，联系实际不够。这一偏差已多次被国际比较研究（如 1984 年的 IEA 第 2 次国际理科调查，1989 年 IAEP 的第 2 次数学和理科调查）所证实。为了从根本上改变这一现象，我国的学生学业评价将日益重视联系实际、强调应用，以发挥其积极的导向功能。

理论联系实际，学会用已有知识解决实际问题，是素质教育重要目标之一。学生评价应当更加注重与社会生产、生活实际的结合以及与科技新成就的联系，这对于突出学习的时代感、拓宽学生的知识面和视野、实现思想性和科学性的统一都具有重要作用。

在各科学业评价中，联系实际、强调应用的主要表现可归结为：语文注重实际运用能力、强调工具性，作文注重现实意义和思想意义、增加应用文；外语注重情境教学，培养交际能力；数学考查学生解应用题的意识和能力；理科重视与社会、生产、科研的联系；文科积极反映社会发展中的热点、重点问题，考查运用所学知识、观点、方法分析问题的能力，努力实现知识、能力、觉悟的统一等。

教育部颁发的《基础教育课程改革纲要（试行）》把综合实践活动

（主要包括信息技术教育、研究性学习、社区服务与社会实践以及劳动与技术教育）作为必修课程，为实践能力和创新精神的培养与评价提供了课程的保证。

现实生活中的许多问题涉及各方面的因素，解决这些问题需要跨学科知识和能力的考核。这对学校教育与学生评价提出了更高的要求。

近年来，我国高考已在部分省市试行综合能力测试，在科目设置方面推出了"3＋综合"的新模式。有些省市在会考与中考中也开始编制一些跨学科的综合题，使综合从学科内的跨章节的综合上升为学科间知识的融合，形式包括文科（政治、历史、地理）综合，理科（物理、化学、生物）综合，甚至文、理科的大综合。

跨学科、多视角的综合考查，有利于学生积极、主动地构建并完善其知识结构，形成相互贯通、纵横联系的网络，使知识内化并发展水平迁移和纵向迁移的能力。

二、重视一般能力与思维技能的考核，尤其是批判性思维、创造性思维的考核

培养能力的最终目的是能够掌握、运用已知或新知的知识进行分析、解决实际问题。认知能力的核心是思维能力，这是一种对信息进行深层次加工和利用的一般能力。

为了适应未来科技革命和知识经济的挑战，学生的学业评价将会日益重视对一般能力与思维能力的考核，简要阐述如下。

（一）加强对有效获取信息能力的考核

未来的社会是信息化社会。随着科学技术的迅猛发展，知识的数量激增、更新速度加快。大众媒介（电视、广播、报刊、互联网）的作用与影响日益强大，信息渠道更加多样化。因此，善于不断获取新信息，调整自己的认知结构，是学生素质的一个重要组成部分。提供新材

料、新情境来加强对能力的考核是学业评价的重要发展趋势。

提供新材料、新情境能够创设公平竞争的条件，要求学生独立思考、创造性地分析和解决问题。以新材料、新情境为载体进行考核，具有两个重要的优点。一是考查了知识的迁移能力，即要求学生综合、改组已有的知识，适应新情境、解决新问题。这对于抑制题海战术的机械操练、考查思维的灵活性都具有良好的导向作用。二是考查了学生对新信息进行加工，使新旧知识相结合，从而解决问题的能力。第二种功能的要求更高，具有寓学于考的效用，可在解题的同时获取新信息、拓宽学生的视野和知识面、锻炼学生创造性地解决实际问题的能力。

在实践中，我们发现许多学生在材料、信息题上失分较多，不能有效获取新信息并加以应用是一个重要原因。有效获取信息的能力提高，只靠考前临时突击是无济于事或收效甚微的。应在各科的日常教学中有意识地加以培养。

（二）加强对智慧技能（程序性知识）和认知策略（元认知）的考核

众所周知，有了适当的知识并不一定能解决问题，因为解决问题还需要具备必要的解题模式、方法和步骤以及对认知过程进行自我监控与调节。在认知心理学中，解题模式、方法和步骤称为智慧技能或程序性知识，认知过程进行自我监控与调节称为认知策略或元认知。研究表明：对问题的表征水平影响着解决问题的结果，解题的思路和模式影响着解决问题的效率。这要求我们注意加强对学生审题能力以及解题思路和模式的训练和培养。审题能力是指明确问题的目标和条件，解题的思路和模式是指通过适当的途径填补已知条件和要达到目标之间的认知空隙，或把未知转化为已知。两者都是解决问题的关键。因此，分析、解决问题既离不开知识准备，又要有模式准备。此外，在解决问题过程中不断进行监控，根据实际情况做出相应的调整，采用适当的策略，也是解决问题的必要条件。灵活、变通的认知策略将会大大提高解决问题的效率。

近年来，我国一些学科提出了对基本方法、基本技能、基本思想的考核，是很有见地的。如高考数学学科提出了对基本方法（数学方法和逻辑方法）、基本技能（按一定步骤进行演算、变形、推理等）和数学思想（如数形结合、函数与方程、分类讨论、等价转化、集合思想）的考核。这表明对程序性知识的考核已引起一定的重视。可以相信，今后的学业评价会更加注重这些方面的考核，因为这些更加一般的能力对于学生今后的学习和发展具有极其深远的影响。

（三）提高对思维品质（尤其是批判性思维和创造性思维）的考核要求

在信息化社会的大背景下，对大量知识进行筛选的能力具有极为重要的意义。学生必须学会正确地观察和分析各种事物，对大量流通的信息进行筛选，分清主次、辨别真伪，形成批判意识，以及独立判断、决策的能力。应当说，批判性思维与创造性思维有着一定的联系，如果对任何现象缺乏质疑精神，不经过自己的深入思考，完全接受书本或权威的意见，是不可能有所发现、有所创造的。

学业评价应逐渐提高对思维品质的要求：在考核迁移能力，直接运用新资料、新知识解答问题的过程中，更加重视思维过程的敏捷性、灵活性、严密性和深刻性。各科都可出少量对思维品质要求较高的试题，或要求一题多解——强调思维的灵活性，或侧重巧解——强调想象力、多向思维和发散性创造思维，或注意与相关学科的横向联系。侧重考查思维品质的试题不必涉及烦琐的计算和大量的材料，但思考容量应当较大，自由发挥的空间要大。具有挑战性的试题才能选拔出发展潜力较大的学生。近年来，国内有些学科已推出一些探索性或开放性试题，这些试题大多以社会生活中的实际问题为素材，要求学生利用已学习过的知识，采用各种手段或工具，提出合理的解决问题的方案。

三、重视实际操作能力的考核

书面成绩好，动手能力差，也是我国学生较明显的通病。近年来，校内外的理科学业评价加强了对实验的考核，对中学重视实验教学起到了良好的导向作用。有些学科还增加了课外实验和应用性知识的考查，或推出设计简单实验方案的试题，具有一定的开放性和探索性。对于培养学生严谨的科学态度和理论联系实际的作风、养成既会动手又会动脑的科学素养，具有不可替代的作用。坚持加强对实验能力的考查，对提高我国学生的理科整体水平将会产生深远的影响。此外，其他学科也可试点加强对学生操作能力的考查，如外语学科进行听力和口语的考查，促进学生发展语言交际能力。

校外考试由于规模较大，要全面推行操作评价存在着管理与实施上的困难。但校内考核改革的步骤似乎可以更大些，如实行开卷考试，让学生进行小课题研究、做科技小制作等，并把相应的成绩按一定比例记入总分。只有这样，才能根本改变长期以来学校主要依靠书面考试来评价学生学业的局面，才能促进学生综合素质的提高。

四、学业评价技术的现代化

近年来，随着计算机技术、测量与统计技术的发展，学业评价的技术也日益丰富、完善。在此，我们仅介绍一下计算机技术在学业评价中的应用前景。

在国外，计算机适应性测试是20世纪80年代研究的热点。与传统的书面测试相比，计算机化测试具有很多优点：考生应试的机会大大增加，只要做好准备，随时可以参加考试；测试的环境更加舒适、安静；测试结束便可立即得到非正式的成绩；采用适应性技术的计算机化测试，还能依据考生的实际水平选择最适当的试题让考生回答，用少量的试题就可以很精确地测量学生的成就，提高了测试的效率。

20世纪90年代中期开始，计算机多媒体和数码技术飞速发展。计算机化测试又进入了一个崭新的发展阶段。静态的刺激（文字或图形）被动态的录像所替代，测试的情境与实际生活更加接近。如听力测试不再是只听到录音磁带的声音，同时还可以看到会话者的动作、神态和表情。试题也不再是纯粹的选择题，考生可以录下自己的回答，作为口试；也可以输入答案，作为笔试，即使用笔书写，答案也可用扫描仪方便地输入。甚至学生的实际操作情况也可以通过摄像机加以记录。除选择题可由计算机进行评分外，考生的其他答案均可传送给训练有素的评分者评阅。

在我国一些经济较为发达的地区，也开始了计算机测试的试验，并将用于大规模的校外考试。可以预见，在21世纪初我国学业评价的手段的现代化将得到更广泛的使用。当然，由于经费、设备等条件以及多媒体测试材料制作水平的限制，计算机测试在我国普遍运用，还需要一段相当长的时间才能实现。

五、学生思想品德与心理素质的评价将更注重理论与实践的结合，并渗透到其他学科的评价中

今后的学生思想品德与心理素质评价的发展趋势为：指标体系将更加注重"知、情、意、行"的统一，采用理论考核、日常行为观察、社会实践评价等相结合的方式，进行全面的考评。同时思想品德与心理素质的部分考评内容会更多地渗透到其他学科的评价中，如爱国主义的情操、社会责任感、环境意识、合作精神、科学态度等。

综上所述，要提高我国学生评价的水平，首先需要转变思想观念，确立起正确的质量观，同时应当大力加强理论与技术的研究，勇于探索，勇于实践。

　　为了适应素质教育的要求，我国的学生评价的改革与发展趋势可归结为：重视联系实际，重视跨学科知识和能力的考核；重视一般能力与思维技能的考核，尤其是批判性思维、创造性思维的考核；重视实际操作能力的考核；学业评价技术的现代化；思想品德与心理素质的评价注重理论与实践的结合，并渗透到其他学科。

小　结

　　促进学生素质的全面发展，是学校教育的根本出发点和最终的归宿。因此，学生评价在学校各种教育评价中处于核心地位，具有十分重要的意义。

　　学生评价是在系统地、科学地和全面地搜集、整理、处理和分析学生信息的基础上，对学生发展和变化的价值做出判断的过程，目的在于促进教育与教学改革，使学生全面发展。

　　思想品德评价就是以德育大纲和德育目标为依据，运用一切可行的方法和技术，系统地收集有关的资料信息，对学生的思想品德诸因素做出事实分析与价值判断，促进学生的发展，为德育决策提供依据。

　　实施学生思想品德评价，是提高学生思想道德水平，促进向素质教育转轨的重要措施，是促进德育管理科学化的重要手段，有利于激励先进，鞭策后进。思想品德评价的方法包括：操行评语法、等第法、评等评分测评法、操作加减评分法、加权综合测评法、模糊综合测评法、评等评分评语综合测评法。

　　当前思想品德评价中存在的主要问题为：品德测评指标的设计过于庞杂，品德测评方法过于追求量化以及计算操作比较烦琐，需要广大教育工作者在实践中继续进行探索。

　　素质教育的重点是培养学生的创新精神和实践能力。实践能力是指学生在社会与生活实践中解决实际问题的能力。创新精神则要求学生具有强烈的求知欲、有质疑精神；能够发现问题和提出问题；在解决问题时具有想象力和灵活性，能多视角进行深入探究，提出不落俗套的独特方案。

各地教育部门在培养学生实践能力与创新精神时，主要采用了探究性、研究性学习的形式。

表现性评价是评价学生研究性学习中所表现出来的实践能力和创新精神的一种有效方法。

表现性评价是指通过观察学生在生活和学习情境中完成各种任务的表现来评价学生。其基本特点是：评价的问题情境具有开放性、真实性；综合性评价的方案具有灵活性；评价主体具有多元性；评价的结论以质的描述为主，辅以必要的等级；评价具有持续性，并鼓励学生通过合作解决问题。档案袋评价是一种过程评价，它通过汇集一段时间内学生的作品与各种表现来评价学生。

研究性评价的价值取向的特点为：更重视过程、更重视实际的应用、更重视体验。

这些非测试型的方法，并不是对传统的测试型方法简单否定，而是一种反思、补充和改进，目的是为了更全面地反映学生的发展状况。

在我国全面推行素质教育的形势下，学业评价将出现一些新的改革和发展趋势，如重视联系实际，重视跨学科知识和能力的考核；重视一般能力与思维技能的考核，尤其是批判性思维、创造性思维的考核；重视实际操作能力的考核；学业评价技术的现代化；学生思想品德与心理素质的评价将更注重理论与实践的结合，并渗透到其他学科的评价中。

思考题

1. 你认为学生的综合素质评价应当包括哪些主要方面？
2. 学生思想品德评价有哪些主要的方法？
3. 谈谈你对提高思想品德评价有效性的初步设想。
4. 设计几种评价学生实践能力与创新精神的方法。

进一步阅读的相关文献

1. 陈玉琨. 教育评价学 [M]. 北京：人民教育出版社，1999.

2. 瞿葆奎．教育学文集·教育评价［M］．北京：人民教育出版社，1989.

3. 中央教育科学研究所比较教育研究室．简明国际教育百科全书·教育测量与评价［M］．北京：教育科学出版社，1992.

4. 吴钢．现代教育评价基础（修订版）［M］．上海：学林出版社，2004.

5. 侯光文．教育评价概论［M］．石家庄：河北教育出版社，1996.

6. 张玉田，等．学校教育评价［M］．北京：中央民族学院出版社，2002.

7. 王景英．教育评价理论与实践［M］．长春：东北师范大学出版社，2002.

8. 比尔·约翰逊．学生表现评价评定手册［M］．李雁冰，主译．上海：华东师范大学出版社，2001.

10

教师评价

　　《中国教育改革和发展纲要》明确指出："建设一支具有良好政治业务素质、结构合理、相对稳定的教师队伍，是教育改革和发展的根本大计。"在21世纪里，如何科学地评价教师，促进教师的专业化发展，提高教育质量，是当前教育改革和发展面临的重要课题。本章首先讨论21世纪的教师评价观，然后探讨教师的主要工作——课堂教学评价、班主任工作评价的有关问题。旨在为教师的自我改进、自我提高、专业发展服务，努力建设一支能适应社会需要、足以承担提高国民素质重任的一流师资队伍。

第一节　21 世纪的教师评价观

一、新时期的教师质量观

　　自 20 世纪 60 年代以来，人类进入了一个加速发展的新时期。为了顺应社会发展需要，人类必须全面提高自身的素质。致力于自身再生产的教育事业，其价值必然会被重新认识。教育重于一切、先于一切，将成为全球最具开发潜能的头等事业已毋庸置疑。与此同时，社会对教师职业的地位、作用的认识也产生了联动效应，人们已清醒地认识到高质量的各种人才、高素质的新一代国民将通过教师的劳动加以造就，教育的希望在于教师。美国卡内基"教育与经济"论坛发表的一份题为《国家为培养 21 世纪教育做准备》的报告中要求全体美国人认识两条基本原理：第一，美国的成功取决于更高的教育质量。第二，取得成功的关键是建设一支与此任务相适应的专业队伍，即一支经过良好训练的师资队伍。《中国教育改革与发展纲要》更以前瞻性眼光指出："振兴民族的希望在教育，振兴教育的希望在教师。"

　　教师职业社会地位的提升与社会价值的凸显，可以预期，未来社会必然对教师提出新的要求，这些要求主要体现在教师质量观上。所谓教师质量观，通俗地讲就是什么样的教师是好教师。那么，什么样的教师是好教师呢？一些学者对这一问题进行了研究。成立于 1987 年的美国"全国专业教学标准署"提出，优秀教师应具有以下四个方面的特征：①第一，全身心致力于学生及其学习。教师最基本的信条是所有的学生都能掌握知识，承认学生的个体差异并以之调适教学，通晓学生发展和学习的进程与方式，公平地对待学生，不仅仅培养学生的认知能力，而且

---

①　唐晓杰. 美国优秀教师知识和技能的标准［N］. 教育时报，1998 – 10 – 10.

培养学生的自尊、激发学习动力、养成良好性格和公民的责任感。第二，熟练掌握学科知识和教材教法。要了解学科知识是如何创立的以及与其他学科的联系，掌握传授学科知识的特殊知识和技能，引导学生通过多种途径获取知识。第三，勤于思考，不断总结自己的教学实践经验。对所从事的职业终身学习和不断积累，以深化知识技能、提高判断能力，研究自己的教学，懂得请他人观察和点评课堂教学对提高教学水平的意义，虚心听取学生、家长、同事、领导的意见，提高教学水平。同时，紧跟科研步伐，从中吸取改善教学效果的最新研究成果。第四，教师是"学习村"的成员。教师要在课程分析和建设、协调学校教学、参与学校教师的专业发展和学校决策活动中发挥更为积极、更富有创造性的作用，在调节家长与学校矛盾方面有自己的方法，他们理解并克服传统偏见，注意培植学校和家庭的关系。

所谓教师质量观，通俗地讲就是什么样的教师是好教师。

我国学者总结出"21世纪教师角色的特征"，[①] 主要表现为以下六个方面：第一，教书育人的角色：教会学生终身学习。第二，学习者的角色：在知识经济时代，学习和工作将密不可分，作为学习者的教师必须树立"活到老，学到老"的思想，充分调动自己的学习潜能，不断地学习，不断地进取。第三，学习的指导者与合作者：一是教师的角色由以前的"教"转变为"导"；二是教师由教学活动的权威转变成教学的合作者。第四，集体的领导者和团体的管理者：体现以人为本的学生管理观。第五，心理辅导者的角色：教师要深入了解学生的心理特点，掌握心理教育、心理咨询与辅导的必要知识，帮助学生解除一些常见的心理困扰，促进学生心理的健康发展和心理素质的不断提高。第六，研究者的角色：教师应以研究者的心态置身于教育情境，以研究者的眼光

---

① 徐长江. 论21世纪教师角色的发展 [J]. 师资培训，2000（3）.

审视已有的教育理论和教育实际问题。就教学研究而言，教师应不断对自己的教学行为进行分析和反思。只有这样，教师的角色才能从"经验型"转向"学者型"、由"教书匠型"转向"学者型"。

二、新时期教师评价目的观

总的说来，有两种不同的教师评价制度。一种是以考核教师的资格和能力，为教师的聘任、晋升、加薪、解聘等提供人事决策依据的奖惩性教师评价制度；另一种是用以提高教师专业水平，促进教师职业发展，保证教育教学质量的发展性教师评价制度。新时期的教师评价应将奖惩性评价和发展性评价结合起来，并以发展性评价为主。①

总的说来，有两种不同的教师评价制度。一种是以考核教师的资格和能力，为教师的聘任、晋升、加薪、解聘等提供人事决策依据的奖惩性教师评价制度；另一种是用以提高教师专业水平，促进教师职业发展，保证教育教学质量的发展性教师评价制度。新时期的教师评价应将奖惩性评价和发展性评价结合起来，并以发展性评价为主。

从理论上说，奖惩性教师评价与发展性教师评价是以两种不同的教师观为基础的。奖惩性教师评价假定，教师只有通过外部的奖励才可以调动其积极性和创造性，奖励部分优秀教师可以带动其他教师，从而形成一个积极向上的教师集体。发展性教师评价假定，教师作为受过较高层次教育的人，以自我激励为主。对他们来说，内部动机比外部动机具有更大的激励作用；外部压力可以使他们达到最低的标准，但很难使他们达到优良水平；教师在获得足够的信息和有针对性的切实可行的建议之后，就有可能达到好的水平或更好的水平；教师作为专业工作者，本

---

① 王斌华．发展性教师评价制度［M］．上海：华东师范大学出版社，1998．

身具有"好为人师"的职业本能，如果能满足其必要的工作条件，他们就会发挥极大的工作热情和创造力。

从实践上说，奖惩性教师评价与发展性教师评价由于它们有着不同的教师观，因而在实际的评价活动中，它们所选择的方法和途径也是不相同的，前者所采用的评价方法主要是终结性评价，后者所采用的方法主要是形成性评价。

应当说，这两种不同的教师评价制度在我国教师评价中都是需要的。奖惩性评价在某种意义上可以促进教师教育教学改革，最大限度地实现学校的目标。但是这种动力是自上而下的，常常只能引起少数人共鸣和响应，因此，这种教师评价难以引起全体教师的重视，也难以调动全体教师的工作积极性。而发展性教师评价可以促进教师需要和学校需要的融合；促进"机械性组织"（机械性组织把员工看成机器的配件，认为员工只能服从管理人员的权力，按照管理人员的命令、指使干活）和"有机性组织"（有机性组织重视人的因素，把人看作有进取心的人，激发人的内在动力，自觉地发挥能量，达到组织的目标）的融合；促进教师心态和学校氛围的融合；促进教师的现实表现和教师的未来发展的融合；促进教师受益和学校受益的融合；促进教师正式组织和非正式组织的融合。因此，教师评价应将发展性评价和奖惩性评价结合起来。当前，我国教师评价主要还是奖惩性评价，表现为对教师昨天的劳动状况作鉴定、排序，以此为依据奖励或惩罚教师，因此，必须改变这种消极的评价概念，尤其是评价者要从"法官"和"裁判员"的位置上走下来，像医生那样抱着治病救人的满腔热情对教师工作做"临床诊断""对症下药"，促进教师改进工作。鉴于此，我国教师评价目前应注重发展性评价。

第二节　课堂教学评价

课堂教学评价是教师评价中的一个重要的组成部分，课堂教学评价具有自身独特的过程和特点，而且应用十分广泛和频繁。

一、一节课的教师课堂教学评价①

（一）课堂教学评价指标与标准

传统的课堂教学评价以教师为中心，以教论教，评定一堂课的效果也是从教师的角度出发，何为教学效果好含糊不清。新的课堂教学评价标准应首先关注学生的学；强调教学内容与学生生活以及现代社会和科技发展相联系；倡导主动、合作、探究的学习方式；重视使学生学会学习和形成正确的价值观，培养创新精神与实践能力。具体说来，主要考察以下三方面的指标。

1. 学生的参与状态

学生的参与状态是指学生是否主动、积极地参与学习过程。这可从以下四个方面来衡量：（1）学生参与的时间和广度。（2）学生独立思考和个别学习的时间。（3）学生参与高水平的认知活动，在解决问题中学习。（4）学生参与过程中有情感因素的投入，学生被学习内容和学习过程所吸引。

2. 教学过程中对学生创造性的培养

这可从两个方面加以衡量：一是看教师有没有在教学过程中贯彻创造性思维教学的基本原则；二是看学生回答问题以及学生自己的提问有没有独创性。归纳起来可从下面七个角度加以考虑：（1）教师提出了几个开放性的问题？（2）对于开放性问题，学生提供了几种答案？教师提供了几种答案？（3）学生回答问题有创意的人次是多少？（4）学生主动提问的次数是多少？（5）课堂教学中有多少时间用于集体自由

① 唐晓杰，等．课堂教学与学习成效评价［M］．桂林：广西教育出版社，2000.

讨论？（6）课堂教学中有多少时间用于学生独立思考、独立学习或研究？（7）教师提出一个问题后，容许学生思考的时间平均是多少？教师批评学生或否定学生的次数是多少？

3. 教师的教学设计

学生学习效果和参与程度，不仅取决于学生自身的主体意识和活动能力，还取决于教师的教学概念和教学设计，教师对学生发展水平的了解程度，教师对教学内容、方法的整体把握，教师能否为学生提供主动参与的时间和空间等。

（二）课堂教学评价方法

1. 课堂听课法

课堂听课法是课堂教学评价最常用最基本的方法。它一般由以下几个步骤组成。

（1）听课和记录。评价人员应该在上课开始前就进入教室，坐在教室的后面或角落里。课一开始，评价人员就进入记录状态，将教师和学生的语言、行为、活动转换的时间记录下来。记录的内容必须根据评价的重点有所侧重和选择。应重点记录教师的导入语和过渡语、教师的提问、教师独特的见解、教师对学生回答问题或完成情况的反馈、学生的提问、学生独特的见解、学生的典型错误、学生在听课时的表现、学生在小组活动中的表现、各项教学活动所用的时间等。通过对这些内容的记录，可以分析教师的教学设计、教学方法和教学效果。

（2）整理听课记录。整理听课记录的主要任务有两个：一是理清课堂教学的结构和思路。二是把重要的细节补充完整。

（3）课堂教学评价。一种是以定性描述为主。它主要是从教学目标、教学内容、教学方法和手段、教学结构、学生参与情况和学习效果等几方面阐明这节课的得失，既要有观点，又要有依据，要体现这节课的"质"。为了突出重点，一般不作面面俱到的评价，而是选择比较有意义的、有典型性的方面作点评。评价还要从建议的角度，指出可供选择的改进做法，见表 10 - 1。

表 10 - 1　课堂教学评价标准

指标体系	权重	评价标准（优等参照基准）
教学目的内容	0.26	目的明确，要求具体适度，内容正确，密度容量恰当，有机结合政治思想和品德教育
教学过程方法	0.32	教学环节紧凑，节奏适度；抓住关键，突出重点，突破难点；教学形式、方法、手段的运用符合内容需要、学科特点、学生实际；因材施教，面向全体，启发诱导，指导学法
教学基本素养	0.22	教学条理清楚，调控应变能力强；教态亲切自然，语言准确生动，讲普通话；演示操作熟练、正确，板书清楚、规范，设计合理
教学即时效果	0.20	按时完成教学任务，双基落实，能力得到培养；学生注意力集中，思维活跃，活动面广，正确率高

注：总体印象评价：优（10～9 分）、良（8～6 分）、中（5～3分）、差（2～1 分）；特长加分（加分幅度 0.5～1.0 分）。

一种是用指标体系的方法。这种方法在基层的课堂教学评价中经常使用。但是这类评价只给出结论，对教师教学水平的提高难以有切实的帮助。着眼于教师发展性评价应避免采用这种简单的方式。而发展性评价是对教师个人的教学水平和个人的进步所作的比较，而不是与他人作比较。所以，在使用指标体系方法的同时，"质"的描述也是必不可少的。课堂教学评价还要根据学科特点和教学阶段选择适当的指标，而不是用划一的指标来评价不同类型的课。

2. 录像评价法

近年来由于现代教育技术的广泛使用，录像技术已越来越多地运用到课堂教学评价中。录像评价一般包括准备工作、课堂教学过程纪实、教师访谈纪实和录像分析四个步骤。

（1）准备工作。拍摄录像前也要进行与课堂听课同样的准备，此外，还要注意环境条件和设备的准备。

（2）课堂纪实。录像调查的成功取决于录像带质量、提供的信息资料和可比性。录像的内容不仅与课堂教学有关，而且也与摄像机的使用有关。摄像人员在摄像时需要做出许多决定，如果不对此采用标准的方式，那么，课堂录像就没有可比性。总之，录像要尽可能地反映课堂教学的全部。

（3）教师访谈过程。在课堂录像纪实之后，还要进行教师访谈，其过程也要实录下来。访谈开始之前应把访谈提纲发给任课教师，并且向教师说明访谈的目的。提纲可以起到提示的作用，使访谈紧扣主题；也可以让教师对访谈的主题有大致的了解，使教师有心理准备。访谈的目的主要是为了了解教师的教学设计、教学目的、教学背景以及教师对这节课的自我评价。

教师访谈参考提纲：

①教学目的和教学设计。你这节课的教学目的是什么？你希望学生在这节课中学会什么？你做了哪些设计来达到这一目的？为什么要这样设计？

②在教学过程中，你是否根据学生的反应调整教学策略？做了哪些调整？

③课的背景。包括这节课与前后教学内容的联系，与单元教学内容的关系。

④教师基本情况。包括教育与培训经历、教学经历等。

⑤教师对教学的自我评价。你自己对这节课满意吗？与平时的课相比怎样？你认为这节课的成功之处在哪里？哪些达到了你设计的目的要

求？你认为还有什么需要改进的？

（4）录像分析。

①把录像内容转述为文字。这一步是重要的基本工作，看似烦琐，但有利于进一步的分析。

②课堂教学结构分析。根据录像和文字描述，把课堂教学过程划分为几个有机的环节，对每个环节的教学活动进行概括性的描述，同时记录下各个环节的开始时间和持续时间。

③制作课堂记录表。课堂记录表概要地记录课堂教学活动的过程和主要内容，可以让人一目了然地了解课堂教学的基本过程。表格可分为三列，第一列记录课堂教学的环节和每一个环节的开始时间、结束时间；第二列是学生活动描述，记录活动的行为类别以及是全班学习还是个别学习或小组学习，还要注明个别学习和小组学习的时间；第三列是教师活动描述，以及重要的板书、投影。概括地描述教师的教学行为，以及教师提出的主要问题和要求。表格中的一行用于记录一项活动。

④定量评价分析和定性评价分析。录像可以反复地观察，因此能够进行更为复杂和细致的分析。运用录像技术评价的一个好处是可以对课堂教学的时间分配和活动的频次作定量的分析。对有些难以量化的指标则要进行定性分析。

3. 教师和学生调查

教师和学生调查一般不单独使用，而是作为课堂观察或录像评价的补充。

（1）问卷调查。教师和学生调查一般采用问卷调查的方法，在纸上列出问题的清单，由教师本人、学生等根据他们对课堂教学过程和效果的主观印象来回答。教师自评内容可以包括：基本教学能力、教学过程中的创新、对教学内容的熟悉程度、是否注重学法培养、课堂气氛、学生参与的积极性等；学生问卷的内容可以包括对自己掌握情况的反馈、对教师行为的评价、对教师行为的建议等。

表 10 - 2　课堂听课自我评价表（供教师用）

此表帮助你在课后讨论中确定本节课的优点和缺点。在每一个标题下列出几个题目供你参考。你也可以自己增加几个题目。	
题　　目	答　　案
1. 你如何确保学生能够把握教学进度 （1）你是否准备了教学参考资料并将资料散发给学生？ （2）你的讲解清楚吗？学生是否能够充分理解？	
2. 你如何鼓励学生取得好成绩 （1）你是否正确地对待所有的学生？ （2）你是否花时间关心学生个人或每个学生小组？ （3）作业是否适合不同能力水平的学生？	
3. 你如何鼓励学生了解自己的水平 （1）下课前，你是否做了小结或者做了讲评？ （2）你对这节课的收尾工作满意吗？ （3）学生对这节课感兴趣吗？ （4）你对这节课感兴趣吗？	
4. 你对下一节课是否有了进一步的考虑？	

表 10 - 3　课堂教学调查表（供学生用）

问　　题	答　　案
1. 老师的讲解你都能听懂，完全明白吗？ 2. 老师所讲的内容能使你举一反三，具有启发性吗？ 3. 老师的讲课很有趣味吗？ 4. 上课时老师让你参加了一些有趣的活动吗？ 5. 上课时老师让学生去解决一些比较复杂的问题吗？ 6. 在课堂上，你和其他同学认真讨论、交流过意见吗？你是否从同学的观点中得到启发？ 7. 下课后，你还有兴趣思考老师在这节课中讲到的内容或题目吗？ 8. 你能独立完成老师这节课布置的作业吗？你能说出这节课的内容与实际生活的联系吗？	

表格上方说明：为了改进教学、提高教学质量并取得客观的评价，请你根据任课老师的教学和你自己的学习情况认真回答下列问题。

（2）积分式评定量表。积分式评定量表就是把教师的课堂教学行为或学生的课堂学习活动细化成一系列条目，对每个条目按照优劣好坏打分，最后将各条目的分数累计得出最后结果。

积分式评定量表的类型很多，比较常用的五分评定法，它将评价意见分为"非常赞成""同意""一般""不同意""非常反对"五个等级，依次给予 5 分至 1 分的评价，最后将各题得分相加。需要注意的是，如果有些题目的提法是否定的，例如"教师的教学方法呆板"，则分值要反过来，即"非常赞成"为1分，"非常反对"为5分。

表 10-4　"建议型"学生评定量表

项　　目	非常赞成	同意	一般	不同意	非常反对
1. 我希望老师上课多注意我的反应					
2. 我希望老师对我多提问					
3. 我希望老师更和善一些					
4. 我希望老师多给我一些鼓励和赞赏					
5. 我希望老师讲课时更生动一些					
6. 我希望老师讲得更浅显明白些					
7. 我希望老师讲课时更富有激情					
8. 我希望老师在课堂上让我们多活动一些					
9. 我希望老师多给我一些个别辅导					

（3）学生抽样作业。检验课堂教学效果，还可以随机抽取一组学生，让他们当场完成一些练习，或回答与课堂教学内容有关的问题。

二、一个学期的教师课堂教学评价①

在这里以一个中学的课堂教学评价方案为例。

某中学课堂教学评价方案

（一）期限

本评价方案实施时间从 1998 年 9 月起至 1999 年 7 月止。

---

① 吴钢. 浅谈教育评价方案［J］. 上海教育，2000（7）.

（二）评价目的

通过实施课堂教学质量评价方案，引导教师向课堂教学的规范性、科学性和创造性方向努力，从而有效提高教师的教学质量，真正贯彻"对社会负责、对家长负责、对学生负责"的办学宗旨，培养文化基础知识扎实、专业基本技能熟练和具有创造精神的合格人才。

（三）评价对象

属本校编制、具有教师资格的所有专任及兼任的任课教师。

（四）评价标准

1. 制定课堂教学质量评价标准的依据

（1）以教育方针为指导。课堂教学是学校教育的主要形式，它必须遵循党和国家的教育方针。在编制评价标准时，必须把教育方针作为依据之一。

（2）以教学大纲为依据。教学大纲是根据国家教学计划，以纲要的形式规定了各科教学的目的、任务、要求和内容。它是实现学科教育目的的重要保证。只有准确地把握大纲所规定的内容和要求，并且加以认真执行，才能使学生质量达到国家的要求。因此，教学大纲既是教师课堂教学的指南，又是评价教师教学质量的依据。

（3）遵循教学规律。

①教学原则：略。

②教学过程中的三项任务：略。

③课堂讲授的基本要求：略。

④课堂讲授的一般结构：略。

（4）教学实践积累的经验：略。

（5）要以学生实际为出发点。学生的身心发展，因年龄不同而表现出不同的特点。在制定教学质量评价标准和选择评价方法时，必须考虑到这个实际。也就是说，评价必须从各个年级的实际出发，充分地体现年级的特点。如果忽视这一特点，也会影响教学质量的评价效果。

2. 评价标准的背景描述

（1）关于指标体系的设计和确定。根据编制评价标准的依据和设计指标体系的原则，学校成立了由校党政领导、教育评价科和相关部门的人员组成的班子，针对学校实际情况，经过反复讨论研究，初拟了课堂教学评价指标，供教师和管理者评价用的"二十六条"、学生用的"二十条"，分别于 1998 年 8 月与 1998 年 9 月在教师、管理者和学生中进行民意调查，调查表征询意见栏中分"重要、较重要、不太重要、不重要"四档。参加调查的教师和管理者为 112 人（含高、中、初各职称层次），占学校教职员工总人数的80%。学生为 300 人（各年级随机抽样），其可信度达 95.45%，误差范围控制在 5% 之内。

（2）关于权重的计算：略。

3. 指标体系、权重和评价基准

（1）课堂教学质量评价标准（供教师和管理者用）。

课堂教学质量评价标准

序号	指标体系	权重	评定标准			
			4	3	2	1
1	教学目的方面	0.1050	达到	基本达到	有偏离	未达到
2	重视、分析教学难点方面	0.1008	注意	较注意	不太注意	不注意
3	突出教学内容重点方面	0.0984	重视	较重视	不太重视	不重视
4	有系统、有条理地组织教学内容方面	0.0966	好	较好	不太好	不好
5	创造课堂教学气氛方面	0.0853	好	较好	不太好	不好
6	课堂上学生的注意力方面	0.0830	集中	较集中	不太集中	不集中
7	准确、及时解答学生问题方面	0.0815	好	较好	不太好	不好
8	课堂教学的准确性、趣味性方面	0.0806	好	较好	不太好	不好

序号	指标体系	权重	评定标准			
			4	3	2	1
9	设计问题激励学生思考方面	0.0793	好	较好	不太好	不好
10	普通话规范性方面	0.0734	标准	较标准	不太标准	不标准
11	教学方法和手段的创新方面	0.0634	好	较好	不太好	不好
12	板书的规范和设计合理性方面	0.0527	合理	较合理	不太合理	不合理

对指标体系和评价基准的注释：略。

（2）课堂教学质量评价标准（供学生用）。

课堂教学质量评价标准

序号	指标体系	权重	评定标准			
			4	3	2	1
1	课堂上设置问题激励学生思考方面	0.0897	好	较好	不太好	不好
2	培养学生提高自学能力方面	0.0828	好	较好	不太好	不好
3	对本课程内容的熟悉程度方面	0.0805	熟悉	较熟悉	不太熟悉	不熟悉
4	你对这门课听懂和掌握的程度方面	0.0790	全部	大部分	小部分	听不懂
5	授课通俗易懂和重点突出方面	0.0787	好	较好	不太好	不好
6	上课的条理性和连贯性方面	0.0733	好	较好	不太好	不好
7	指导学生把握学习规律和总结学习经验方面	0.0724	好	较好	不太好	不好

续表

序号	指标体系	权重	评定标准			
			4	3	2	1
8	讲课时的语言表述清楚方面	0.0724	清楚	较清楚	不太清楚	不清楚
9	营造课堂学习气氛方面	0.0699	好	较好	不太好	不好
10	作业量合适和批改作业认真程度方面	0.0649	好	较好	不太好	不好
11	板书设计的合理性方面	0.0647	好	较好	不太好	不好
12	重视学生对教学效果的反应程度方面	0.0636	重视	较重视	不太重视	不重视
13	教学方法、手段的多样化和现代化方面	0.0586	好	较好	不太好	不好
14	倡导正确思想教育和维持课堂纪律方面	0.0495	好	较好	不太好	不好

对指标体系和评价标准的注释：略。

（五）组织实施

（1）课堂教学质量评价由学校成立专门考核班子，具体工作由教育评价科和教务科组织。

（2）若干纪律规定：略。

（六）评价方法

（1）评价信息来源：略。

（2）评价信息源的权重分配表：略。

（3）评价信息处理。采用计算加权平均数公式，运用计算机对评价信息进行统计处理分析。

（4）评价结果的处理。根据评价信息的统计结果进行定性分析，诊断问题和提出建议，并制成表格，同时，把表格中的有关结论和建议反馈给被评价者，使他能更好地反思自己的教学，改进不足，有效提高课堂教学质量。另外，对表格进行整体分析，编写完成评价报告，按要求反馈。

（七）评价报告呈送期限

评价报告呈送时间：1999 年 7 月。

（八）评价报告的接受者

校领导班子成员各一份，校职代会主席团成员各一份。

（九）预算

具体内容：略。

三、在课堂教学评价中教师的自我反思

自我反思是促进教师成长的阶梯。美国学者波斯纳（Posner，1989）提出了一个教师成长公式：经验＋反思＝成长。评价是促进教师进行自我反思的一个重要手段，教师可以在自我评价、他人评价、评价学生中自我反思。

（一）课堂教学评价中教师自我反思的策略与途径

1. 在自我评价中反思

教师在自我评价中要反思的内容很多，以下几方面是反思的重点。

（1）反思成功之处。作为教师，每一堂课总有自己满意的地方，也就是成功之处。如教学过程中达到预先设计目的的做法；课堂教学中突发事件的应变过程；教学基本理论运用的体会；教法改革与创新；教材改进和创造性的处理等。无论是哪一方面有益的收获，课后都应及时反思，并进行总结、归纳，提升并形成一些带有规律性的东西，供以后教学时参考，以不断改进和完善教学。

（2）反思失误之处。侧重审视自己课堂教学的失误之处。任何一节课，都不可能十全十美，如教材处理不当；对教学中偶发事件估计不足；对某个问题的阐述有失偏颇；或者对某个问题的处理力不从心。对

这些问题进行回顾、梳理，并做出深刻反思、探究和剖析，使之成为以后教学时的借鉴，同时找到针对问题的解决办法和教学新思路，写出改进的策略和"二度设计"的新方案。

（3）反思疑惑之处。教师在教学中会遇到这样的情况：自己精心准备的内容得不到好评；而自认为讲得一般的内容，却得到了好评。这种预期与实际效果产生的偏差，就是疑惑之处。教师应该把这种疑惑记录下来，细加琢磨，找出问题所在，使教学效果与预期更为一致。

（4）反思困难之处。学生在学习中肯定会遇到很多困难，也必然会提出各种各样的问题，有些是个别的，有些是普遍的，也有些是教师意想不到的。有的问题一时难以解答，教师就应及时记录下来，并及时反思，以便在今后的教学中对症下药。这样做，一方面可以丰富自己的教学思维和教学经验，另一方面也能加深对教材的理解。

2. 在他人评价中反思

在他人评价中，学生和同事的评价至关重要。学生是教育教学活动的直接参与者，他们对教师教学活动以及师生交往有着直接的感受和判断，教师应及时听取他们的评价和建议，及时调整自己的教学策略，转变某些不恰当的教学行为。例如，课后当学生说某个知识要点不理解或不能很好地运用于实践时，教师就应反思：在教授这个内容时，是否考虑到学生原有的知识基础；是否将新授的内容与原有知识进行合理链接；链接的方法是否科学；在学生将知识转化为解决实际问题的能力中，是否进行了正确引导；引导的过程是否符合学生由易到难、由简单到复杂的认知规律等。教师沿着这个思路反思，定能找到解决问题的答案，也为以后在教学中处理类似问题提供了经验参考。这样既有利于学生的发展，也有利于教师的自我提升。

新一轮课改中的教师要想更快地提升自己，寻求同伴的帮助必不可少。由于同校特别是同学科教师在教学目标、方法和过程以及教学对象、教学环境等方面的相似性，因而对于教学就有更深刻的共鸣和更准确的理解。从同伴的评价中反思自己的教学，既可以借鉴他人的经验，又可以吸取自己的教训，对于改进教学和发展自我都是非常有意义的。所以，教师只有理性地对待同伴的评价，同时对自己的教学进行深层次的反思，才能避免"孤芳自赏"，才能实现"蒸蒸日上"的进步。

3. 在评价学生中反思

对学生学习过程的观察、学习行为的分析、学习结果的反思，也有利于教师对自己的教学进行全面判断，分析自己的优势和不足，明确自己的努力方向。

（1）对学生学习过程的评价反思。

①课堂观察反思。"课堂教学评价具有促进学生发展和教师专业成长的双重功能"。教师自我评价必须着眼于学生的学，因此，在课堂上，应时时观察学生、关注学生，学生所做、所说、所思、所学、所感受都是教师进行自我评价的依据，教师应根据他们外在的显性言行，运用新课程理念，对自己的教学进行深层次的反思，为教学策略的调整提供及时的信息导向。

②学习档案袋反思。学习档案袋或成长记录袋是新课程改革所倡导的一种重要的质性评价法。它收集了记录学生自己、教师、同伴或家长做出评价的有关材料，学生的作品反思等反映学生学习和进步状况的材料。学习档案袋有效记录了学生在原有基础上的点滴进步，能让学生清晰地看到自己成长的足迹，不断提高他们自我反思和自我评价的能力，促进学生持续发展。它对于教师的成长也有重要的意义，它为教师最大限度地提供了有关学生学习与发展的重要信息，真实地反映了学生的学习历程。教师经常翻阅学生的学习档案袋，既有助于教师对学生的学习进行正确评价，形成对学生的准确预期，又有助于教师全面审视自己的教学，反思自己的教学策略，进而不断改进教学方法，提高教学质量，实现自身的发展。

（2）对学生学习结果的评价反思。新课程倡导的是动态的、过程的评价。教师在考查学生的学习结果时，一是要以考查学生的综合素质和能力为主，二是在处理考试结果时，应注重分析学生的困难和问题，找出学生的长处和潜力，帮助学生更好地学习。

总之，无论哪种评价，都是对教师教学的一种反馈，有利于教师在教学中找到自己的位置，为教师的反思提供较为客观的信息。教师应正确对待各种评价，并将其作为准确了解自身优势和不足的机会。

（二）课堂教学评价中教师自我反思的形式

1. 自我提问法

自我提问法指教师对自己的教学进行自我观察、自我监控、自我调节、自我评价后提出一系列的问题，以促进自身反思能力提高的方法。这种方法适用于教学的全过程。如设计教学方案时，可自我提问："学生已有哪些生活经验和知识储备""怎样依据有关理论和学生实际设计易于为学生理解的教学方案""学生在接受新知识时会出现哪些情况""出现这些情况后如何处理"等。备课时，尽管教师会预备好各种不同的学习方案，但在实际教学中，还是会遇到一些意想不到的问题，如学生不能在计划时间内回答完问题，师生之间、生生之间出现理解分歧等。这时，教师要根据学生的反馈信息，思考"为什么会出现这样的问题，如何调整教学计划，怎样的策略与措施更有效"，从而参照学生的思路组织教学，确保教学过程沿着最佳的轨道运行。教学后，教师可以这样自我提问："我的教学是有效的吗""教学中是否出现了令自己惊喜的亮点环节，这个亮点环节产生的原因是什么""哪些方面还可以进一步改进""我从中学会了什么"等。

2. 行动研究法

行动研究是提高教师教育教学能力的有效途径。教师在教学过程中，要敏锐地提取教学中存在的问题，并对此展开调查研究。教师可充分运用观察、谈话、测验、调查问卷、文献调查等方法，并通过课内、课外活动，作业批改，座谈会等多种渠道，对学生学习心理特点和认知方式等多方面进行了解和研究，逐步减少对教学工作认知上的偏差。这样，通过一系列的行动研究，不断反思，教师的教学能力和教学水平必将有很大的提高。

3. 教学诊断法

课堂教学是一门遗憾的艺术，而科学、有效的教学诊断可以帮助我们减少遗憾。教师不妨从教学问题的研究入手，挖掘隐藏在其背后的教学理念方面的种种问题。教师可以通过自我反省法或小组"头脑风暴"法，收集各种教学"病历"，然后归类分析，找出典型"病历"，对"病理"进行分析，重点讨论影响教学有效性的各种教学观念，最后提出解决问题的对策。

4. 交流对话法

教师间充分的对话交流，无论对群体的发展还是对个体的成长都是十分有益的。如在集体备课时，教师可以向同事提出自己在教材解读、教材处理、教学策略、学生学习等方面遇到的疑点与困惑，请大家帮助分析、诊断、反思，并集思广益提出解决办法。这样合作反思、联合攻关，可达到相互启发、资源共享、共同成长的目的。

5. 案例研究法

案例是含有问题或疑难情境在内的真实发生的典型事件。在课堂教学案例研究中，教师首先要了解当前教学的大背景，在此基础上，通过阅读、课堂观察、调查和访谈等形式收集典型的教学案例，然后对案例做多角度、全方位的解读。教师既可以对课堂教学行为做出技术分析，也可以围绕案例中体现的教学策略、教学理念进行研讨，还可以就其中涉及的教学理论问题进行阐释。

6. 观摩分析法

"他山之石，可以攻玉"。教师应多观摩其他教师的课，并与他们进行对话交流。在观摩中，教师应分析其他教师是怎样组织课堂教学的，他们为什么这样组织课堂教学；我上这一课时，是如何组织课堂教学的；我的课堂教学环节和教学效果与他们相比，有什么不同，有什么相同；从他们的教学中我受到了哪些启发；如果我以后教这一课时，会如何处理……通过这样的反思分析，从他人的教学中得到启发、受到教益。

7. 总结记录法

一节课结束或一天的教学任务完成后，教师应该静下心来细细想想：这节课呈现的教学内容是否符合学生的年龄特征和认识规律，总体设计是否恰当，教学环节安排是否合理，教学方法运用是否得当，学生思维能力与动手能力是否得到了富有成效的训练，教学手段的运用是否充分，重点、难点是否突出；今天我有哪些行为是正确的，哪些做得还不够好，哪些地方需要调整、改进；学生的积极性是否调动起来了，学生学得是否愉快，我教得是否愉快，其成败得失的原因何在？还有什么困惑？等等。把这些想清楚，然后记录下来，这样就为今后的教学提供了可资借鉴的经验。经过长期积累，教师必将获得一笔宝贵的教学财富。

第三节 班主任工作评价

班级是学校教育工作的基本单位，班主任是班级工作的组织者、领导者，学校对班级的管理主要是通过班主任来实施的。班主任工作水平的高低和工作质量的优劣，对学生的全面发展和学校管理水平的提高起着重要的作用。

一、班主任工作评价的内容

班主任工作评价包括班主任工作过程评价和工作成绩评价两部分。

（一）班主任工作过程评价的内容

1. 了解和研究学生

了解和研究学生是做好班主任工作的前提和基础。只有全面了解和熟悉本班学生各方面的情况，班主任才能有的放矢、有针对性地开展教育活动，开展班级工作。评价班主任是否能全面、准确、及时地了解学生和班集体，其具体内容包括：一是班主任对每个学生的思想、性格、学习、身体、经历和家庭情况、社会生活环境是否了解清楚；二要班主任对班集体的理想、信念、舆论、士气、纪律、荣誉感、凝聚力和班级的传统作风是否有清楚了解；三是班主任对班级中正式群体、非正式群体和各群体之间的关系，班级中先进、中间、落后学生的分布状况和他们之间的关系，以及干部积极分子队伍的积极性、能力、作风、威信和相互关系是否了解；四是班主任是否建立学生档案，将学生的学习情况、爱好、志趣、思想行为情况、家庭情况及社会关系记入档案，以便于师生间的沟通交往，使班主任工作能有的放矢地得以开展。

2. 组织和培养班集体

班级是学生在学校主要的活动场所和交往场所，班集体承担着对学生进行德育教育的重要任务。建立一个优良的班集体，有助于培养学生良好的思想品德和健全的人格，培养班集体是班主任的中心工作，评价班主任培养班集体的工作，主要包括以下几个方面。

第一，制定班级奋斗目标。具体内容包括：班主任能否根据中小学教育的培养目标和学校总体要求，并结合班级的实际情况，及时地提出为集体所接受，又具有鼓舞力量，能推动班级不断前进的奋斗目标。

第二，认真挑选培养班干部，抓好班干部队伍建设。具体内容包括：班主任能否挑选和培养有威信、能起模范带头作用、工作积极主动、有一定独立工作能力、结构合理的班级干部积极分子队伍，能否培养学生骨干，建立班集体的核心，定期召开班干部工作会议，分工明确，相互协调，不断提高班干部的思想素质和工作能力。

第三，培养正确的舆论和良好的班风。正确的舆论，就是班集体中占优势的，为多数人赞同的正确的言论和意见，这是一个良好班集体的重要标志，正确舆论是集体成员进行自我约束、自我教育的重要手段。具体内容包括：班主任能否经常注意学生舆论倾向，并积极将其引向正确方向，能否通过各种教育活动，来提高学生辨别是非和分析问题的能力，从而形成正确的舆论导向，形成团结、勤奋、求实、向上的优良班风。

第四，班集体只有在有意义的教育活动中才能巩固发展，班主任能否通过有计划地开展目的明确、内容丰富、形式多样、富有吸引力和教育意义的班级活动，激发学生的集体荣誉感，增强集体凝聚力，培养学生相互关心、团结友爱、共同奋斗的集体主义精神是其评价的具体内容。

第五，做好个别教育工作。其具体内容包括：一是看班主任能否做好优秀生的工作，树立好典型，并不断巩固和扩大先进面，成为全班学习的榜样，成为推动班级前进的力量；二是看班主任能否做好问题学生的思想转化工作，关心特殊学生，落实帮教措施，循循善诱地开展谈心活动；三是看班里是否有问题学生转化的典型事例，并使转化了的问题学生不再退步。

3. 班级日常管理及思想教育

班主任的大量工作是日常管理，其他许多工作常体现于日常管理之中。日常管理工作能够比较全面地反映班主任的工作状况，是班主任工作评价的一个重要内容。评价班主任的日常管理及对学生进行思想教育的情况，可以从以下几个方面考察。

第一，班主任能否以《中小学生行为规范》为基本内容建立一套严格的切实可行的班级管理规章制度，规范班级行为。能否严格地执行学校与班级各项规章制度，使全班各项工作具有条理性、规范性、持续性。

第二，班主任能否与班干部、全班同学保持经常、密切的联系，随时掌握班级动态，定期召开班委会，研究和讨论本班所需要解决的各种问题，不断改进工作，对班干部的工作态度和方法经常给予指导。能否精心设计和组织班集体活动，定期召开班会，及时总结情况恰当指出优缺点，鼓舞士气，指引努力方向。

第三，班主任是否关心学生的身心健康。教育学生积极参加体育锻炼，上好"两课两操"；对学生生活进行指导，积极帮助学生解决实际困难，促使学生养成良好的卫生习惯；协助贯彻实施《体育卫生条例》，坚持体育锻炼，养成良好的劳动习惯、生活习惯和卫生习惯；重视心理健康教育，创设适应学生心理健康发展的班级环境氛围，帮助学生保持良好心态，增强自我心理发展，注重培养学生良好的心理素质。

第四，随着现代信息技术的发展，学生获得知识和信息的途径多样化了，其中既有积极的、有益的东西，也有一些腐朽、颓废的东西。这就要求班主任面对新情况，对学生进行有效的思想工作，其具体内容包括：班主任是否通过各种途径、采取多种方式，对学生进行思想政治教育和道德教育，帮助学生树立远大理想，培养高度的道德品质；能否教育学生努力完成学习任务，帮助学生明确学习目的，端正学习态度，掌握正确的学习方法，形成优良的学风，重视学习常规教育，提高学习效率。

第五，班主任是否重视提高学生的自主管理能力。实施自主管理，培养学生自主管理的能力，是为了促进学生的健康成长，为了适应新世纪对人才素质的要求。因此班主任日常管理工作的一个主要任务是培养学生的自主管理能力。评价班主任培养学生自主能力，具体内容包括：班主任能否发挥学生的主动性、独立性和创造性，为每一个学生提供参与班级管理的机会和条件，让学生人人参与班级管理，培养学生的自我教育意识，培养学生的主人翁责任感，最终达到学生的自律，增强自我意识和自主管理能力。

4. 协调各方面教育力量

影响学生成长的途径主要来自家庭、社会和学校。班主任必须沟通学校与家庭、社会的联系，协调各方面教育力量，共同做好学生的教育工作，从而达到教育的目的。评价班主任的协调工作，主要考查以下几方面。

第一，班主任能否及时与科任教师沟通，反馈和交换意见，充分发挥科任教师特殊的作用。因为在对班级的教育和管理中，科任教师起着十分重要的作用，而且各科任教师在教学过程中是单独进行的，只有通过班主任协调各科任教师之间的相互关系，调整各项教育、教学措施，使班集体的教与学和谐一致，才能促进学生的全面发展。

第二，家庭教育对学生的健康成长至关重要。学校教育工作要想取得预期效果，班主任必须密切联系家长，争取家长的积极配合。其具体的评价内容包括：一是班主任是否定期召开家长会，通过家长会议制度了解和掌握学生的家庭整体情况，引导和指导家长用正确的态度和方法教育子女；二是班主任能否及时与家长沟通，通过家访，深入了解学生情况及其家庭教育的具体情况，也使学生家长全面细致地了解学生在学校中的学习、生活情况，从而使班主任与家长能够协调一致地做好个别学生的工作。

第三，班主任能否协调社会各方面教育力量，具体内容包括：班主任是否鼓励和支持学生积极参加校外的社会实践活动，是否能够利用社会力量，取得社会各方面的支持，为学生参加社会实践活动营造良好的环境，能否利用社会上正面的典型事例对学生进行教育，弘扬正气。

5. 制订班级工作计划和总结，搞好期末的鉴定和评优工作

班主任工作涉及学校的各方面工作，是一个复杂的系统工程，只有制定好周密的计划，才能有步骤地把学校的教育计划落实到班级，使学

校培养目标具体化、阶段化和层次化，以保证学生的健康发展。检查班主任工作计划、做好工作总结，有利于提高班主任工作的科学管理水平。评价班主任工作计划和工作总结，主要考察以下几方面。

第一，班主任在开学初，能否根据学校工作计划和班级实际情况，制定本班的学期工作计划，明确班级管理目标，建立班级各项规章制度，全班学生根据班级计划确立个人奋斗目标和努力方向。工作计划是否目的明确，内容充实，活动形式多样，要求适度，安排具有阶段性、连贯性、预见性和可行性。学期末，班主任能否根据工作实施情况，做出全面工作总结或专题总结。

第二，班主任能否搞好期末学生操行评定工作、评选三好学生和优秀班、团、队干部，班主任能否根据学生平时的具体表现写好评语，给学生的评语是否客观、公正、全面、有重点，能体现学生的个体特征和发展趋势，为学生所接受并受到教育。评选三好学生与优秀班、团、队干部时，是否有充分的群众基础，评定准确，评定过程和评定结果具有教育意义。

（二）班主任工作成绩评价

班主任工作成绩是班主任素质、工作态度和教育能力的综合体现。班主任工作的成效直接反映教育方针的贯彻、教育质量的提高以及教育目标的实现程度和水准。因此，班主任工作成绩的评价是班主任评价的重要内容，是班主任工作评价的出发点和归宿。

班主任成绩评价可以分为工作成绩、班主任威信和班主任科研成果等几方面。

1. 工作成绩

班主任是班级的组织者、教育者和指导者，班主任的职责就是建设好班集体，做好学生的思想品德教育，促进学生的全面发展。评价班主任的工作成绩主要包括以下几方面。

（1）班风班纪。它反映了学生思想和个性品质的发展情况，具体内容包括：学生的出勤率、违纪率；班级的卫生工作，好人好事；班级在各项活动中的表现及在各种竞赛中的获奖情况。

（2）学生成绩。包括各科学业的学习成绩（班级的平均成绩、优秀率、及格率、提高率、毕业率等）和学生参加各种课外活动所取得的效果和成绩。

（3）学生全面发展的情况。具体包括学生在体育、音乐、美术、劳动技能等诸方面的发展情况。

2. 班主任威信

威信是班主任在学生心目中的威望和信誉。班主任威信是班主任工作成绩的集中表现。班主任的威信包括班主任的品德影响力、知识影响力、才能影响力、情感影响力等几方面，它是对班主任的人格力量、示范作用、工作态度和能力等隐性行为的一种评价。评价班主任威信，具体内容包括：一是学生是否最信服、最愿意接近他，最听从他的教育；二是学校领导是否信任他，对他的班级工作最放心，最放手；三是任课教师是否最愿意与之合作，并对他的班级工作感到满意。

3. 经验总结与科研成果

经验总结和科研成果是班主任成绩的重要内容之一。评价班主任的经验总结和科研成果，具体内容包括：一是班主任经验总结的文章篇数和班主任工作的论文篇数，包括在各种刊物上发表的篇数；二是班主任的教育科研情况，包括科研立项、进行科研活动、撰写科研论文等；三是班主任个人的评优、获奖情况，包括次数、名次及规格等。

二、班主任工作评价的方法

（一）定量积分评价法

定量积分评价是一种数量化的评价方法。评价者由校领导、科任老师、学生、学生干部、家长和自评六个方面组成，根据评价项目和标准确定等级分数。定量积分评价的优点是：评价组成面广，相对比较客观，而且操作起来比较简便，评价结果比较直观。

（二）定性讨论分析法

定性讨论分析法的操作方法是：由校领导、年级组长、教师代表、学生代表、干部代表和家长代表等共同组成一个评价小组，由班主任按照评价的内容总结汇报，再由各方代表介绍情况，最后综合为一个评价材料。定性讨论分析法有利于班主任工作的诊断与改进。

（三）综合法

将定量积分与定性分析法结合起来，得出的结论不仅客观性强，而且有助于提高班主任的工作质量。

三、班主任工作评价中的问题

目前班主任工作评价中还存在着一些问题，主要表现如下。

（一）依据片段事例进行评价

在学校里，行政领导人员是评价主体，他们有权对班主任的管理工作做出评价。但是，有的行政领导由于事务缠身，深入班级的机会很少，所以评价一个班主任工作时往往凭某一片段事例。这个事例，当然包括好的和坏的两个方面，就其来源而言，有的是领导者本人所见，有的是他人的传闻。作为一个有实权的评价主体，仅仅依靠一些耳闻目睹的片段，就去评价班主任教师的管理工作，实在令人难以信服。

（二）忽视班主任工作过程的评价

评价班主任的管理工作，是要对其班级管理工作的成果做出判断，但只重结果而忽视过程的评价是不全面的，因为任何事务都有其发生、发展的变化过程。不了解工作过程，其做出的结果也是难以客观的。所以，评价班主任工作时，应把结果评价同过程评价结合起来，否则，就可能出差错。

（三）单纯以升学率高低进行评价

应当承认，升学率高低是评价教育质量的一个重要方面，是办学水平的重要标志，当然也是衡量班级学生质量的一个重要尺度。因此，把升学率同管理水平对立起来的观点是错误的。但是单纯以升学率为唯一指标来评价班主任的工作也是错误的。

（四）评价指标过细或过空

目前班主任评价指标存在过空或过细的问题。过空的指标会使人无从下手，难以把握；过细的指标容易引导班主任追求表面的东西，不利于班主任发挥自己的创造性，形成自己的特色。

这些问题的存在，不仅影响班主任工作的积极性，而且会影响到学生的成长和发展。因此在开展班主任工作评价时要尽量避免这些问题。

小　结

本章主要论述教师评价问题。

振兴民族的希望在教育，振兴教育的希望在教师。开展科学的教师评价，是建设具有较高素质的教师队伍的基本保证。

教师评价就是根据学校的教育目标和教师的根本任务，运用恰当的评价理论和方法手段对教师个体的工作质量进行价值判断。

有两种不同的教师评价制度。一种是以检查教师的资格和能力，为教师的聘任、晋升、加薪、解聘等提供人事决策依据的奖惩性教师评价制度；另一种是用以提高教师专业水平，促进教师职业发展，保证教育教学质量的发展性教师评价制度。前者所采用的评价方法主要是终结性评价，后者所采用的方法主要是形成性评价。教师评价应当以发展性评价为主。

　　教师评价的内容很广泛，在实际工作中，人们运用较多的是课堂教学评价、班主任工作评价等。

　　目前教师评价中存在的主要问题有：以学生考试成绩作为衡量教师教学效果的唯一指标；课堂教学评价中的形式主义倾向；如何有效地实施学生评教以及教师评价中教师主体性发挥等。采取各种有效的措施，解决这些问题，有利于促进教师评价的健康发展，并取得实效。

　　各地在教师评价的理论研究和实践中，已开发出不少科学、可行的教师评价方案或指标体系。这些方案或指标体系提供了教师评价的一些基本思路和程序。评价者应当结合自己的评价目标、师资条件等特定因素，加以改造，制定出最切合实际的评价方案。

思考题

1. 什么是发展性的教师评价制度？
2. 如何评价一堂课？
3. 课堂教学评价的方法有哪些？
4. 怎样在教学评价中自我反思？
5. 班主任工作评价主要存在哪些问题？

进一步阅读的相关文献

1. 王斌华. 教师评价：绩效管理与专业发展 ［M］. 上海：上海教育出版社，2005.
2. 杨九俊. 教学评价方法与设计 ［M］. 北京：教育科学出版社，2004.
3. 唐晓杰，等. 课堂教学与学习成效评价 ［M］. 桂林：广西教育出版社，2000.

后　　记

　　自 20 世纪 30 年代教育评价在国外作为一种专业活动兴起以来，一直受到政府、社会和学校的普遍重视，许多国家把它作为完善教育政策方案、改革教育管理体制、核定教育机构办学效能、评定个人工作绩效、提高教育质量的重要手段。在我国，教育评价从 20 世纪 70 年代末恢复和兴起以来，已经历了二十多年的发展历程，初步建立了适合我国国情的理论和方法体系，较好地促进了教育事业的发展。

　　从 20 世纪 90 年代中期起，我们为华东师范大学师范专业本科生开设了"教育评价与测量"这门课程，并撰写了《教育评价与测量》教材，该教材于 2002 年 12 月由教育科学出版社正式出版。四年多来，该书在普及教育评价与测量的基础知识和基本方法方面起到了一定的促进作用，同时也暴露了该书的一些不足。此次修订，主要做了如下几个方面的工作：一是在章节上做了局部调整，如删除了"人格测验"一章，更加突出书稿主题；二是增加了图表、案例，使书稿更具可读性和实用性；三是反映教育评价理论与实践的最新进展，如增加了国外教育目标分类的研究内容、教育评价再评价标准内容以及学生综合素质评价的进展等。

　　本书第 1、2、3、10 章由金娣编写，第 4、5、6、7、8、9 章由王钢编写。

　　在本书编写过程中，我们参考和引录了国内外有关的文献资料和最新研究成果，在此谨向原作者和出版社表示感谢。

　　本书既可作为高等院校本、专科生以及教育硕士"教育评价与测量"课程的教材，又可作为基础教育管理人员、广大教师的参考书。限于作者的水平，本书如有错误或不妥之处，恳请读者批评指正。

作　　者

2007 年 6 月于华东师范大学丽娃河畔

责任编辑　杨晓琳　池春燕
版式设计　贾艳凤
责任校对　贾静芳
责任印制　曲凤玲

图书在版编目（CIP）数据

教育评价与测量/金娣,王钢编著．—2 版．—北京：教
育科学出版社,2007.12(2011.1 重印)
（新世纪教师教育丛书/袁振国主编）
ISBN 978 - 7 - 5041 - 3997 - 9

Ⅰ．教…　Ⅱ．①金…②王…　Ⅲ．①教育评估②教育 - 测
验　Ⅳ. G449

中国版本图书馆 CIP 数据核字（2007）第 148639 号

出版发行　教育科学出版社
社　　址　北京·朝阳区安慧北里安园甲 9 号　　市场部电话　010 - 64989009
邮　　编　100101　　　　　　　　　　　　　　编辑部电话　010 - 64989441
传　　真　010 - 64891796　　　　　　　　　　网　　址　http://www.esph.com.cn

经　　销　各地新华书店
制　　作　北京金奥都图文制作中心
印　　刷　保定市中画美凯印刷有限公司　　版　　次　2007 年 12 月第 2 版
开　　本　169 毫米 ×239 毫米　16 开　　　　印　　次　2011 年 1 月第 5 次印刷
印　　张　20.75　　　　　　　　　　　　　　印　　数　20 001—28 000 册
字　　数　280 千　　　　　　　　　　　　　　定　　价　41.00 元

如有印装质量问题,请到所购图书销售部门联系调换。